suhrkamp taschenbuch 461

Hermann Lenz, am 26. 2. 1913 in Stuttgart geboren, studierte Germanistik, Kunstgeschichte und Philosophie in München und Heidelberg. Während des Zweiten Weltkriegs war er Soldat. Hermann Lenz lebt heute in München. Er veröffentlichte Lyrik, Romane und Erzählungen: *Gedichte*, 1936; *Der russische Regenbogen*, 1959; *Spiegelhütte*, 1962; *Die Augen eines Dieners*, 1964; *Verlassene Zimmer*, 1966; *Andere Tage*, 1968; *Im inneren Bezirk*, 1970; *Der Kutscher und der Wappenmaler*, 1972; *Dame und Scharfrichter*, 1973; *Neue Zeit*, 1975; *Der Tintenfisch in der Garage*, 1977, u. a.

Von Hermann Lenz' autobiographischen Romanen sind bisher drei erschienen: *Verlassene Zimmer* (1966), *Andere Tage* (1968) und *Neue Zeit* (1975).

Verlassene Zimmer galt der familiären Vorgeschichte und der Kindheit des Helden, den letzten Jahren des württembergischen Königtums, dem Ersten Weltkrieg und den Anfängen des republikanischen Deutschlands. In *Andere Tage* beobachtet die robustere, aber einfühlsame jüngere Schwester Eugens die Personen ihres bürgerlichen Lebenskreises und erfährt, wie durch die politischen Entwicklungen der ausgehenden Weimarer Zeit und die nationalsozialistische Machtübernahme die Einheit der Familie belastet wird. Diese Wahl der Perspektive – Kunstgriff des Autors, der seine eigene Sensibilität gleichsam erstaunt wahrnimmt und um so nachdrücklicher schildert – macht deutlich, wie aus der vom energischen Vater besorgt bemerkten Neigung des Sohns, am Leben nicht teilzunehmen, sondern zu schauen und zuzuschauen, eine moralisch-ästhetische Notwendigkeit entsteht. Der erfolglose Tübinger, Münchner und Heidelberger Theologie- und Kunststudent begibt sich auf die Suche nach dem ihm gemäßen Bezirk; die Dichtung hat er als die ihm gemäße Form der Evasion und der Bewahrung erkannt, aber er wagt noch nicht, sich zu ihr zu bekennen.

Hermann Lenz
Andere Tage

Roman

Suhrkamp

suhrkamp taschenbuch 461
Erste Auflage 1978
© Verlag Jakob Hegner in Köln 1968
Alle Rechte vorbehalten durch Suhrkamp Verlag,
Frankfurt am Main, insbesondere das des
öffentlichen Vortrags, der Übertragung durch
Rundfunk und Fernsehen und der Übersetzung,
auch einzelner Teile
Suhrkamp Taschenbuch Verlag
Satz: IBV Lichtsatz KG, Berlin
Druck: Nomos Verlagsgesellschaft, Baden-Baden
Printed in Germany
Umschlag nach Entwürfen
von Willy Fleckhaus und Rolf Staudt

ANDERE TAGE

TANTE EMILIE ERSCHIEN IHR IMMER NOCH ALS EINE elegante Frau, während die Mutter die Hand aufs Weinglas legte: »Nein, mir, bitte, nichts mehr! Was glaubst du, sonst bekomme ich ja einen Schwips!« Und der Vater sagte: »Mäusle, du hast nix Dionysisches!«

Auch Margrets Bruder lachte, doch sah er zwischen den Leuten hindurch; geistesabwesend hieß man das, und ihr erschien's beinahe widerlich, obwohl es dann auch wieder nicht so arg war; denn schließlich tat ihr Bruder niemandem mit seiner Geistesabwesenheit weh. Das hatte er vor anderen voraus, die sich immer wieder aneinander reiben oder gegenseitig sticheln mußten, damit sie glaubten, daß sie etwas Besonderes seien. Auch du gehörst zu denen, aber daran denkst du jetzt bloß halb... Und ihr kam's vor, als wäre sie trotz allem besser als ihr Bruder dran, weil sich der fürchtete, von anderen verletzt zu werden. Dir ist's gleichgültig, sollten die doch etwas Unverschämtes sagen, dann bist du auch nicht auf den Mund gefallen... Und alles fühlte sich wie ein blasenspritzendes Badewasser an, in dem sie mit den andern herumpatschte, herumplanschte, fröhlich beieinanderhockte im Gespräch und im Geschwätz, eine lachreizende Gesellschaft, über die sie froh war. Sie gehörte eng dazu, unter Menschen fühlte sie sich heimisch. Ihr Bruder aber, ach, ihr Bruder...

Halb hinuntergerutscht saß er auf dem Stuhl, drehte sein Glas und hing schlapp herum, wie der Vater sagte, der sich wünschte, daß sein Bub ein ›strammer Bolzen‹ sei. »Kerle, hock' aufrecht na, sei net so schlankelig!« sagte der Vater, und als wieder von der Großmutter gesprochen wurde, rief er über den Tisch: »Ach was, wenn man mit dreiundsechzig stirbt, ist d' Hebamm nemme schuldig!«

Der Vater, der war gut; der sagte alles, was er dachte, und brachte eine frische Luft herein. Aber so lustig wie er war Margret auch, und sogar ihre Schlappergosche hatte sie von ihm geerbt. Solch einen Vater sollte ihr einmal eine aus der vierten Klasse des Königin-Katharina-Stifts nachmachen, also etwa Eva Maurer oder Doris Becker-Simon. Aber Eva Maurer war oft fast unheimlich fröhlich, oder durch ihr Lachen sickerte etwas Befremdliches. Vielleicht konnte man sagen, daß es so sei, obwohl du es nicht sagst, sondern bloß spürst... Daß Eva Maurer hübsch war und einen Herrenschnitt hatte, kam auch noch hinzu; und dann natürlich der auffällig kurze Rock, oder wie ihr die rote Krawattenschleife zu der weißen Bluse stand.

Wenn du wie sie daherkämst, würd es nicht so gut aussehen, dachte Margret Rapp am andern Tag, als Eva Maurer in das Klassenzimmer trat und nicht weit vom Türpfosten an der Wand entlangging. Sie wurde angerufen und winkte da und dort hinüber, ins Geschwätz der Mädchen, morgens, ein paar Minuten vor acht Uhr. Die abgewetzte Mappe hing ihr am Arm, eine Locke streifte ihre Stirn, und nur den grauen Augen sah man etwas an, das tiefer saß. Vielleicht ist's dumm, daß du's bei ihr zu sehen meinst, aber du siehst es trotzdem... Als hätte Eva etwas in sich weggeräumt, das niemand sehen sollte.

Eva sah den Schokolade-Neger mit dem roten Rock und wie der bauchglänzend und daumenlang in der Rille für den Federhalter stand, ließ die Mappe auf den Boden fallen und umarmte Margret Rapp. Sie balancierte, den Kopf zurückgebogen und einen Tränentropfen unterm linken Auge, den Schokolade-Neger auf der Stirn, und nahm ihn erst herunter, als die Klassenlehrerin hereinkam, eine, welche lächelte, weil sie's gesehen hatte, denn Eva Maurer hatte heut Geburtstag.

Margret überlegte, wen sie kenne, der dasselbe wie die Eva an sich habe, und was es sei. Vielleicht Tante Emilie, die in Rußland als Kammerzofe bei den Orlow-Dawidows gewesen war; die sah manchmal so aus, als ob sie in Gedanken alles, was sie sehe, mit Früherem vergliche, also solchem, das ihr schon einmal begegnet war, weshalb sie immer nur mit bleichem Gesicht, das scharfe Züge hatte, freundlich nickte. Eva aber war ganz frisch und hatte eine dünne Wangenhaut, durch die Blut schien; und geistesabwesend war sie auch. Fast wie dein Bruder Eugen, zu dem die Eva vielleicht gepaßt hätte, äußerlich allerdings nicht... Nie würden die beiden zusammenkommen, weil Evas Eltern mit modernen Möbeln irgendwie schick wohnten und oft im Auto wegfuhren; Eva war dann mit dem Dienstmädchen allein, sie hätte es sich eigentlich beneidenswert einrichten können, aber trotzdem mußte irgend etwas nicht zusammenpassen; was es ist, weißt du allerdings nicht.

Eugen war zu unelegant für Eva; der mit seinen kurzen Hosen und den Stiefeln; die Nestel wurden um Haken geknüpft; und dann auch sein so arg kurzgeschorenes Haar... In der Pause lehnte Eva am Staketenzaun und sah über die Straße nach den Anlagenbäumen, von denen manche schon rotfächerig waren oder schwere gelbe Blätterlappen hatten, während der Oktober milde und beinahe windstill war. Eva fragte, ob Margret schon einmal samstags durch die Stadt geschlampt sei: »Du, das mußt du machen. Nachmittags... Hinterm Rathaus ist dann alles so besonders leer. Auch in der Altstadt... Und du kommst unter den Gassenecken, wo der erste Stock herausragt, sogar wenn es stark tröpfelt, ganz trocken herum... Überm braunen Dach vom Cotta-Haus die Wolken, überhaupt über allen Dächern... Und weil die Straße so lang und gerade ist: einfach ganz wunderbar!«

So etwas sah nur Eva. Wenn sie eine fragte, ob sie in der Pause nicht wenigstens einen Apfel essen wolle, sagte sie: »Ich möchte nichts.«

Beim Schwimmen schmiegte sie sich ins Wasser hinein und kam aus ihm heraus, als ob sie in der Luft und auf den Füßen nur zwischendurch daheim sei und sich immer nach dem Wasser sehne; unter Menschen tat ihr vielleicht öfters die Haut weh. Triefend blonden Haares stieg sie aus dem Becken, schüttelte den Herrenschnitt und half Emma Stickel beim Hochdrehen ihrer Locken, denn Emma wollte einen Haarbausch über der Stirn haben, wie ihn ihre Mutter auf einer Photographie aus dem Jahr neunzehnhundertundneun hatte; aber Eva brachte dann das Schwalbennest aus Haar nicht so richtig zustande, und alle lachten.

Später wollte ihr nichts mehr gefallen, und sie sagte, heute strecke es sich wieder einmal schneckenglitschig aus. Und weil mit Eva Straßen, Gärten, Menschen und alles andere so waren, als ob's verschwinden könnte, fühlten sich Margret Rapp, Emma Stickel, Doris Becker-Simon, Lisedore Häge und so weiter wenigstens für Augenblicke wie benebelt, und es war ein seltsames Beisammensein.

Dann fingen die Herbstferien an. Mit ihrem Vater und dem Bruder fuhr sie nach Dürrmenz, saß auf der Holzbank eines Vierter-Klasse-Wagens, und die Holzbank war hellgelb. – »Ich fahre Vierter, solang's noch keinen Fünfter gibt«, sagte der Vater, der sein Malzeug im Rucksack dabeihatte und einen moosig braunen Anzug mit Breecheshosen trug. Mankelesbraun…, dachte Margret, und ihr kam es vor, als ob die Farbe auch zu Eva Maurer passe, obwohl die meistens helle Kleider trug; aber ihre Art war sozusagen auch herbstblätterfleckig. Das ist dir fremd, und trotzdem hat es etwas… Deshalb beneidest du die Eva. Es war wie Patina, also schon ein bißchen alt und als täte ihr jede Freude beinah weh. Und Margret zeigte im Eisenbahnwagen Federzeichnungen, die ihr Eva geschenkt hatte. – »Heidesack«, sagte der Vater, »aber die ist schon arg weit! Wie alt?« – »Auch vierzehn.« – »Heidenei!«

Auf den Bildern hatte sie sich selbst gezeichnet, wie sie bei rasselndem Wecker aufstand, vor dem Bett ›uah!‹ gähnte und die Arme streckte [die schlief also im Schlafanzug], sich duschte und zur Schule ging; alles war hingestrichelt oder hingeschrieben, lustig zwar, aber doch wie durchsichtig oder auch zerbrechlich. Und um eines beneidete Margret Eva ganz besonders: um den ›Five o'clock‹, weil sie auf einem Bildchen, unter dem ›Five o'clock‹ stand, eine Schallplatte in der Hand hielt; neben ihren Füßen lagen andere Schallplatten, und sie hatte einen Rock mit Lackgürtel und wieder diese Bluse mit der Schleifenkrawatte an, diesmal übrigens eine dünne und gestreifte. Ja, wer solche Schlafanzüge, solche Lackgürtel, solche Five o'clocks haben durfte...

Weil Eugen Evas Zeichnungen nur flüchtig ansah und sie wie erschrocken von sich wegschob, mußte Margret schmunzeln.

Jetzt war Dürrmenz nicht mehr weit. Sie kamen an. Und bald danach gingen sie hinter der Kunstmühle durch das welsche Dorf, wo immer wieder jemand rief: »Ja waas, Hermann, bist au do!« denn der Vater wurde in seinem Geburtsort sehr herzlich begrüßt. Waldenserhäuschen duckten sich, und unter vorragenden Dächern führten steile Treppen in die Höhe. Die Gasse machte einen Knick. Ein Sandsteinhaus mit breitem Giebel hatte neben der Tür Säulen, und ein Mann mit silberigem Vollbart stieg im Havelock aus einer Chaise aus; das war der Sanitätsrat Reichmann. Als sie ihn begrüßte, hatte Margret das Gefühl, als verschlucke seine muskelgepolsterte Hand ihr Händchen. Der Vater nahm vor Sanitätsrat Reichmann die Füße zusammen und verbeugte sich. Im Weitergehen sagte Eugen: »Der ist was Rechtes.« – »Kein Wunder, wenn er fünfzig Jahre älter ist als du«, gab sie zurück, und der Vater sagte, Sanitätsrat Reichmann habe ihm vor dreißig Jahren das Knie eingerenkt; »so, Hermann, jetzt g'schwind auf d' Zähn bisse!« habe er gesagt und ihn am Fuß gerissen.

Die Ruine Löffelstelz sah grausteinern vom Schloßberg her, und neben ihr bauschten sich Bäume; das Laub war dicht und grün und gelblich angelaufen wie ein Schmuck, eine Verzierung, manchmal rotgesprenkelt, und das Licht, gedämpft von hohen Schleierschichten, kam heraus. Überm Marktplatz, der an die Enz grenzte, war das Flußwasser ganz klar; es spiegelte die Häuser.

So sah es jetzt ihr Bruder; denn aus Spaß, oder weil es ihr gemäß war, verlor sie sich mit ihren Empfindungen in den Bruder und spürte, was er sah und dachte. Auf der Staffel vor dem Hause mit der rostig goldenen Schrift ›Gottlieb Rapp‹, deren Buchstaben wie Kissen gewölbt waren, stand der Großvater, kam schnell herunter, hatte Fältchen in den Augenwinkeln, und seine Backen zitterten neben der langen gebogenen Nase; ein behender Mann, der dem Vater die Hand schüttelte. Unter der Küchentür stand die Großmutter, und ihr Rocksaum streifte fast den Boden; sie lächelte mit grauem Katzenkopf.

Das Essen schmeckte anders, und der Abort, dieser Verschlag mit Brettertür, die ein Riegel sperrte, hatte eine Holztruhe, auf der sie mühsam saß; es roch auch beizend, und beim Sitzen klopften ihre Schuhabsätze an die Truhenwände. Dies war nicht gut, und lieber machte sie's im Wald, der eine brüchig altgoldene, zerschlissene und durchschienene Dekoration ausgehängt hatte, indes die Luft warm stillstand. Der Vater hatte Lehrer Lindenberger zu einem Spaziergang abgeholt, und Margret Rapp ging neben ihrem Bruder hinterdrein. – »Denkst an den Mörike?« flüsterte sie. Er schüttelte den Kopf, deutete auf Vater und Lindenbergers Hinterteil und legte den Zeigefinger an den Mund.
  Die beiden Alten – für dich sind sie halt alt – erinnerten sich an Vergangenes, und das war immer schön. – »Wasser sechzig!« sagte Lindenberger und streckte den Arm hoch. Der Vater lachte: »Richtig... ›Wasser sechzig!‹, das haben wir uns zugerufen, wenn die Enz randvoll gewesen ist. Und nach dem Fischen sind wir in der Mühle eingekehrt... Gustav, weißt noch, wie du ›Steig auf, mein Falk, ins Himmelsblau‹ gesungen hast?« – »Und du hast mich auf dem Klavier begleitet.« Das Schönste aber mußte für die beiden ein Grammophon mit Hartgummiwalzen in der Wirtschaft zum Sennich gewesen sein, das aus seinem Trichter ›Wenn der Frühling auf die Berge steigt‹ hatte hinausdröhnen lassen. Einen Sommer lang waren sie jeden Sonntag zum Sennich gegangen, um dieses Lied zu hören. Jetzt schauten sie im Gehen auf die Seite.

12

»Gelt, du möchtest auch nicht, daß alles immer wieder anders wird? Aber ich«, sagte sie zu Eugen und dachte an Eva Maurer, die sie, ehrlich gesagt, richtig gerne hatte. Das paßte auch zu ihrem Bruder, denn der war doch nur deshalb so abwesend, weil ihn alles scharf anrührte; genau wie Eva Maurer... Und sie betrachteten einen Stein, der als Findling im Wald ruhte, einen Sandsteinbrocken, so hoch wie eine Hütte und einem Helme gleichend, auf dem ›1914 bis 1918‹ stand. Das war hinter der Schloßruine, deren Eingang zwei gemeißelte Wappen schmückten; von denen sagte der Vater, er habe sie für den Steinmetzen nach einem alten Siegel zeichnen müssen; auf der Rückseite des Siegels seien Fingerabdrücke im Wachs zu sehn gewesen.« Und das ist weiß nicht *wie* lang her... Also fünfhundert Jahre mindestens.«

Da meinte er also die Fingerabdrücke im Wachs. In der Ruine, die sich wie ein leerer Hof ausstreckte und spitzbogige Fenster hatte, waren nach hinten zu Terrassen, mit Gras überzogen. Der Vater hatte dort als Bub einmal gegraben und Münzen und einen rostigen Schlüssel herausgezogen, denn dieser Boden war nichts anderes als Brandschutt.

Eugen hörte zu und hätte wahrscheinlich am liebsten selbst den Boden aufgehackt; aber wie konnte man so etwas tun, wenn bloß rostige Schlüssel dabei herauskamen; die Münzen freilich, ja, die Münzen waren vielleicht etwas wert. Trotzdem ist es ein ekliges Geschäft; das ist doch etwas für Großeltern, und wenn du es anrühren sollst, dann schaudert's dich. Du legst auch deine Wäsche nicht gern in eine alte Kommode... Doch fiel ihr ein, daß sie daheim in einem Bett ihrer Großeltern schlief und ihre Kleider in einem Spiegelschrank aus Gablenberg hingen.

»Sag doch mal ein gemeines Wort«, sagte sie zu Eugen, als die Männer wieder vorausgingen. Er tat's, und sie kam sich wieder jung vor. Eugen erzählte, daß er mit Gustav Schaaf im Akazienwäldchen eine Zigarette geraucht und danach Orangenschalen gekaut habe, damit man es nicht roch; dem Gustav sei es schlecht geworden, ihm aber nicht. Er sagte auch das mit den Kindern [wie die gemacht wurden] und daß Gustav gesagt habe, er glaube es ihm nicht; das hänge doch mit dem Herzen zusammen, Kinder kämen nur vom Herzen; aber so was Ordinäres… »Übrigens sind auch schon drei Jahre vergangen, seit ich mit dem Gustav drüber g'schwätzt hab.« Und er erzählte, das sei damals g'wesen, als der Hindenburg durch Stuttgart g'fahren sei, »weißt du: so ganz starr und massig in einem schwarzen Auto an einem grauen Tag. Er ist aufrecht dagesessen, nein, eigentlich steif, und hat seinen Zylinder über den Knien bewegt, als wäre er ein Automat«.

Sie lachten wieder, und Margret sagte, Eugen habe Hindenburg noch genau im Gedächtnis, beinahe wie photographiert.

Nach dem Abendessen leerte der Großvater eine Opferbüchse aufs Wachstuch aus, und Margret fing an, die Pfennigstücke wie Linsen mit dem kleinen Finger vom Tisch in die Hand zu streichen; sie freute sich, wenn sie zehn beisammen hatte, weil die Münzen dann eingerollt wurden und der Aufdruck auf den Rollen so verschnörkelt war. Eugen lehnte in der dunkelrotsamtenen Sofa-Ecke und nahm manchmal ein Spitzendeckchen von seinem Ärmel, denn diese Spitzendeckchen hängten sich ihm an die Ärmelknöpfe. Und wieder sah er aus, als ob er hinter einer Milchglasscheibe säße; dabei war er doch in den Flegeljahren [nicht zu glauben]. Einmal stieß sie ihn mit dem Ellenbogen an und fragte leise, was er tue. – »Zugucken halt«, sagte er und wurde lächelnd rot, beugte sich vor und schaute auf die Rollen mit den Pfennigstücken, während der Großvater eine Rechnung langsam ins Kirchenbuch schrieb. Pfarrer Rieger kam, ein Großer und ein Eleganter [kein Wunder, weil ihm doch das Sanatorium Schömberg gehört], und der Vater sprach recht laut mit ihm. Die beiden kamen gesprächsweise auf den Urgroßvater, und der Pfarrer sagte: »Sehen Sie sich doch die Stelle im Kirchenbuch einmal an.

14

Hinter seinem Namen steht: ›Spurius des Dekans Johann Gottfried Rapp‹. Der Dekan hat sich selber hineinschreiben müssen, aber das hat dem wahrscheinlich gar nichts ausgemacht. Das Fräulein Stahl war damals Dienstmädchen im Pfarrhaus. Und mit der hat er halt so Späßle g'macht.«

Die Alten schmunzelten und bildeten sich ein, Kinder verstünden davon nichts. Der Pfarrer ging, und der Vater holte sein Kinderbriefmarkenalbum von der Bühne, ein außen rotes, mit Ornamenten und Goldbuchstaben bepreßtes Buch, also auch altmodisch. Eugen aber gefiel immer nur, was andern komisch vorkam, lächelte beim Blättern, sagte, als auf einer Seite weißrotgrüne Marken eingepappt waren: »Oh!« und sah die leeren Blätter an, auf denen immer wieder Flecken von ausgerissenen Marken die gelblichen Seiten schmutzig machten. Merkte er denn nicht, daß das ein leeres Album war? – »Also, gefällt's dir? Hab ich zuviel gesagt?« fragte der Vater, der frischbackig an der Pfeife sog. Eugen schüttelte den Kopf, ein Liebenswürdiger, der seinem Vater die Freud nicht verderben wollte. Und war sie ein Luder, weil sie ihrem Bruder hinter die Hirnschale guckte und bemerkte, was er dachte? Vormachen kann man dir so gut wie nichts... Überm Schreibsekretär des Großvaters hing das Bild der Urgroßmutter mit der schweren Unterlippe, dieser ›Rapp-Lubbel‹; und der Vater hatte es um neunzehnhundertzehn mit Kohlestift gemacht, nachdem diese Uralte die Treppe heraufgelaufen war, als wäre sie frisch aufgezogen worden; sie hatte sich hereingesetzt, einen räucherduftenden ›Schonka‹ ausgepackt, und der Vater, damals Kunststudent und ein strabeliger Kerle, schnitt eine Scheibe ab, mampfte auf beiden Backen, zeichnete seine Großmutter, wozu er ›konterfeite‹ sagte [schon wieder so ein altmodisches Wort], und fragte, ob sie nachher nicht den Großvater besuchen wolle; aber da zuckte sie mit ihrem Geierkopf, und die Sehnen neben dem Schlüsselbein kamen am Hals wie Drahtgeflecht heraus, als sie hervorstieß: »I mag doch net zu some altbackene Maa nahocke!«

Ach ja, lauter solche G'schichtle... Öb das Leben immer nur aus so etwas bestand? Eugen hätte: ›Ha freilich..., für uns schon‹ zu ihr gesagt, gelacht und: ›Wenn's nicht böser kommt, kannst froh sein‹ hinzugefügt. ›Ausmalen kannst du dir natürlich, was du willst, das ist dein Glück‹, hörte sie ihn sagen, war aber nicht ganz damit einig und wünschte es sich anders oder interessanter; denn insgeheim genügte es ihr nicht. Drüben auf dem Wandtischchen stand ein Tafelaufsatz; die Großmutter glaubte, er sei aus Silber; Silberpappelblätter ragten heraus, und darüber hing die Urkunde für fünfundzwanzig Jahre freiwillige Feuerwehr in Dürrmenz; der Großvater gehörte als Hauptmann dazu, übrigens ein knitzer Kerl, der Margret zuzwinkerte und sagte: »Du wärst jetzt lieber auf der Gass'.« – »Wenn mein Bub einmal so richtig schlegeln und hinaushauen tät, dann hätt ich nichts dagegen«, sagte der Vater, worauf der Großvater leise pfiff und sagte, sonst müsse man bei einem Buben meistens bremsen, aber daß man fitzen müsse, sei eigentlich selten... »Das aber ist ja richtig g'fitzt! Wie beim Gaul, wenn er nicht vorwärts will!« Und Margret sagte, das wünsche sie dem Eugen schon seit langem, weil der immer bloß dahocke und zuschaue. »Nein, manchmal geh ich auch herum.«

Der hatte Angst, und sie wußte weshalb, denn vor einem Jahr hatte sich die Geschichte zwischen ihm und Lieselotte Denzel abgespielt. Du bist daran nicht unschuldig gewesen... Und sie erinnerte sich, wie sie Eugen ein Klassenbild gezeigt und gefragt hatte, welche ihm jetzt am besten gefalle, sie meine halt nur so... Insgeheim hatte sie gehofft, er werde auf die Eva Maurer tippen, aber dann kam diese Lieselotte Denzel 'raus, übrigens die einzige, die ab und zu nicht turnen durfte, weil sie schon ihre Tage hatte. Und gleich hat's dich gebitzelt: sapperlot, da muß etwas draus werden... – »Ich hab's der Lieselotte g'sagt; sie freut sich arg, aber es ist schwierig, weil die bei ihrer Tante wohnt«, hatte sie Eugen zugeflüstert, der halt ein arger Leimsieder und g'späßig war. – »Ach was, dann will ich lieber nicht...«, antwortete er ihr. Trotzdem brachte sie ihn soweit, daß er für Lieselotte den Kopf eines steinernen Rittersmanns abzeichnete, den der Vater im Krieg aus einer zerschossenen Kirche mitgenommen und den Eugen auf den Schreibtisch gestellt hatte; und der Kopf ist nicht höher, als ein Zeigefinger lang ist... Und Eugen hatte Lieselotte am Friedrichsplatz treffen wollen, was leider nicht gegangen war, weil sie arg bewacht wurde; sie schrieb es ihm. Und du hast alles hin und her getragen und dich diebisch g'freut, bis...

Also Lieselottes Tante hatte die Zeichnung und seine Briefe erwischt; die Frau war in der Klasse aufgetaucht und mit der Lehrerin hinausgegangen. Margret war vor die Tür gerufen und gefragt worden, wie alt ihr Bruder sei; sie sagte es. – »Ach so... Ja, dann ist es natürlich nicht so schlimm... Aber er hat halt eine Schrift, als wäre er älter.« – »Dafür kann ich doch nichts«, rutschte es ihr heraus, und das war vielleicht frech; aber die Alten sollten sich nicht so anstrengen mit ihrer Überlegenheit, die doch längst muffig roch. Und Lieselottes Tante, deren Handrücken braungesprenkelt und wie kartoffelhäutig waren, daß man vom Anschauen eine Gänsehaut bekam, deutete mit stumpigem Finger auf Margret Rapp: »Du hast's angestiftet, und jetzt gehe ich zu deiner Mutter!« Sie wollte auch zu Eugens Klassenlehrer gehen, der ein Kriegskamerad des Vaters war, Narben von Bajonettstichen im Nacken und einen zerschossenen Fuß hatte, den er krummbeinig durch die Korridore des Reformrealgymnasiums schwang, daß es dumpf stampfte; denn Eugen hatte ihr erzählt, wie der Mann war.

Der arme Eugen..., ach, du liebe Zeit. Der konnte über so etwas nicht lachen, bei dem ging alles tief. Er kam im dunkelblau gestrickten Bleyle-Anzug heim und hatte eine talmigoldene Uhrkette aus der oberen Tasche hängen, ein sauberer Bursch, und kein Wunder, daß die Lieselotte Denzel... Es gab Kartoffelgemüse mit Saitenwürstchen, und Eugen ließ sich's schmecken; der wußte ja noch nichts. Nach dem Essen ging der Vater zum Bufett, nahm drei Papierblättchen auf und legte sie Eugen vor; es war die Zeichnung des Ritterkopfes und zwei Briefchen, beide auf liniertes Papier gekritzelt und schwungvoll unterschrieben, beinahe wie's der Vater machte, der dann sagte: »Du brauchst keine Freundin. Du hast eine Schwester.« Die Mutter aber legte los und sagte rauh: »Was wär gewesen, wenn die auch zu deinem Klassenlehrer – Also, davon hab ich sie gerade noch abhalten können!«

Seitdem war Eugen leimsiederisch und noch ärger abwesend als zuvor. Dem kam sie nie mehr richtig nahe, doch wollte sie versuchen, ihm trotzdem nachzuschleichen... Jedenfalls schien's ihr, als ob sich der seitdem für Menschen noch weniger interessiere, gerade weil er liebenswürdig war; liebenswürdig hielt er alle andern von sich weg.

Man fuhr nach Stuttgart, und sie dachte an Dürrmenz zurück, das ihr jetzt muffig vorkam, wie zum Schämen. Lieber niemand sagen, daß deine Großeltern in Dürrmenz wohnen, dachte sie und hatte zum Glück noch drei Tage frei. Sie schüttelte sich und bekam eine Gänsehaut, wenn sie an den Abort im Dürrmenzer Haus dachte; und überall der alte Krust, das alte G'lump...

Am Neuen Schloß ging sie vorbei, wo die Kastanienallee noch von birnengelben Blättern dicht war und Glänzendes sich mit Rostfarbenem vermischte, eine moderige Höhlung, die räß roch, als ob sich ein Faß öffne, während über den Rabatten nicht weit vom gußeisernen Musikpavillon die Luft leicht flog und das Schloß mit Fensterspiegelungen unterm saubern Himmel näherrückte. Vor dem Schloßhof ging sie an einem metallschwarzen Löwen und einem Hirschen vorbei, die über Steinsockeln Wappenschilder hielten, und sah ein langgestrecktes Auto fahren, offen und mit Speichenrädern; da saß Eva Maurer drin, den Herrenschnitt vom Wind verstrubelt. Immer noch war's warm, wie sommers selten; man konnte im offenen Auto fahren, und Eva warf den Kopf herum. Sie sah auf Margret, winkte, beugte sich zum Herrn am Steuer vor, redete und deutete hinaus, wo Margret ging, denn Eva saß doch hinten.

Das Auto hielt und hatte crèmefarbene Flanken, die Schutzbleche braun lackiert. Eva sprang heraus, immer noch in ihrer weißen Bluse mit der roten Schleife. – »Arg nett, daß du hast halten lassen«, sagte Margret. Und Eva: »Komm zu meinen Eltern.« – »Da paß ich doch nicht hin«, fuhr's ihr heraus, und Eva nickte, drückte die Zeigefingerspitze in den Augenwinkel und schaute weg. – »Komm trotzdem mit«, sagte sie dann, und sie gingen miteinander zum Auto hinüber, wo eine Dame »ach so« sagte, Margret zwei Finger in gestickten Handschuhen zustreckte, die sie schnell wieder zurückzog, und geradeaus sah; die hatte einen Mund, der immer oben schwebte, und ihre Arme schienen nachgiebig zu sein wie weiße Schläuche. Herr Maurer aber schaute breit grinsend geradeaus.

Eva ging mit Margret weiter, die zu ihr sagte: »Du drehst dich nicht mal um.« – »Die kommen ohne mich auch weiter«, sagte Eva, und jaulend fuhr der Wagen los. »Was jetzt so heult, ist der Kompressor…« Und Margret sagte, solch ein Auto sei doch elegant, und wer sich's leisten könne… »Deshalb haben es auch meine Eltern.« Und Eva hatte über der Nasenwurzel eine Falte, als dächte sie angestrengt nach.

Im Weitergehen erzählte sie von daheim: »Reichsein stellst du dir einfacher vor, als es tatsächlich ist. Mein Vater denkt an die Börsenzeitung und an sonst noch was… Woran denkt deiner?«

Margret lachte und wußte nichts zu sagen; sie überlegte: »Wart einmal… Also wahrscheinlich denkt er ans Zeichnen; oder an seine Holzschnitt'…, weil er doch erst heuer das Holzschneiden angefangen hat. Da geht der mit fünfundvierzig noch auf die Kunstgewerbeschul' und lernt Holzschneiden!« – »Du, ich find's wunderbar! Dann überlegt sich der also, wie er es wieder einmal herausholt mit dem Stichel aus der Birnbaumplatte; das, was er sich vorstellt, nämlich. Wer kann das sonst? Bloß wenige. Du, ich beneide deinen Vater... Und wenn ich nicht selber zeichnen und manchmal etwas machen könnt – ich glaub, ich hielt's einfach nicht aus.« – »Aber Kleider hast du schönere als ich. Und wie gut du aussiehst mit dem Herrenschnitt... Was glaubst du, was mein Vater sagen würd, wenn ich ihm damit käm? Gar nichts würd der sagen, sondern mir den Arsch verschlagen.« – »Lieber das, als wenn du tun kannst, was du willst. Ich bin doch meinen Eltern wurst. Dein Vater aber, der paßt auf dich auf; der will dich so haben, wie er sich ein ordentliches Mädle vorstellt.« – »Ja, mit Zöpf und so...«

Sie stellte sich vor Eva auf, drehte ihre Beine zu X-Beinen, ließ die Zöpfe herabhängen, schielte und machte den Mund auf, als ob sie blöde wäre. Eva sah ihr unbewegt zu; dann sagte sie: »Laß das doch. Es gefällt mir nicht, weil du so dumm nie aussiehst, trotz deiner Zöpf. Und wenn du wissen willst, was ich denk: Lieber Zöpf und bloß Kleider vom Tietz haben, als daheim rutscht immer alles.« Und sie versuchte, Margret zu erklären, was sie mit ›rutschen‹ meine, sagte: »Wenn sie sich beim Mittagessen wenigstens anschreien würden! Aber mein Vater hört gar nicht mehr hin. Freilich, Wunder ist es keins, und ich versteh ihn schon. Schließlich weiß ich auch, wie meine Mutter ist. Gemütlich ist's bei uns jedenfalls nie.«

Sie gingen in den Rosengarten hinterm Neuen Schloß, und Eva wußte viel vom König, der hier früher oft herumgegangen war. Margret wunderte sich, daß sich Eva dafür interessierte. – »Dort geht er mit seinem grauen Spitzbart, dort in der Pergola...«, flüsterte sie und deutete hinüber, wo nur Licht auf roten Blättern lag. »Der König interessiert mich, weil ich so modern bin mit dem Herrenschnitt.« Und sie zeigte auf eine Wasserkugel über einem Bassin mit Goldfischen, die auch nur rot waren wie im Künzelsauer Rathausbrunnen. Eva sagte, die Wasserkugel sei die Seele des Königs, sozusagen... und lächelte von der Seite, während das Wasser dünn gewölbt und bläulich war. Margret kam es vor, als ob es Eva quäle, daß der König nicht mehr da sei, und

vielleicht war's ihrem Bruder ab und an auch so zumut. –
»Meine Eltern mögen nichts, was alt ist«, sagte sie, und
Margret dachte: ich eigentlich auch nicht... »Erzähl mir,
wie's bei dir daheim ist, erzähl mir von deiner Vakanz in
Dürrmenz«, sagte Eva und setzte sich auf eine weiße Bank,
vor der die Wasserkugel und weiter weg der Springbrunnen
zu sehen war, wie er überm Theatersee hinaufstieß. Und daß
dieser Theatersee oval war: eigentlich sehr schön.

Also gut, dann sagte sie's ihr halt, auf die Gefahr hin, daß
die Eva nachher lachte. Und Margret vergaß weder den Ab-
trittverschlag mit seinem beizenden Geruch noch die
schwerfällige Großmutter und ihr breites Katzeng'sicht; die
mit ihrem braunen Zahn, der beim Lachen so lang und komisch im Mund drinstak, und von dem der Vater gesagt
hatte, damit zerbeiße sie die Bohne für den Morgenkaffee.
Der Großvater war wuselig, ein Untersetzter mit langem
Kopf und fleischig krummer Nase [›Synagogenschlüssel‹
hätten in der Schule manche zu einer solchen Nase gesagt];
sein Haar sei früher schwarz gewesen, also wie ein Paar po-
lierter Stiefel: »Vielleicht hab ich's von ihm.« Sie strich sich
mit der Hand über den Kopf. Und die Leut, die zu ihren
Großeltern kämen, seien lauter solche, die sie schon fünfzig
oder sechzig Jahr lang kennen würden, halt vom Anfang an.
Zum Beispiel Lächlers Rickele, die sei jetzt auch schon über
fünfzig, mähe aber immer noch ihre Wiesen ›Lohmersche
zu‹, was in Richtung nach Lohmersheim heiße; andre Wiesen lägen ›Aize zu‹, und das bedeute Ötisheim. Jeden Abend
komme Lächlers Rickele zu den Großeltern und bringe ihnen Milch. Rickeles Mutter sei einundachtzig Jahre alt geworden und gehe nur noch in den Garten hinterm einstöcki-
gen Häuschen dicht unter der Ruine Löffelstelz, die der
Vater oft gezeichnet habe und auswendig könne. Aber die
alte Frau Lächler, ein buckeliges Weible, die habe sie mit
dem Photographenapparätle ihres Vaters im Garten aufgenommen, der eine wunderbare schwarze Erde habe: »Einen
Boden, sag ich dir: Also wie Sammet, und nirgends ein Stein

drin! Daneben solltest du mal unsern Gartenboden sehen, droben auf dem Weißenhof: also ganz rot, und die Steine mußt du erst aufklauben und außem Beet 'rausschmeiße, damit du überhaupt etwas vom Boden siehst.« Daneben der Dürrmenzer Gartenboden: sie mache sich kein Bild..., obwohl die Bilder im Schlafstüble hinter Großvaters Sekretär auch etwas ganz Besondres seien. Öldrucke natürlich und arg altmodisch dazu. »Da ist auf dem einen ein See mit Schweizerhaus und so prächtigem Alpenblick, im Garten aber schläft ein Kind in seiner Wiege. Ganz anders und ganz furchtbar ist das zweite Bild, wo ein Adler überm Kind in der Luft hängt und Riesenflügel und gelbliche Krallen hat. Auf der Galerie vom Schweizerhaus steht eine Frau, beugt sich übers Geländer, daß du denkst, die kippt heraus, und krampft die Hände ineinander, reckt die Arme gegen den furchtbaren blauen Himmel... Aber, du lachst ja gar nicht!«

Eva sah wieder weg, nickte und sagte: »Doch. Lustig ist's... Und ich beneide dich halt ganz arg, Margret.«

Und du beneidest Eva Maurer, dachte sie, als sie am Samstag mit den Eltern und dem Bruder in die Stadt ging, der Vater seine Geige dabei hatte, die Luft graurauchig war und es so richtig spinnenfädig naß um Mund und Backen strich. Der Allerseelen-Sonntag war vorbei. Jetzt fiel ihr wieder ein, wie auf dem Gablenberger Friedhof der schwarze Marmorblock mit den bronzenen Namen LAUB und KRUMM zwischen zwei kugeligen Buchsbüschen gestanden war und der Vater gesagt hatte: »Da kommen wir auch einmal 'nei, gelt, Mäusle?« Wahrscheinlich war der Mutter dieses Wort recht unpassend erschienen, weil sie »Du mit deine Sprüch« gesagt und getan hatte, als müßte sie am Grab ein bißchen kratzen und Efeuschößlinge ausrupfen, die über die Umfassungsmauer hingen. Und nachher, in der Wirtschaft zum ›Goldenen Hasen‹ [er war vergoldet und saß draußen über der Tür, sah aber rostig aus], die den Großeltern gehört hatte, damals in der besseren Vorkriegszeit, saßen sie im

Nebenzimmer; früher war's die Stube der Mutter gewesen, weshalb der Vater zur Kellnerin sagte: »Von heut ab müsset ihr's ›Irenenstüble‹ heißen.« Margret lachte über das ›Irenenstüble‹ und steckte Eugen an ... Und alles war erst vorgestern gewesen, lag aber schon weit hinten.

Sie stupfte ihren Bruder und flüsterte: »Guck ... unsre Eltern.« Die beiden gingen bei der gelben Email-Haltestellen-Tafel ›zum Kaisemer‹ über die Straße, der Vater als massiver Recke in Breecheshosen, und die Mutter aufrecht und eilig neben ihm; von hinten sah sie wie eine ältere Tochter aus, weil sie so klein war. Margret kam's komisch vor, aber Eugen sah es anders als sie, denn er nickte bloß; oder er war vom Wetter taub gemacht und wollte nicht aus sich heraus; doch stand ihm die Windjacke gut, was er nicht wußte; und es interessierte ihn auch nicht, weil ihm die Angst wegen der G'schicht mit Lieselotte Denzel noch im Bauch saß. Ha, deinen Bruder kennst du ... Oder vielleicht wollte dieser Bruder nicht aus sich heraus, weil er an einem derart grau vermummten Tag wie heut nur aufs rostige Treppengeländer nahe dem Postdörfle schaute, wo in Backsteinhäusern Postbeamte wohnten; gegenüber hatten Villen Glasveranden und Steinbrüstungen. Hinter Vorgärten hing auf einem Turm die schwarzgelbschwarze Fahne eines Studentenkorps ganz schlapp, und vor einem hohen Parktor aus Schmiedeeisen sagte die Mutter, hier gehe es zur Villa des Herrn Hopf hinein, der in der Neckarstraße eine Teppichhandlung habe, und ob sich Margret noch erinnere, wie sie mal dort gewesen seien. Sie konnte es sich nicht mehr denken. Eugen aber wußte noch ›so dunkel und verschwommen‹, daß er damals mit einem anderen Buben auf einem Teppich gesessen sei und eine Stehlampe gelb geschienen habe, übrigens in einem großen und eleganten oder feinen Zimmer nach dem Garten, wo die Möbel schwer und dunkelbraun hergeschaut hätten und der Stengel der Stehlampe wie ein Korkenzieher gedrechselt gewesen sei.

Was der alles behalten hatte. Eine alte Dame, die mit der

Mutter irgendwie verwandt war, führte Herrn Hopf das Haus, und Eugen wußte auch noch ihren Namen: Berta Piston. Früher aber, als die Berta noch nicht beim Hopf gewesen war, hatte die Mutter mit Emilie Rühle jeden Samstag von Gablenberg Maultaschen in die Neckarstraße hinuntergetragen und dort in einer Villa abliefern müssen, denn Straßenbahnen gab's damals noch nicht; und weil sie damals oft zu Fuß gegangen sei, habe sie heute leider keine schlanken Beine, sondern ›feste Stotzen‹, die zwar nicht besonders schön, dafür aber kräftig seien. Doch was wollte die Mutter, ihr Rock ging sowieso über die Waden, und also sah man ihre ›Stotzen‹ nicht. Übrigens sollte jene Neckarstraßenvilla auch Herrn Hopf gehört haben, nur sei die Berta Piston als Hausdame um diese Zeit noch nicht bei ihm gewesen, wahrscheinlich weil in jener grauen Vorzeit anno donderschlächtig diese Berta noch ein Mädle wie Margret Rapp gewesen war, der alle diese G'schichten von Frauen namens Berta und so weiter allmählich ranzig schmeckten; die waren doch alle zu brav gewesen. Und wie langweilig lief alles vorüber, wenn man immer brav blieb. Scheißlich... Und Eugen ging's genauso; dem schmeckte es auch meistens fad, und deshalb war er so abwesend; aber ob der einmal etwas Besonderes fand, wenn er bloß nebenher ging und ein bißchen lächelte: das hätte sie gerne gewußt; aber was wollte er denn auch schon Besonderes finden, es gab doch nur das, was man sehen und anfassen konnte. – »So dieses Spülwassergefühl, das man eigentlich meistens hat...«, war's ihm einmal herausgerutscht, und sie hatte gefragt: »Wie ist es denn?« – »Halt so... Weißt du, ich hab's nur soo gemeint.«

Lächeln und Auf-die-Seite-schauen: mehr brachte sie aus ihrem Bruder nicht heraus. Der war recht schlau, merkte aber nicht, daß er schlau war; oder er benahm sich so, als wüßte er es nicht. Nach der G'schicht mit Lieselotte Denzel hatte er einmal gesagt: »Die Alten meinen, das sei dummes Zeug...«, weil sie bloß Angst haben, daß wir nichts mehr für die Schule schaffen. Ich könnt ja mal durchfallen, heidenei… Und was sie zu mir gesagt haben: ›Das brauchst du nicht, du hast doch eine Schwester…‹« Er schüttelte den Kopf. Damals hatte sie gedacht, ihn habe diese Sache scheußlich angepackt; weshalb er mit niemand darüber sprach. Das bringst du nicht fertig, immer mußt du mit jemandem schwätzen… Wenn sie ihn gefragt hätte, ob sie mit anderen reden solle, hätte er ihr: ›Laß es bleiben‹ geantwortet. Du fragst ihn deshalb lieber nicht… Heute ging sie mit den Eltern zu Oberst Ruß ins Alte Schloß [du mußt es halt, und vielleicht ist es eine Abwechslung], und der Vater sagte: »Dem Ruß haben sie den grünen Hut geschickt«, was soviel hieß wie: Der ist pensioniert worden. Aber dieser Oberst Ruß setzte jetzt oft einen grünen Filzhut wie der Vater auf statt seiner Uniformkappe mit der silbernen Schnur unterm lackierten Schild. Eugen sagte, der Ruß sei entlassen worden, weil er die Polizisten militärisch gedrillt habe und mehr Polizisten habe ausbilden lassen, als im Versailler Vertrag erlaubt gewesen seien. »Geschieht dem Ruß ganz recht«, sagte der Eugen; »und was die immer mit dem Versailler Vertrag haben…«

Die Ruß-Buben waren braungebrannt, weil der Vater sie ins Luftbad mitnahm, wo sie abgehärtet wurden. Wenn er mit der Straßenbahn fuhr, zog der Oberst Kärtchen aus seiner Windjackentasche und nahm unregelmäßige russische Verben durch, die er sich aufgeschrieben hatte; also ein Fleißiger, der sich im Luftbad stählte und ungemütlich war, einer mit Ritzenmund und einer langen um die Löcher angespannten Nase, Augen, deren Lider schräg zu hängen schienen, daß sie wie dreieckig aussahen, und gespannter Haut über der Stirn. Eugen sagte, vor dem Oberst komme er sich immer schlapp vor und erscheine dem wahrscheinlich auch als schlapper Kerl.

Die dunkle Gestalt des Denkmals stand mit gesenktem Kopfe auf dem Schillerplatz und hatte um die Stirn den Lorbeerkranz; es war, als ob sie ginge. Hinter ihr sah das Alte

Schloß braunfleckig und sein Eckturm bauchig aus; Efeu griff an ihm hinauf, und Efeu hing über dem Tor herab. Dann dieser Innenhof, wo Herzog Eberhard in der Ecke sein Schwert hob, und der Boden grasig war. Die Mutter ging, so groß wie ihre Tochter, die ihre Zöpfe schlenkern ließ, hinter dem Vater, der einen Geigenkasten trug; der Sohn war in eine Windjacke eingemummt. Unterscheiden von den andern tun wir uns eigentlich nicht, dachte Margret Rapp, die in der Wendeltreppe auf die gewölbte Wand schaute und froh war, als eine Tür sich endlich auf den Bogengang im ersten Stock öffnete, denn ihr war jede Wendeltreppe arg verhaßt. Hinter Säulen lag der Hof mit Mauern, welche naherückten, obwohl sie drüben stehenblieben, denn so wirkte sich die Dämmerung hier aus. Auf Fliesen gingen sie zur ersten Türe rechter Hand, wo ein Fenster vergittert war und innen eine Klingel im dunklen Flur hallte; dahinter kam Frau Oberst aus der Küche, und ihr Spitzenkragen mit Medaillonbrosche schaute aus dem braunen Ärmelschurz heraus, den sie abstreifte. Hinten im engen Gang wurden die Mäntel aufgehängt, und jetzt ließen die beiden Ruß-Buben ihre Köpfe nach vorn fallen, als wäre an ihnen gezogen worden; dies war ›der Diener‹, den auch Margrets Bruder vor Herrn und Frau Oberst machen mußte.

Die Männer duzten sich und sagten »Hallo!« zueinander. Oberst Ruß hatte ein Geigenkissen unterm Kinn; es hing an einer Schnur um seinen Hals. Kinder und Eltern trennten sich, denn der Salon mit dem Klavier lag hinter einem Mittelzimmer, wo die Kinder aßen und Eugen einmal saure Milch hatte hinunterwürgen müssen, weil bei Oberst Ruß alles gegessen werden mußte, das auf den Tisch kam. Heute gab's Kaffee und Laugenbrezeln ohne Butter, wahrscheinlich weil hier Butter für verweichlichend gehalten wurde. Und wieder sprachen die Ruß-Buben vom ›Gneisenau-Bund‹, der drei Mitglieder hatte: ihren Bruder und die zwei da. Es kam ihr vor, als mache Eugen dabei nicht gern oder nur ungeschickt mit, weil er für die Zeitschrift des Bundes die Geschichte ›Der Wurm, der sich krümmte‹ abgeschrieben hatte; darin kamen Landstreicher irgendwo in Amerika vor; einer wollte einen Schnellzug aus den Schienen springen lassen, es war nahe daran und schrecklich spannend, aber Frau Oberst sagte, das sei Kitsch. Deshalb hatten die Buben längliche, wie Weihnachtsgebäck geflochtene Dinger mit Sternchen in ein Schulheft gemalt, die Eugen möglichst schnell auswendig lernen sollte, weil es Rangabzeichen für Offiziere waren. Der ältere der beiden Buben hatte einen Kopf mit verbeultem Blechnapf, der ein Stahlhelm war, dazugezeichnet und ›Immer daran denken, nie davon reden‹ daruntergeschrieben, weil es ein Offizier aus der Vorkriegszeit sein sollte. Und in der Vorkriegszeit waren doch draußen im Garten des Gablenberger Großvaters – wenn sie der Mutter glauben wollte – Birnen gehangen, so groß, wie Margret sie sich überhaupt niemals vorstellen konnte, und alles war schöner als jetzt gewesen; aber was half einem das heute schon? Die Ruß-Buben meinten, auch die Uniformen seien damals viel schöner als heut gewesen, was vielleicht richtig war, wenn man an Farben dachte; denn farbiger waren sie jedenfalls gewesen, da brauchte Margret bloß ans Kleid zu denken, das ihr die Mutter aus einem Uniformmantel des Vaters gemacht hatte: wunderbar dunkelblau und weich.

Frau Oberst kam herein und sagte: »Also, Eugen, ich kann nicht verstehen, daß dir Schwarz-Rot-Gold gefällt!« Ihr älterer Sohn bemerkte: »Von weitem sieht das doch ganz aus wie Soße, schwarzrotsenf. Schwarz-Weiß-Rot aber kannst du immer sehen.« Eugen wußte nicht genau, wohin er schauen sollte. – »O ja… Ja, schon… Natürlich, ganz gewiß«, sagte er dann, während die Väter aus dem Nebenzimmer traten, Oberst Ruß seine Zigarette auf die Seite hielt und irgend etwas wie: »Heraldisch auch restlos unhaltbar« sagte, was Margret nicht verstehen konnte. Zum Glück ereignete sich dies, bevor man in den Hof hinausgehn durfte, auf die Galerie mit diesen Säulen, zu den Wendeltreppen und Altanen, die nah herschauten, als ob sie steinerne Gesichter wären, Köpfe, in denen man herumgehn konnte und die vom Mondlicht weiß und grünlich herausgeholt wurden, weil der Nebel sich verflüchtigt hatte.

Eugen flüsterte ihr zu: »Jetzt allein hiersein, gelt, das wär viel besser?« sie aber schüttelte sich, sprang voraus und rief: »Ich versteck mich jetzt!« obwohl's ihr vor den Wendeltreppen graute. Sie drückte sich auf den obersten Stock der Galerie hinauf [du mußt die Wand an deiner Schulter spüren, anders ist es nicht zu machen], blieb im Schatten und rückte Schritt vor Schritt und lautlos auf der Altane weiter, bis sie an der Brüstung nach dem Schillerplatz stand, wo unten die dunkle Gestalt allein war, drüben auf einer Säule ein nackter vergoldeter Mann den Arm hob und aussah, als ob er liefe. Die Buben gingen jetzt drüben im weißen Schein neben der Mauer einer hinterm andern, und nur Eugen fehlte, der sich also wieder einmal abgesondert hatte und allein herumstreunte. Sie wurde vom Schatten verdeckt, und die Buben, die sie suchten, tappten auf der andern Seite… Dann spürte sie eine Hand, zuckte zusammen, wollte schreien, sah aber ihren Bruder neben sich; der hatte sich herangeschlichen und schaute mit ihr auf die beiden andern. Die drüben im Licht waren täppisch, stumpf und dumm, während er und sie im Schatten als zwei Lächelnde und Spöttische sich überlegen dünken durften, weil sie gesucht und nicht gefunden wurden, obwohl sie dicht vor jenen anderen auf einer silbergrünlichen Altane warteten, bis die zwei Törichten wieder verschwunden waren, laut in der Wendeltreppe stolperten und jetzt unten suchten, tief im Grund des dunkeln Hofes hinterm Herzog Eberhard aus Erz. Sie aber, die zwei Listigen, entglitten nach der Reittreppe hinüber, deren gelbe Glühlampenbeleuchtung über abgewetzten und für Pferdehufe flachen Backsteinstufen ein Licht ausstrahlte, als schiene Abendsonne durch bleigefaßte Scheiben. Ihr Bruder suchte mit gesenktem Kopf Abdrücke von Hufeisen, die, wenn sie aufgetaucht wären, fünfhundert

Jahre alt hätten sein müssen. Eugen kniete und betastete die Treppe, glaubte mit den Fingerspitzen das Verschollene zu finden, sonderbar... Wieder Flüstern und Schritte, jetzt von unten her. Weggehen, gesucht und nicht gefunden werden war wie im ›Leuze‹ schwimmen, ein Mineralbad-Prickeln, und das Mondlicht paßte auch dazu. – »Zu denen will ich nicht gehören«, flüsterte ihr Eugen zu, und sie hätte ihn gerne gefragt, zu wem er eigentlich gehören wolle; aber lieber schweigen und im Schatten gehen, jetzt wieder an der Wand der Galerie; und daß er in der Wendeltreppe bei ihr war, wischte die Angst aus ihrem Kopf. Er stellte sich jetzt vorne an die Brüstung, sie dachte: Unsinn, dort sieht dich jeder..., aber er winkte ihr, und sie trat neben ihn. Er zeigte auf die Lampe, die unter ihnen fußnah vor der Brüstung herausragte und den Hof hell machte, wo wieder die zwei andern heraufschauten und vom scharfen Licht geblendet wurden.

Verstecken konnte er sich gut, das jedenfalls, nur kam's doch manchmal auch drauf an, daß man sich zeigte.

Sie waren da, die andern hatten sie erwischt. Sie lachten. Im Ernst jedoch... Also, im Ernst erwischt zu werden: lieber nicht. Es wurde ihr jetzt kalt, und sie war froh, als man wieder zurückging in die Wohnung; und daß bei einem pensionierten Oberst im November geheizt wurde [weil der sich doch abhärten wollte], war ein Wunder. Margret hätte gern gekichert, mit Eva Maurer beispielsweise, nur paßte die hier nicht herein; und Eugen auch nicht. Du paßt eher her, du bist ja auch robuster. Gut, robust zu sein, es machte sich bezahlt, dieses Robuste, da brauchte sie nur ihren Bruder anzuschauen, den immer irgend etwas quälte oder gar verletzte. Jetzt aber war nichts ärgerlich, befremdend oder schmerzhaft. Weshalb sah er dann auf den Boden, als der jüngere der Ruß-Buben das Wort »Pack« sagte. Sie glaubte, der meine Leutepack, also Gesindel, vielleicht Altstadtschlamper und Rauschkugeln, indes der Ruß-Bub von Panzerabwehrkanonen redete, die unverschämterweise durch den Versailler Vertrag bei uns verboten seien; vielleicht dachte ihr Bruder, so sei's gut, wozu brauchen wir dieses Zeug… und schaute deshalb muffig und verlegen weg, denn jetzt hörte er etwas anderes; halt eine Offiziersmeinung und nicht die eines schlankeligen, schlappen Burschen zwischen vierzehn und fünfzehn Jahren, wie er einer war, was Margret lieber hatte. Trotzdem verhielt sich's anders [hör zu, damit du merkst, was los ist], denn Oberst Ruß wußte es ganz genau von einem Kameraden, der dicht dabeigestanden war, als auf einem Manöver englischen und französischen Offizieren Panzerabwehrkanonen gezeigt worden waren, von denen es geheißen hatte: »Sehen Sie, wie sich Deutschland behelfen muß? Ist es nicht jämmerlich? Panzerabwehrkanonen sind uns zwar verboten, aber deutsche Drechsler, die sind tüchtig; die haben alles aus Holz nachgemacht, jede Schraube, jedes Rohr, jeden Verschluß, auch die Räder aus Eschenholz herausgeholt, poliert wie sich's gehört.« Und da sähen's die Herren, wie bedauernswert doch Deutschland sei: Die Paks alle aus Holz und unsre Panzer lediglich Attrappen aus Leinwand und Latten, sonst bloß Luft, und von Rekruten müßten sie geschoben werden. Und die Herren bedauerten und nickten, stützten sich auf ihre Stöcke, denn die Franzosen und Engländer seien ja so schlapp, daß sie alleweil Stöcke dabeihaben müßten… Lächerlich! – »Und keiner hat gemerkt, daß es echte Paks waren, aus Stahl und Messing, ach, was sind die blöd!«

Gelächter. Auch Eugen lachte, wahrscheinlich weil Frau Oberst Ruß dazugekommen war. Die Kinder sollten jetzt ins Musikzimmer kommen und zuhören. Dort stampfte Vater Rapp den Takt und supfte, weil's ihm sauer wurde, mitzuhalten, denn beim Mendelssohn-Trio ließen der Oberst und die Mutter ihre Töne so elegant laufen, indes der Vater auf der Bratsche Saures supfen mußte, er, ein Unbeholfener und Schwerer, der es mühsam hatte, einer mit Bürstenfrisur wie Hindenburg und trotzdem liebenswerter als dieser Herr

Oberst, dieser Magere und Kleine, der die Geige unterm Kinn geradeaus hielt und dem die Zigarette zwischen seinen schmalen Lippen schrumpfte. Wie fein wär's, wenn ihn die jetzt glühend bisse... Doch schon nützte er eine Sekundenpause, um den Stummel vom Mund wegzunehmen. Schließlich aber stand der Vater auf, drückte die Bratsche an die Brust und sagte: »Mäusle, mit dem Mendelssohn, do könnt mer's zur Meisterschaft bringe!«

Beendigte Besuche waren besser als Besuche, die noch mit den Eltern gemacht werden mußten; man konnte an sie zurückdenken und blieb unbehelligt. Von fern einen Besuch anschauen, war beinahe wie im Kino, wo Menschenpuppen in der Weiße zappelten. Und von Oberst Ruß' Wohnung blieb ihr lange Zeit nur das schwarzlackierte Klavier mit verschnörkelten Kerzenhaltern aus Doublé-Gold in Erinnerung, auf dem Friedrich der Große als Biskuitfigur im Gehen Flöte spielte, während zwei Windhunde sich um seine Beine drängten. Sie erzählte davon Eva Maurer, die die Hand schüttelte und sagte: »Komm, schwätz weiter! Aber, bitte, alles ganz genau erzählen, damit ich merke, wie die Menschen sind!« worauf Margret von den Buben des Obersten erzählte und daß sie auch bei kaltem Wetter mit dem Vater ins Luftbad gehen müßten, um sich abzuhärten. – »Dann pfeift bei denen zu Haus also ein arg scharfer Wind? Du wirst lachen, aber ich wär froh, wenn mein Vater zu mir streng wär... Dein Oberst weiß doch wenigstens ganz genau, was er will... Glaubst du, er hat eine Freundin?« – »Das ist ganz ausgeschlossen!«

Wieder sagte Eva: »Wunderbar...« und schaute in die kahlen Bäume draußen vor dem Schulhofgitter. Margret fiel noch ein, daß es Herrn Oberst lieber war, wenn man zu ihm »Herr Oberstleutnant« sagte, weil er doch ›nur unter dieser Republik‹ Oberst geworden sei, außerdem auch bei der Polizei; Oberstleutnant aber unterm Kaiser, denn er sagte ›Kaiser‹, weil er den württembergischen König gar nicht leiden mochte; der sei doch viel zu schlapp gewesen... Auf Evas Stirn verzweigte sich über der Nasenwurzel eine Falte, sie hielt sich an einem der Gitterstäbe fest und sagte: »Dann ist dein Oberst also wie mein Vater. Du, das ist arg schad.« Sie lachte leise und schien zu merken, daß sie von Margret nicht verstanden wurde. »Eigentlich schad, denke ich, weil unsre Alten alle diese Republik verachten. Aber, gelt, beim Hitler ist dein Oberst nicht?« – »Nein... Das heißt... Nein, du, ich glaube nicht.« – »Oder weißt du vielleicht gar nicht, wer der Hitler ist?« – »Bloß halb.« – »Das genügt auch... Oder hat dein Oberst auch ein Hakenkreuz als Briefbeschwerer? Oder etwas in der Richtung? Nein? Dann ist's immer noch besser. Ja, mit deinem Oberst bin ich fast zufrieden, obwohl... Eigentlich schlecht, daß es das alles heute gibt. Ich meine: für uns ist es schlecht.«

Margret wunderte sich und dachte, eigentlich merke sie nicht so besonders viel davon. Sie erzählte wieder, von diesen Ruß-Buben beispielsweise, und ließ den ›Gneisenau-Bund‹ weg, weil es doch komisch war, wenn ein Verein drei Kinder und sonst niemand als Mitglieder hatte; sie wollte auch nicht, daß Eva dachte, ihr Bruder mache das gern mit. Dem Vater aber war der Gneisenau-Bund recht, er meinte, das gehöre zu einem gesunden Buben, weil sich der Vater seinen Buben gesund oder kernig wünschte. Margret aber hätte ihren Bruder gern einmal Eva gezeigt, obwohl ihr das wahrscheinlich nie gelingen würde, und warum nicht? Schwer zu sagen, aber schließlich brauchte Eva Maurer einen Älteren. Und ihr Bruder wär bei ihr genauso ungeschickt gewesen wie bei den Ruß-Buben, beim Oberst und bei der Frau Oberst; fast wie ein Schlafwandler, und als ob er eine Puppe wäre, die sich da und dorthin schieben ließ und viele ›Diener‹ machte, wie beispielsweise damals, als ›die Exzellenz‹ beim Obersten gewesen war, obwohl es sich bei dieser Exzellenz nur um eine alte Frau gehandelt hatte. Die Mutter der Frau Oberst war zu Besuch dagewesen, eine Generalswitwe aus Göttingen, die im Salon gesessen war

und zu der man: »Exzellenz fühlen sich in Stuttgart wohl?«
oder: »Exzellenz sitzen so ganz still abseits« sagen mußte,
denn so hatte der Vater es damals gemacht und eine andere
Figur als sonst gehabt, fast als ob er abgenommen hätte. Auf
einmal war der in den Hüften beweglicher als sonst,
schwenkte die Jackenzipfel, wenn er sich wegdrehte, um
seine Zigarrenasche abzustreifen, denn vor der Exzellenz
rauchte er keine Pfeife. Eugen aber ging bloß einmal zu der
Exzellenz, um vor ihr den ›Diener‹ zu machen und sich sofort wieder in eine Zimmerecke wegzuschleichen.

   Allmählich kam's ihr vor, als ob ihm Menschen nicht geheuer wären, während ihr... Also, etwas Interessanteres als
die gibt's für dich nicht... Und sie freute sich, als Tante
Emilie zu Besuch kam, denn die war doch in Petersburg, in
Baden-Baden, in Paris, in London und weiß wo gewesen.
Feuerlein hatte sie geheißen und hieß jetzt Conin. Eine, die
bei Adligen aus und ein gegangen und nun froh war, nach
dieser ganzen schrecklichen Revolution in Rußland mit ihrem Henry im französischen Konsulat untergekommen zu
sein, wo Henry Diener war. Wenn sie Tante Emilie genau
anschaute [oder sollte man vielleicht niemals etwas genau
anschauen?], merkte sie, daß diese Frau erschöpft war; eine
Bleiche, eine Magere mit großen dunklen Augen, die aber
immer aufrecht auf dem Stuhle saß. Sie fragte Eugen, wie
alt er sei, sagte: »Oh, dann wirst du bald richtig sein!« und
blinzelte ihm zu. Ihr Blinzeln und ihr Lächeln, die waren wie
gleichaltrig, etwas Besonderes und so, als ob eine Emilie aus
ihr herauskäme, die ganz anders war als eine Tante, vor der
Eugen einen ›Diener‹ machen und steif dastehen mußte.
Nachher sagte die Mutter: »Die Tante Emilie..., die ist
krank.« Margret wollte herausbekommen, um was für eine
Krankheit es sich handelte, und erfuhr: »Wie bei der Großmutter.« Und Eugen sagte beim Hinaufgehen über die
Treppe: »Tödlich also«, vielleicht weil er sich nichts vormachen wollte.

   Er hatte jetzt das Dachzimmer bekommen; darüber war er

froh. Oberst Ruß aber zog nach Hall in das Haus seines Vaters. Unmerklich hatte sich etwas verschoben wie in der Schule, wenn man in eine andre Klasse kam. Dort war auch Eva Maurer ausgetreten. Weshalb sie's getan hatte, das wußte freilich niemand, doch schien sich bei ihr etwas anzumelden, das Margret auch einmal erwartete, allerdings erst später. Es hatte Zeit, und sie konnte es sich nicht so recht vorstellen, denn vorerst kicherte sie noch mit Doris Bekker-Simon oder Helene Ernst, und Doris ließ sich hinterm Haus photographieren; setzte sich aufs Mäuerchen neben den Treppenstufen und schob den Rock über die Knie in durchsichtigen Strümpfen.

Sommers aber fuhr man mit den Eltern wie früher an den Bodensee und wohnte in Hagnau beim Malermeister Seyfried; lag in der Sonne, aß frischen Träubleskuchen, morgens Honig oder Aprikosenmarmelade zum Butterbrot, die es zu Haus nie gab. Und als ihr Bruder sie mit seinem Photographenapparätle geknipst hatte, einem Kästchen, das sechs Mark gekostet hatte und nicht viel größer als sein Buch mit Mörikes Gedichten war, in dem er immer wieder las, da kam, nachdem er die Aufnahmen in Meersburg hatte entwickeln lassen, ein Bild heraus, das ihr so gut wie keins gefiel. – »Es ist einfach am besten! Du kannst es wunderbar!« sagte sie und schwenkte die Photographie, zog sie weg, wenn er sie auch anschauen wollte, guckte sie auf dem Weg von Meersburg nach Hagnau im Schatten einer Weide an, indes er hinter ihr im Widerschein des Wassers wartete; sie glaubte, endlich sei sie fast dorthin gekommen, wo Doris mit den durchsichtigen Strümpfen und Eva Maurer schon längst standen; also dort, wo das begann, was man im Englischen ›attractive‹ hieß. Jetzt war auch eine namens Margret Rapp attractive, weil sie vor sonnestumpfem Wasser auf den Planken eines Badestegs hoffentlich lässig, aber jedenfalls sonnenbraun dahockte und sich von hinten an die Badekappe griff. Daß ihr der Badeanzug knapp saß und vielleicht an den richtigen Stellen beinahe unanständig kurz war, wie die

Mutter immer sagte, gehörte auch dazu und war am wichtigsten. – »Ha, du, das ist ganz pfundig!« sagte sie zu Eugen und umarmte ihn. Dann dachte sie an die Wirtschaft ›Zum Mohren‹, wo sie heute wieder auf der Sonnenseite essen würden und der Bub aus Norddeutschland, der mit der viel zu hohen Stirne und der Brille auch dann noch im Schulbuche las, wenn seine Eltern sich zum Mittagsschlaf hinlegten. – »Der ist ein Seckel«, sagte sie zu Eugen und war froh, daß ihr Bruder in den Ferien statt zu lernen lieber Mörikes Gedichte las und in der Sonne beim Schilf lag, daß er nichts tat und fast ein schlechter Schüler war, einer, der sich zum Schluß zwar immer knapp durchschlängelte, dessen Vater aber heuer wieder einen blauen Brief bekommen hatte. Ach, der blaue Brief... Der See war heute fast noch heller und dunstiger blau als sonst, mindestens wie auf diesem Photobildchen, das in ihrer Hand Platz hatte. Und Eugen stand in kurzer Hose neben ihr; er sah zu einem Turm zwischen den Weinstöcken hinauf: »Guck, Margretle, dort möcht ich später wohnen!« Also malte sich der wieder einmal etwas aus, das halt unmöglich war; und langweilig doch auch, denn was wollte er in diesem Turm? Dahocken und hinausschauen, weiter nichts. Dir würd das nicht genügen; ach, du liebe Zeit, ums Himmels willen nicht! Denn jetzt fängt's doch erst an, farbig zu werden, weil du merkst, daß dir der Badeanzug gut steht... Immer kam es nur auf Menschen an, auf möglichst viele und verschiedene, die's recht bunt treiben sollten, und mit wem? Mit Margret Rapp zum Beispiel. Ein richtiger Wirbel sollte gedreht werden, aber Eugen sagte: »Lieber nicht so arg. Das meiste ist sowieso Mist.«

Für den war die Farbe des Wassers wichtiger; der schaute lieber auf den Bodensee und zum Säntis als den Leuten ins Gesicht; der wußte, wie das Wetter wurde; der sagte, wenn das Wasser dieses Weißlichblaue und obenhin Angelaufene wie von altem Silber habe, werde es bis zum nächsten Tage halten; denn weiter hinaus etwas prophezeien wollen, sei auf alle Fälle Schwindel, worauf sie rief: »Du hast keinen Fiduz!« Denn daß er alles immer wieder fraglich machte, ärgerte sie arg. Man mußte doch auch mal irgendwo stehen können, heidenei! So alleweil bloß: »Ganz gewiß weiß niemand etwas, und du muaßt abwarte…«, das war etwas für Krumme, die den Kopf einzogen, die Hand vorhielten und beiseite schielten; für verdruckte Kerle halt. Dabei gab er sich sorglos, sagte, ihm sei's wurscht, und in der Schule werde er schon nicht durchfallen; ach was, am liebsten gehe er dem Winde nach und auf Waldwegen, die unterm Schuh weich seien; irgendwo komme er auf jeden Fall heraus. Und ihm gefalle das Radfahren, weil er dann an den andern vorbeisegle und nicht unter ihnen gehen müsse; auch fahre solch ein Fahrrad lautlos; allmählich strenge er sich sogar für die Schule an, denn wie sorgfältig führe er jetzt sein Chemie-Heft; das müsse sie sich nur einmal anschauen. »Dein Bruder kommt dir dann nicht mehr als schlapper Bursche vor, du kannst Gift darauf nehmen, brauchst es aber nicht zu tun. Ich meine: tu es lieber nicht.«

Jetzt schmunzelte er wieder, und das war gut. Den Bruder und die Eltern, die kannst du kennenlernen, andre rutschen immer wieder weg. Aber so war's vielleicht nur bei ihr, denn andre mochten andre schärfer sehen als die Nächsten. Sie aber wünschte sich, an andere heranzukommen, sie rundum zu sehen, nicht bloß von hinten und von vorn oder von unten.

»Du hast ja keinen Freund«, sagte der Vater zu Eugen und lachte. Darauf erwiderte der nichts, als wäre er verwirrt. Ob ihm diese Geschichte mit der Lieselotte Denzel immer noch im Bauch lag? Möglich war es schon, denn ihr kam's vor, als ob ihr Bruder Männer nicht recht leiden könne. Für den wär halt die Eva Maurer was gewesen. Er erzählte von den Kameraden in der Schule und beschrieb sie: »Primus ist der König, und der sagt von sich: ›Ich bin ja auch der König.‹

Seine Schwester geht in die Hilfsschule. Dann kommt der Koch, der, wenn er an der Tafel etwas genau sehen will, seine Stahlbrille nach oben biegt, wahrscheinlich, weil sie an den Rändern schärfer als in der Mitte geschliffen ist; übrigens ein Breitschultriger, der gern turnt, ein Pfarrerssohn mit einem irgendwie kühnen Gesicht; der unterhält sich gerne mit Arbeitern. Vor ihm sitzt der Villforth, der sich jetzt mit der linken Hand zu schreiben zwingt und sagt: ›Ich kann doch einmal die rechte verlieren.‹ Einmal hat den ein Lehrer g'fragt: ›Es heißt, die deutsche Jugend denke völkisch. Was meinen Sie dazu?‹ Da steht der auf, dreht sich halb zur Seite und sieht schräg in die Klasse. Auch mich hat er an'guckt und mit den Lippen 'zuckt, bis er endlich gesagt hat: ›Hier wissen doch die wenigsten, was völkisch ist…‹ Du, ich weiß es, ehrlich g'sagt, bis heute auch noch nicht; aber's wird wohl mit dem Hitler z'sammehänge… Greiner, der hinter mir sitzt, hat einmal g'sagt: ›Rapp, du bist zu empfindlich‹, obwohl's natürlich keine Kunst gewesen ist, weil der Direktor eine Woche vorher zu mir g'sagt hat: ›Rapp, Sie sind zu weich.‹ Ja, die wollen harte Schüler, harte Kameraden haben. Scheißlich, gelt? Und der lange Gomeringer [er ist sehr bleich] hat in der Deutschstunde verlauten lassen: ›Also, wenn ich einen solchen lyrischen Ballast mit mir 'rumschleppen müßt, ich glaub, ich würde mich aufhängen.‹ Der Mendinger fährt jeden Tag mit dem Zug von Heutingsheim herein [auch ein Pfarrerssohn], und der gefällt mir eigentlich am besten.« – »Warum?« – »Weil er nichts schwätzt.«

Echt Eugen, aber lachen durfte sie jetzt nicht darüber. Er hatte doch etwas erzählt, und das kam selten vor. Zuweilen aber stritt er sich mit Waidelich, der wie der Vater Zeichenlehrer war. Wenn Herr Waidelich schmunzelte, hörte Eugen auf zu sprechen. – »Ja, der Eugen ist halt Demokrat…«, sagte Herr Waidelich, und es klang recht abschätzig. Waidelich hatte einen kleinen Glatzkopf, und seine Frau war in Amerika gewesen; zuerst hatte sie mit Negerinnen Wäsche waschen müssen und war dann zu den Noreks, einer jüdischen Familie, gekommen. Sie schenkte Margret eine Aufnahme aus Berlin und darauf ging Frau Waidelich neben einer eleganten Frau und einem Buben, der eine Sportmütze aufgesetzt hatte; nicht weit vom Hotel Adlon sei es aufgenommen worden, und sie kämen da gerade vom shopping zurück; Frau Waidelich hatte ein schwarzes Kostüm an, und ihre Hutkappe hörte dicht über den Augenbrauen auf. Feine Leute … Jetzt wollte Waidelich in den Ferien nach Ägypten fahren, und deshalb waren die Eltern beinah erschrocken, denn als Schulmeister bildete man sich doch niemals ein, es reiche zu einer Fahrt nach Ägypten. Margret aber gefiel's, daß die so etwas wollten; ach, dann kam man doch einmal aus der schwäbischen Soße 'raus … Ab und an brachte Waidelich ein Bild mit, das er gemalt hatte und mindestens so groß wie er selbst war; er stellte es auf die Kredenz, und nun betrachtete man es, das ›Tanne im Gebirge‹ hieß. Die Tanne war rot und gelb zerfetzt, und nicht nur hinter ihr sah's wüst aus; halt ein Ausstellungsbild, denn Waidelich wollte einmal eine große Kollektivausstellung hinstellen oder starten; aber das Geld dazu … Na, also … – »Es ist sehr pastos gemalt. Da seht nur, wie pastos das gemalt ist«, sagte er und deutete auf ein Gewühl erstarrter Farbwürmer zu Füßen dieser ›Tanne‹; die Würmer hätte man wegbrechen können, weil sie getrocknete, aus der Tube auf die Leinwand gedrückte Farbe waren, und Eugen dachte sein: ›Eigentlich scheißlich‹, das sah sie ihm an. Der Vater stand aus dem Ledersessel auf, ging schwerleibig um den Tisch, stellte sich, die Hand am Kinn, vor dem Bild auf und murmelte: »Ah … Dreieckskomposition.« Er nickte und schien das Bild zu verstehen, obwohl er kürzlich eine Schneiderwerkstatt mit dem Stichel aus einer glatten Birnbaumplatte hervorgeholt hatte, auf der Licht durchs enge Fenster drang und sich bis zu den Holzscheiten vor dem Ofen mit dem Schürhaken verteilte; ein Schneider hockte vor der Nähmaschine, die Brille war ihm vorgerutscht; er hatte einen Staren auf dem

Finger sitzen, dem er ein Lied vorpfiff; an der Wand waren ›Modes de Paris‹-Bögen festgemacht und hatten Eselsohren; ein grinsender Geselle bügelte mit dem Holzkohlebügeleisen eine Jacke, deren Ärmel herabhingen, und der Geselle stand im Schatten; das kam recht gut heraus. Eugen fragte den Vater nach dem Holzschnitt, sagte: »Der gefällt mir halt«, und der Vater sagte: »Robert, das ist etwas aus der Kindheit.« Und er erzählte, wie er in Dürrmenz als Zehnjähriger oft zum Schneider gegangen war; der habe neben seinem Großvater unterm Schloß gewohnt. ›Schneider, laß dein Stora singe!‹ hab ich zu ihm g'sagt, und dann hat er den Staren aus dem Käfig g'holt, und der Star hat wunderbar gepfiffen: ›Erheb, o Seele, deinen Sinn.‹

»Ach soo...«, sagte Waidelich und nahm sein Ölbild von der Kredenz herunter. Margret dachte an einen Maler, der Hammel hieß und mit Vater befreundet war, einen, der von seinen Bildern lebte und dem alles, was der Vater machte, so sehr gefiel, daß ihm das Gesicht vor Freude auseinanderfuhr; von seinen eigenen Bildern sagte er: »Ja, die sind dicht gemalt«, während Waidelich von einem französischen Künstler, von seinem Lehrer Adolf Hoelzel und von seiner kubistischen Bildauffassung erzählte, um die er bereits auf der Kunstschule gerungen habe.

»Ich verstehe nichts davon, Herr Waidelich. Ich will ja auch bloß Pfarrer werden«, sagte Eugen und erzählte später beim Nachtessen, daß der Professor Glenk im Zeichenunterricht oft das chinesische Sprichwort zitiere: ›Wenn im Kopf ein Hohlraum entsteht, dann klappt das Maul auf.‹

»Wie geht's eigentlich dem Hammel?« fragte Eugen, als Waidelichs fortgegangen waren. – »Gut, hoffentlich. Der ist doch in Heilbronn.« Hammel war ein Mann mit Bauerngesicht, in dem die Schlauheit zuckte. »A liaber Kerle. Ha, was ist der Hammel für ein feiner Mensch, gelt Mäusle?« Und Margret erinnerte sich, wie er einmal sonntags hereingekommen und gleich aufs Ölbild mit der Niedersonthofener

Kirche zugegangen war. »Ha, jetzt hat er's Kirchle abg'molt!« rief Hammel aus, seine Augen verschwanden zwischen Lachfalten, und sein Mund war breit. Eugen fragte, wie so einer leben könne, heutzutage und als freier Künstler. Das interessierte den, und Margret wußte auch, weshalb: weil es ihm arg war, sich vorzustellen, daß er später und das ganze Leben lang frühmorgens in die Schule oder in ein Büro mußte. Der Hammel also konnte sich's einteilen, wie er wollte, und lebte nicht mal schlecht; jedenfalls nicht schlechter als der Vater. Und Eugen sagte: »Eigentlich beneidenswert.«

Margret fiel Eva Maurer ein und daß sie gesagt hatte, vielleicht sei alles ganz und gar gleichgültig, und warum müsse man arbeiten, es sei haufengenug, daß man überhaupt leben müsse; »'s bleibt dir halt nix erspart«, sagte die Eva. Einem wie dem Vater aber, dem machte es Spaß; der paßte auf, damit er nichts versäumte, um ›nach Vier A‹ aufzurücken, also in die höchste Gehaltsklasse, die für ihn erreichbar war; denn dort betrug das Endgehalt... Und er berechnete das Endgehalt und sagte: »Nach Vier A muß ich kommen, Mäusle, da gibt's nix!« Er sprach mit Waidelich darüber, der, weil er über zehn Jahre jünger war, erst später für Vier A in Frage kam. Waidelich grinste, doch bemerkte es der Vater nicht. Und als sie dann zusammen eine neue Rundschrift ausprobierten, die in der Schule gelehrt werden sollte [bevor's die Schüler lernten, mußten es die Lehrer können], schrieb Waidelich die Wörter: ›Stellenanwärter Hermann Rapp‹ auf ein großes kariertes Blatt; Waidelich nützte diesen Augenblick, um seinem Freunde Hermann schwarz auf weiß eins auszuwischen, freilich ohne daß der's merkte. Die Mutter aber sah den Hasen laufen und sagte später zu Margret, jetzt habe sich der Waidelich verraten; sie werde zum Vater sagen [der sei ja viel zu gutmütig, als daß er's selber merke]: »Paß auf, der stellt dir noch einmal ein Bein!«

Eine verfilzte G'schicht; so war es also, wenn man sich dem fünfzigsten Geburtstag näherte. Und Eugen sagte: »Du brauchst noch nicht daran zu denken, bis es bei dir soweit ist; und ich übrigens auch nicht… Aber wahrscheinlich wird's immer so sein, daß nur die mit demselben Beruf beieinanderhocken und sich gegenseitig in die Töpfe gucken. Jeder sagt zum andern ›du‹, was immer schlecht ist, weil er dann glaubt, sich was herausnehmen zu können.« Und Margret war erstaunt: »Das hab ich mir noch gar nicht überlegt; aber recht hast du.« Sie fragte ihn, ob's ihm denn nicht vor später grause, wenn er das alles jetzt schon wisse. »Da kannst du dich ja gleich aufhängen«, sagte sie, und er antwortete: »Warum? Vielleicht kommt's nicht so schlimm… Damit rechne ich halt im stillen.« Und er gestand, daß er lieber alt wäre, aber nicht mit Familie und so weiter, sondern in seinem Turm am Bodensee, wo er über das Wasser sehe und mit niemand Krach bekomme, denn das sei ihm zuwider. »Warum muß man sich alleweil mit jemand streiten, wenn es doch nichts nützt?« fragte er, und sie verstand ihn nicht. – »Vielleicht siehst du es zu genau. So kompliziert ist es doch nicht.« – »Aber, was willst du denn: Immer wieder mußt du dich krummlegen, und das Schöne gibt's nur in der Einbildung, oder wenn du dich erinnerst.« – »Ach, du Sinnierer!« Und sie lachte.

Mit ihm kam sie sich wie neben der Eva Maurer vor, also schwerfällig, aber auch gesund. Du siehst es simpel, und das hilft dir; lieber schwerer sein und nicht so wackelig wie Eugen… Der entwischt dir immer wieder. Wenn du mit ihm redest, ist er gleich anderswo, aber das macht alles interessanter; freilich auch schmerzhafter – wie bei Eva Maurer. Und sie erinnerte sich, wie Eva Maurer von ihrem Vater erzählt hatte, der beim Frühstück Börsenkurse auf seine Papierserviette kritzele; dazu benütze er einen silbernen Bleistift, der so blitze, und sie könne dieses Blitzen seines Silberbleistifts nicht mehr sehen.

Es war Nacht. Sie stand im Schlafzimmer der Eltern, wo die Mutter im Bett lag. – »Jetzt ist's halber zwei, und er ist immer noch nicht da«, sagte die Mutter. »Was soll ich denn da machen?« – »Nichts.«

Margret horchte. Es klappte schon die Gartentür, und Schritte tappten. Der Hund gilfte in der Diele, sprang an der Haustür hoch und ließ die Klinke schnallen, ein wildes Geräusch, bis aufgeschlossen wurde und der Hund mit kratzenden Klauen hinaussprang, kurzatmig kläffte, winselte und hüpfte, während eine Männerstimme sich zusammennahm und gedämpft lachte: »Ja, Buelebuele…, ja, was ist denn dees! Halt no dei Maul. Komm, wir gehen hinten 'num.« Und sie gingen miteinander nach dem Garten; Nero schwänzelte und lief zum Wäschepfosten, wo er das Bein hob. – »A schöner Kerle…«, sagte der Vater, dem die Krawatte am offenen Kragen hing und der zum Mond hinaufsah; dann wandte er sich zu der Hundehütte und ließ seinen Strahl springen, daß es plätscherte und spritzte. Dabei sprach er mit dem Hund: »Ja, Buelebuele, jetzt krieg i eins auf den Deckel. Aber 's macht nix«, knöpfte sich die Hose zu, band mühsam die Krawatte zu einem komplizierten Knäuel, stieß an den Kehrichteimer, daß es schallte, und schlich so leise wie er konnte wieder zur Haustür; vorsichtig ging er die Treppe hinauf, klinkte die Schlafzimmertür auf, guckte hinein, zog sie wieder zu und kam dann groß und backenstrahlend, ein weinatmender Herr, dem sein grüner Filzhut in den Nacken gerutscht war, ins Zimmer: »Guten Abend allerseits!« Den Filzhut hängte er an die Schrankecke. »Wunderbar…im Engele Buck! Ha, a Weinle, sag ich euch, a Weinle… Ihr könnt's euch nicht vorstellen!« Und er legte Daumen und Zeigefinger aufeinander, spitzte den Mund, daß der Oberlippenbart sich sträubte, und wartete, an den Schrank gelehnt. Da sagte die Mutter: »I glaub, du warst im Teufele-Buck.« – »Nein, im Engele-Buck… 's Margretle weiß, daß i net lüg. Gelt, Mäusle?« Und er verneigte sich und ging ins Bad. Er war geglättet, und er glänzte.

Was hatte sie für einen wunderbaren Vater. Auch Eugen sagte oft: »Mit dem können wir zufrieden sein«, und eigent-

42

lich war's schade, daß die Mutter meistens sauer reagierte, obwohl sie doch arg froh war, weil er wieder da war; die hatte zu oft Angst um ihn. Wenn du mal einen Mann hast, läßt du ihn zuweilen laufen, das auf jeden Fall... Denn was hatte der Vater mehr als diese Abende im ›Engele-Buck‹ oder in der ›Warmen Wand‹? Daß er immer um halb elf ins Bett mußte, mittags nach dem Essen zur Radiomusik im Ledersessel duselte oder im Haar grubelte, wenn er die Zeitung las. Freilich, es gab lange Ferien, und dann galt die Devise: ›Komm i heut net, komm i morge‹, aber sonst war's eigentlich recht karg. Weißt noch, wie die Mutter zu dir g'sagt hat: ›Merk dir, du bist ein Kind armer Eltern‹? Das war damals passiert, als sie von Doris Becker-Simons elterlicher Wohnung geschwärmt und gesagt hatte, Doris habe junge Eltern, sie aber so arg alte... Eugen verstand das nicht; er sagte: »Sei doch froh, daß deine Eltern alt sind; dann hast du was von ihnen und kannst dich an sie halten. Ich hätt nichts dagegen, wenn ich älter wär. Dann bräucht ich mich um vieles nicht zu kümmern.«

Der Vater traf sich im ›Engele-Buck‹ mit den Kollegen. Dazu gehörte einer, der Fuchs hieß und elegant war, einer mit grauen Schläfen, der auf dem Spaziergang über die Solitude nach Leonberg einen Stock dabeihatte, aus dem er einen dreikantigen Degen ziehen konnte. Mit dessen scharfer Spitze zeigte er auf Hedwig Glenks Busen, der, wie bei Eva Maurer, in einer weißen Bluse steckte; auch war Hedwig eine Zierliche mit dunklem Haar, die im Gesichtsschnitt an die Jugendbilder der Tante Emilie erinnerte. Ihr, die Geld für eine Operation brauchte, hatten die Eltern zwei Broschen abgekauft, von denen eine grüne Emailblättchen in den verschlungenen Goldbändern hatte; übrigens helles Gold, das sich um zwei Perlen wand. Die andre Brosche war oval und hatte einen Kern aus schwarzem Stein, worin ein Stück Goldkette festgemacht war; nur steckte sich die Mutter beide selten an, weil sie dieselben zu verlieren fürchtete.

43

Und Hedwig Glenk lachte, als Margret ›dieselben‹ sagte, aber so war's richtig; anders konnte niemand von den eleganten Broschen ihrer Mutter reden. Hedwig wollte von Emilie Feuerlein etwas erfahren, und Margret sagte: »Ach, die ist doch tot.« Eugen schaute her, dem war solch eine rasche und deutliche Redeweise widerwärtig, und als Hedwig zu ihm sagte: »Erzähl doch du mir von deiner Tante Emilie«, sah er auf den kupferblätterig belegten Waldboden und redete, als müsse er dabei ein randvolles Glas tragen, ohne einen Tropfen zu verschütten. Aber so kostbar war sein Wasser nicht, denn was wußte er anderes, als daß Tante Emilie im Zimmer links von der Glastür des französischen Konsulats in einem weißlackierten Eisenbett gelegen war und mit ihm Sekt aus einem Wasserglas getrunken hatte? »Oho!« rief Hedwig, und Margret sagte: »Der macht's spannend. Tante Emilie war bloß krank.« – »Laß ihn doch weiterschwätzen.« Und Eugen erzählte, wie der Vater auf der Treppe den Onkel Henry nachgemacht hatte, weil der immer aufgeregt gewesen war und mit erhobenen Händen wie flehend gebeten hatte: »Oh, leise, Hermann! Bitte, du hier sprechen mußt arg leise! Wir stören sonst doch den Herrn Konsul!« Trotzdem schneuzte sich der Vater kräftig und sagte auf der Straße: »Augendiener... Aber a guater Kerle.« Danach war Tante Emilie gestorben. Henry kam an einem Sonntagvormittag im Cutaway mit ausgefransten und an den Rändern schwärzlichen Röllchen-Manschetten, in denen goldene Knöpfe steckten, zu Besuch, stellte zwei Flaschen Schampus auf die Kredenz und stieß mit den Eltern zitternd an; aus seinen dicken Augen tropften Tränen.

»Ich seh ihn vor mir, deinen Onkel... Oder hat er ihn vielleicht nicht gut herausgebracht?« sagte Hedwig Glenk, und Margret nickte. Sie sah zu Eugen hin, der rot geworden war und diese Röte nur mühsam verscheuchen konnte, indem er einen Zweig abriß, was richtig knallte. Vorne ging Professor Glenk, dort wo Schloß Solitude weiße Mauern mit goldenen

Medaillons und eine Schieferkuppel durch die Blätter sehen ließ. Glenk war ein untersetzter Mann in schwarzem Schlapphut und redete mit Vater über ›Bildhaftes Gestalten‹, eine neuartige Sache, die, wie Waidelich behauptet hatte, großzügig durchdacht sei; denn Glenk schrieb Bücher und Aufsätze über die neue Art des Zeichenunterrichts, die ›Bildhaftes Gestalten‹ hieß.

»Auf Ihr Spezielles einen herzhaften Schluck, Herr General!« rief der Vater später in der Leonberger Bahnhofswirtschaft, und Herr Fuchs schmunzelte sich eins; der saß nahe bei Hedwig. Glenk streckte den Arm aus und strich sich langsam mit zwei Fingern von oben her übers Gesicht, die lange Nase vorsichtig aussparend, ehe er erwiderte, in seinen Umfangsformen sei der Hermann zwar ausgesprochen reaktionär, im Dienst aber ein gewiegter Praktiker; das jedenfalls... »Sei froh, daß dir das Theoretische nicht liegt. Mir ist's wie Spitzgras! Ein Verhängnis meines Lebens, daß ich mich mit Theorie abplagen muß! Sie widerstrebt meinem Blutrhythmus!« Und er zitierte einen Philosophen namens Klages, von dem er sagte, daß der als erster diesen Blutrhythmus erschlossen habe, worüber Margret und Hedwig kicherten. Ein blauer Strahl unter schrägen Augenlidern streifte sie vom Glenk herüber, und Margret erinnerte sich, daß Waidelich gesagt hatte, der habe eine Stirn wie eine Felswand. Jetzt konnte sie das Wort mit seinem Gesicht vergleichen und dachte, es stimme vielleicht schon; ein kantiges Gesicht mit vorgeschuhtem Unterkiefer, denn sein Kinn stand in der Tat wie ein Schuh vor, nur mußte man bei ihm den Schuh umdrehen, dann war's richtig; also mehr wie der Absatz eines Schuhs, und der Mund eingekniffen, die Lippen wie gehärtet; und Margret fiel's nicht schwer, sich vorzustellen, daß er bei Wortgefechten unter Zeichenlehrern auf einen Stuhl springen und losdröhnen sollte; nicht umsonst sagte der Vater, der halte seine Kerle scharf beisammen, und vor dem Glenk gehörte auch der Vater zu den ›Kerlen‹... Grob sollte er auch sein, ein ›Klob‹, und wen er haßte, den drückte er recht rigoros hinunter; ein Lehrer, den er visitierte, sollte vor den Schülern geweint haben. Ob Glenk deshalb Referent beim Ministerium geworden war? Ach, das waren nur neidische Lügen. Der Vater stritt's jedenfalls ab; einem Freund traute er so etwas nicht zu, indes die Mutter... Aber die sah immer schärfer; und einmal hatte sie mit angehört, wie Glenk seiner Frau eine Wirtschaft bis auf die Ofenkacheln genau beschrieb und sagte: »Aber du warst doch dabei, du mußt es doch auch wissen!« Sie aber stritt es ab: »Nein, ich weiß nichts.« Da habe er gegrinst, und sein Gesicht sei rotfratzenhaft angelaufen; weshalb also in der Wirtschaft irgend etwas geschehen sein müsse, daß... Und die Mutter verriet nichts, sie deutete es nur so an. Wenn Glenk gesagt hatte: »Hermann, ich bin keine Hauskatz, ich bin ein Dachkater«, so regte das Margrets Phantasie an, und Glenk war ihr dabei nicht unsympathisch.

Menschengesichter... und dieses Zusammenfließen von Sichtbarem, Gesehenem und Erinnertem, weil sie ein Viertel Rotwein trinken durfte: jedenfalls lohnte es sich hierzusein.

Kollege Fuchs [der mit den grauen Schläfen] sollte harmlos sein, freilich »so mit Frauen auch nicht sauber«, wenn man wiederum der Mutter glauben wollte. Hedwig sagte am Tisch zu Fuchsens Sohn: »Was drückst du denn immer dein Knie an meines?« und Margret war verwundert, weil sie gedacht hatte, mindestens in *der* Beziehung wisse Hedwig mehr als sie; also mußte es entweder anders sein, oder Hedwig mochte Fuchs junior tatsächlich nicht; das war bis heute ungewiß gewesen, weil Hedwig über den oft kräftig geschimpft hatte, was Margret g'späßig, also sonderbar erschienen war. Für die Mutter aber waren die Kollegen alle ›Hocker‹; die kamen doch schwer vom Wirtshaustisch los, und wenn Margret die ›Arbeitsgemeinschaft für Bildhaftes Gestalten‹ »Die Festhalter« nannte, stimmte sie bei; denn die hielten ihr viel zu viele Wirtshausfeste ab.

Überall dieselben Sorgen, denn unter Kollegenfrauen blieben sich die Sorgen gleich. Die Kollegen wechselten einander ab. Einmal hieß einer sogar Schöpfer, doch blieb Margret nur der Name und daß er in Korntal wohne im Gedächtnis. Das sagte ihr nicht viel, es ging sie eigentlich nichts an, war ihr gleichgültig, und es kam wieder ›das Spülwassergefühl‹ in ihr herauf, also recht labberig und lau. Wenn sie doch wenigstens der Eva Maurer einmal in der Stadt begegnet wäre, aber die hatte sich davongemacht. Nur Waidelich erschien sonntags mit seiner Frau, dem ›Schnuckl‹, und sagte, sonntagmorgens setze er sich immer ans Klavier und phantasiere, indes sein Schnuckl in der Küche wirke; und das sei dann dieselbe Stimmung, die auch Dichter inspiriere, nur daure sie bei denen halt viel länger; sie seien sozusagen ›immer drin‹. Oder er erzählte, wie in einem österreichischen Eisenbahnzug eine Frau zur andern gesagt hatte: »Aber, liebe Frau, jetzt legen S' doch dees oane Packl auf dees andre Packl«, und es sei von Linz bis Wien olleweil um das oane Packl auf dem andern Packl 'gangen; dann zeigte er denen am Tisch, also auch Margret Rapp, wie er a bisserl spat in seine Wiener Pension heimgekommen, die Pensionsdame [weil bloßfüßig, im Nachthemd und mit einem Jackerl] vor ihm hinter die Tür geschlüpft war und er zu ihr gesagt hatte, sie brauche nicht so wegzuschlupfen, denn auf einem Auge sei er blind und auf dem andern sehe er nicht gut... Und vielleicht hatte die das absichtlich getan, wer weiß, doch so dachte nur Margret Rapp.

Mit Waidelichs wurde die Freundschaft warm, und Margret paßte auf, wie's weiterging. Merkwürdig, daß ich immer zuschau..., dachte sie. Die Tanzstunde fing an. Ihr Bruder wollte, scheint's, nichts davon wissen, und ihr kam's wieder einmal g'späßig vor, wie der jetzt war; weil der bloß lernte oder im Mörike las. Und man hatte so Gefühle, nur war es nichts Besonderes oder nichts Rechtes, als wäre etwas in ihr noch nicht ganz fertiggekocht oder so... Obwohl man selbstverständlich toll begeistert war für Slowfox, English-

Waltz und Twostep. Eugen sagte, einen Walzer höre er am liebsten: »Weißt du…, weil ich denk, da könnt ich mich… Denn schöner als der Kaiserwalzer ist eigentlich nichts, aber den lern ich nie… Die Walzer heißen auch so, wie's mir g'fällt: ›Morgenblätter‹, ›Gold und Silber‹, ›An der schönen blauen Donau‹… Bloß ist das halt leider längst vorbei. Eigentlich schade, gelt?« Und sie verstand nicht, was er mit ›längst vorbei‹ meinte, weil man diese Walzer doch auch heute tanzte.

Einmal – sie hoffte, Eva Maurer zu begegnen – traf sie den Vater, der aus dem ›Bräustüble‹ kam, und sie gingen zusammen in der Königstraße, wo er in seinem ausgesessenen Anzug mit grünem Hütle einen Herrn ansprach, der groß und blond und einfach schick oder toll elegant war. – »Tonare, wo 'naus?« sagte er. Der andere schwätzte schwäbisch, war Zeichenlehrer, und der Vater sagte also auch noch du zu ihm; es kam ihr absonderlich vor, oder wie nicht zu glauben. »Ja, wir sind engste Fachkollegen, gelt, Tonare?« sagte er, und Tonare wandte sich mit seinem Lächeln Margret zu, als wäre sie erwachsen: »Wissen Sie« [er sagte ›Sie‹!], »ich bin im Krieg gewesen als ganz junger Kerl, und seitdem… Also, ich kann einfach kein ganzes Buch mehr lesen…« Er hielt die Hand vors Gesicht und sagte, seitdem bekomme er vom vielen Lesen Kopfweh. Die gesteppte Krempe seines hellen Hutes streifte ihre Stirne, er sagte: »Pardon« und schaute auf, als eine, die so groß wie er war, vorbeistrich und lächelte. Es schien, als sei er aufgewacht. »Gelt, die hat gelächelt?« fragte er den Vater vor dem Universum-Kino, sah weg, lüftete den Hut und hatte sich schon linksschlenkernd an anderen vorbeigeschoben, dort hinauf, wo die Blonde vor einem Schaufenster wartete und hersah. Der Vater sagte: »So, Mäusle, jetzt ganget 'mer in ein Café« und führte sie zum Hindenburgbau, wo sie dann oben auf einer der runden Galerien saßen und in den Trichter mit der Treppe hinabschauten. Ein Tanzparkett war in der Tiefe gelb erhellt, Menschen wurden von Musik geschoben, und eine Dame hatte unterm Ohrläppchen jenen spitzen Haarwisch, den man ›Herrenwinker‹ hieß. Margret überlegte, ob sie unten gerne tanzen würde, dachte: jetzt noch nicht, aber hoffentlich bald… und fragte den Vater nach dem großen Blonden mit dem feinen Hut. Das war also ein Bäckerssohn, der Mietshäuser von seinem Vater geerbt hatte und nicht drauf angewiesen war, Lehrer zu sein; er war das nur, um eben auch etwas zu sein, und machte deshalb seinen Dienst großzügig mit der linken Hand; »du kannst auch schlampig sagen, aber mir g'fällt der Tonare trotzdem oder gerade deshalb. A liaber Kerle…« Daß Professor Glenk ihn gar nicht leiden mochte, war für Tonare schlecht, bloß machte sich der halt nichts draus. Glenk sagte von ihm, der sei eine Schande für den Stand; und man nannte ihn Tonare, weil er seine Bilder mit ›ARi‹ signierte, im Kunstverein gern sang und Klavier spielte, meistens unter Kollegen; seitdem war er der ›Ton-ARi‹ oder ›Tonare‹, ein schwäbischer Lebenskünstler sozusagen, der freilich auch einmal heiraten wollte, aber welche? Die Damenauswahl war zu groß.

Ob es drum besser war, wenn man nur eine kleine Menschenauswahl zur Verfügung oder zur Hand hatte? Eugen sagte: »Mir würd's grausen, alleweil mit neuen Leuten… Weißt du, wen ich zum Freund haben möchte? Den Mörike; freilich, der ist schon vorbei… Aber der Vater ist mein bester Freund.« Er wurde rot, und ihr kam's vor, als ob er's schon wieder bereue, was er gesagt hatte. Es bitzelte sie, ihn ein bißchen hochzulassen, denn ein Bub, der rot wurde, war doch komisch; deshalb fragte sie: »Und als Freundin?« Da glühte sein Gesicht so arg, daß es ihr peinlich wurde und sie zum Kartoffelschälen in die Küche ging, weil's morgen Kartoffelgemüse gab.

»Der Vater ist mein bester Freund«, hatte ihr Bruder g'sagt, obwohl man einem Freund alles oder fast alles erzählte, und dies tat Eugen nie. Ganz einverstanden war er auch nicht mit dem ›besten Freund‹, aber gegenüber wem

kam das schon vor? Gegenüber Eva Maurer... Du hast die
Eva halt beneidet, weil sie etwas hat – ja, was denn? Das
konnte sie nicht sagen, aber vielleicht war es etwas, das an
den Fingerspitzen hing. Nein, so war das auch falsch, weil
man's nicht an den Fingerspitzen spürte, sondern in der
Luft, also zwischen ihr und Eva; oder es ging von Eva aus
und war wie eine Saite, die vibrierte und an den Fingerspitzen kitzelte; oder etwas, das wachmachte und nicht ganz gesund war. Und sie hatte das Gefühl, als ob sie etwas brauche,
das wachmache. Ihr Bruder hatte es bereits und brauchte
deshalb seinen Vater, diesen ›strabeligen Kerle‹. Freilich,
was den Krieg anging und diesen Vertrag von Versailles, der
an allem schuld sein sollte, da hatte Eugen eine andre Meinung. – »Was geht denn mich der Krieg an und der ›Schand-
vertrag von Versailles‹? Und Soldat werden: also, ich *denk*
net dran!« sagte der und ärgerte sich über den Vater, der auf
einer Radfahrt in Backnang unter Arbeitern den Finger
ausgestreckt und auf ihn gezeigt hatte: »Der wird auch noch
Soldat!« Die Arbeiter hatten geschwiegen und Eugen ange-
schaut. »Früher hat einer bei seinem Mädle erst etwas ge-
golten, wenn er beim Militär gewesen ist, vorher nicht. Und
wenn ich mir die lommeligen Kerle an den Königsbau-Säu-
len in Stuttgart anguck – also da könnt einem der erste
Kindlesbrei wieder 'raufkommen!« hatte er in dem Back-
nanger Beckenwirtschäftle ausgerufen. Und Eugen sagte:
»Du, ich bin auch so ein lommeliger Kerle.« Er machte seinen Vater nach und wie der über ›butterweiche demokra-
tische Friedensapostel‹ geredet hatte, von denen auch noch
einer Professor Quidde heiße, grad, als griffe man in ein
Pfund Butter oder in Qualliges. Sie lachte. Eugen sagte, der
Vater sei halt temperamentvoll, und das tue einem wohl:
»Vor dem Krieg hat der genau gewußt, was er hat denken
oder glauben müssen; aber jetzt... Jetzt muß er's selber
herausfinden, und das ist für einen wie ihn arg schwer...«
Und sie hörten, wie der Vater am Sonntag vor dem Mittagessen ›Steig auf, mein Falk, ins Himmelsblau‹ und ›Freu

50

dich, Fritzchen, freu dich Fritzchen, morgen gibt's Sellerie-
salat‹ auf dem Klavier spielte.

Professor Kochendörfer kam gesenkten Kopfes in die
Klasse, ein Kleiner und Beleibter, die Wangen rosig und rasiert, einer mit randlosem Kneifer, der sein englisches Lehr-
buch und sein Notizbuch für Zeugnisse auf das Katheder
legte und die Bücher so zurechtrückte, daß Kante auf Kante
lag. In hellem Anzug und frischem Hemde schaute er auf
seine sorgfältig gewichsten Stiefelspitzen, nahm den Zwik-
ker ab, rieb sich die Augen und sagte: »Der gestrige Sonntag
wird als dies ater in die deutsche Geschichte eingehen. Wissen Sie, was ein dies ater ist?«
    Sie wußten es. »Daß die Nationalsozialisten mit hundert-
drei Sitzen in den Reichstag eingerückt sind, macht den gestrigen Sonntag zum dies ater«, sagte Kochendörfer und begann den Unterricht.
    Eugen erzählte ihr davon, und Margret dachte: so etwas
bringt er gut heraus. Eugen sagte, eigentlich sei alles scheißlich; lieber an Cleversulzbach denken und an Mörike…, was
ihr recht widerwärtig war, weil sie mit Altem oder Totem
nichts zu schaffen haben wollte; das schob sie weg, das war
vorbei; es mutete sie an, als ob sie in Schubladen voll be-
nützter Wäsche griffe, obwohl, wenn er erzählte, alles anders wurde, fast wie ohne Schmutz, aus Luft und Farben
halt. Sei also froh, daß er's dir sauber zeigt… Und sie hörte
ihm zu, als er ihr Cleversulzbach zeigte, obwohl sie jetzt in
ihrer Stube auf dem Bette hockte und er im Lehnstuhl seiner
Gablenberger Urgroßmutter saß, die die Mutter als Kind
manchmal am Rücken hatte kratzen müssen, was ihr bis zum
Gänsehautkriegen widerlich gewesen war. Aber die hohen
Kastanien vor dem Friedhof rechts neben der Straße, die
nach Cleversulzbach ging, im Friedhof zwei Steinkreuze, das
eine für Mörikes und das andere für Schillers Mutter [und
die Worte ›Schillers Mutter‹ hatte Mörike hineingemeißelt],
und wie hinter dem engen Pfarrhauseingang eine steile

Treppe hinaufführte, was Mörike wahrscheinlich recht gewesen war, weil es sich ein Besucher dann noch überlegen konnte, ob er nicht lieber doch umkehren wolle; auch das rostige königliche Wappen überm Tor, ungefähr aus Mörikes Zeit; dies alles paßte gut zusammen. In der Sakristei glitzerten Salpeterflecken, Verputz war abgefallen, und es roch moderig, was auch dazugehörte, denn moderig war jedenfalls besser als neu: »Oder, was meinst du, Margretle?« – »Mach nur weiter.« Und er war wieder in der engen Kirche, wo Mörike von der Kanzel aus seinen Bauern die Hand hätte geben können, wenn sie auf der Empore saßen; nah rückte es heran, die Emporenbrüstung war mit nachgedunkelten Bildern geschmückt; so, wie's jetzt war, hatte es Mörike gesehen, und hundert Jahre: »Also, du mußt selber sagen, daß das keine Zeit für eine Kirche ist; schließlich sind die Mauern mindestens fünfmal so alt.« Bei Frau Seebold im ›Adler‹ war das wetterbraune Kirchturmuhrziffernblatt, zu dem Mörike hinaufgesehen hatte, an die Wand gelehnt, und die Seeboldin sagte, ein Mörikeforscher habe sie angefahren: »Sie verdienen nicht, daß all dies hier ist! Sie müssen es hergeben!« Und er wollte ihr auch den Stahlstich von Ludwig Richter, auf dem ein Christbaum wie eine Lichtspiegelung in die Höhe schwebte, und vergilbte Briefe wegnehmen, die ihr der Pfarrer geschenkt hatte; von Mörike waren sie freilich nicht. Da bedrängte der Forscher also diese Frau Seebold, die solche Sachen doch bloß hatte, damit mehr Leut in ihre Wirtschaft kamen, halt als einen ›Anziehungspunkt‹. Margret sagte, das heiße heute Attraktion, sie wisse es von Eva Maurer, aber die habe sich darüber auch gewundert, manchmal sogar gelacht. Sie lachten miteinander über alle, welche Attraktionen brauchten, und Eugen sagte, wenn er jetzt an dieses nüchterne Dorf Cleversulzbach denke, das Mörike so verklärt habe und wahrscheinlich für lange Zeit, dann sei das ›Mörikestüble‹ der Frau Seebold und das nach Holz riechende Innere der alten Kirche ganz wie beim Mörike gewesen; dazu die Landschaft mit dem hellgrünen Schein des Juni. Komisch aber sei gewesen, daß der Vater und Herr Waidelich gesagt hätten, er müsse ein Gedicht fürs Gästebuch der Frau Seebold machen, und das habe er dann unter einem Baum gemacht, so in Hexametern und holperig; »darin hab ich den Mörike ›von goldenen Bienen umschwirrt‹ am Waldrand sitzen lassen; jetzt aber überleg ich mir, ob die den Mörike vielleicht gestochen haben«. Er lachte, und ihr kam es als ein gutes Zeichen vor. Der Vater hatte Cleversulzbach abgezeichnet und für Eugen ein Aquarell gemacht, das jetzt in seiner Stube hing, oben unterm Dach. »Der hat's besser gemacht als ich.«

So etwas gab es also hier in Stuttgart: der Vater zeichnete Mörikes Dorf, und der Sohn machte ein Gedicht auf Mörike: sehr altmodisch... Und sie war froh, als er von der Turnstunde beim Lehrer Wochele erzählte und sagte, da habe er auf einmal das Gefühl gehabt, wie er beim Stabhochsprung sich hinaufstoßen und hinüberschwingen müsse; und deshalb habe er's gekonnt, beinah als Bester, und sogar beim Zeugnisspringen, als es darauf angekommen sei. »Rapp scheidet aus mit sieben minus«, habe Wochele gerufen und für ihn einen Siebener, also ›sehr gut‹, aufgeschrieben. »Ich hab über mich selbst gestaunt.« In der Mathematikstunde erklärte Lehrer Rapp [»ja, der heißt wie wir«] eine neue Aufgabe, fragte: »Habt ihr's begriffen? Hat's auch mein Vetter begriffen?« und meinte Eugen, der den Kopf schüttelte: »Noch net so ganz.« – »Oh, Kerle! Also, dann erkläre ich's noch mal... Ich meine immer, wir seien verwandt, aber 's kann net sein... Nein, 's kann net sein.« Dieser Rapp war einer, der immer gebräunt aus den Ferien kam, weil er Faltboot fuhr und einmal gar bis Budapest gekommen war.

›Landpfarrer‹ wollte Eugen werden, und das verstand sie nicht; der meinte wohl, er lebe dann abseits wie Mörike und habe für sich Zeit. An die Sprachen Griechisch und Hebräisch, die er noch nachlernen mußte, dachte er zwar auch, nur

53

waren die für ihn zu schwer. Was der sich da vorstellte, ach, du liebe Zeit, und vielleicht meinte der, ein Pfarrer sei etwas Idyllisches… In einer Arbeitslosenzeit wie heutzutage… Allerdings, er mußte fürs Maturum schaffen und blieb drum in den großen Ferien daheim. Für die Eltern und für sie, die froh war, einmal wegzukommen, war das vorteilhaft, weil dann ihr Bruder beim Hund blieb. Aber daß der Bruder so etwas ertrug: nur mit dem Hund im Haus zu sein, der neben ihm am Boden lag, wenn er in seiner Stube schaffte, das kam ihr fast unheimlich vor. Der hatte nur gelernt, den Hund zum Spaziergang mitgenommen, beim ›Weißenhofbäck‹ gegessen, abends Lindenblütentee getrunken und zwei Landjägerwürste, die ›Peitschenstecken‹ hießen, mit Butterbrot verdrückt; dem schien das zu genügen. Dir aber graust es schon, wenn du dir das Haus leer vorstellst… Dem war's gleichgültig, daß sie in Berchtesgaden war; er mochte die Schneeberge nicht; der Bodensee zwischen Hagnau und Meersburg war ihm lieber. Und wenn sie sagte: »Aber dort siehst du doch auf den Säntis«, sagte er: »Von weitem laß ich mir den Säntis schon gefallen.« Für den war das Gebirge ›irgendwie bedrückend und beinahe genial‹. »Aber ich mag nichts Geniales. Das ist mir grausig«, sagte er.

Was der alles zusammendachte; und ein Berg war doch kein Mensch. Vielleicht ist er zu sanftmütig… Er ging zu Fuß in die Schule, um sich für Bücher Geld zu sparen. Ging also durch den Pragfriedhof, an Mörikes Grab vorbei, und durch den Judenfriedhof, von dem er sagte, der gefalle ihm, weil er verwildert sei. Als junger Bursch ging er in Friedhöfen herum.

»Sag mal, wer g'fällt dir eigentlich außer dem Mörike?«

»Ach so… Wart mal… Also vielleicht der Oberbürgermeister Lautenschlager. Ja, meinetwegen der.« Und er erzählte, wie er den, als er noch mit der Straßenbahn in d' Schul' gefahren sei, morgens um halber acht und in der Mittagszeit gesehen habe: »Am Kaisemer ist er eingestiegen; der Schaffner hat an die Mütze gegriffen und ›Guten Mor-

gen, Herr Oberbürgermeister‹ zu ihm gesagt.« Daß ihm der
gefiel, dazu konnte sie nur ja sagen, weil der Lautenschlager
ein großer Mann und immer elegant war; obwohl ein Oberbürgermeister... Also, dir ist der Hans Albers lieber.

Sie sah den Oberbürgermeister in der Straßenbahn dann
auch einmal genauer an und stellte sich auf der Plattform
neben ihn. Gut angezogen war der jedenfalls, bloß daß er
Stiefel statt Halbschuhe trug... Also, ich weiß net recht...
Der große Mann lächelte auf sie herab, und deshalb war sie
dann beinahe stolz. Der wohnte also in der Straße, die ›Im
Kaisemer‹ hieß, auch ein sonderbarer Name; und nicht einmal in einer Villa, sondern in einem Etagenhaus.

»Ich hab jetzt deinen Lautenschlager auch gesehen, und
was findest du an dem?«

»Ach, nichts Besonderes.«

Also mochte er alles Protzige nicht. Ihr aber gefiel es, wenn
beispielsweise eine Wohnung eleganter als die zu Hause
eingerichtet war; etwa bei Doris Becker-Simon, deren Mutter sagte: »Lacht nur. Weinen könnt ihr später noch genug.«
Margret erzählte es den Eltern, und der Vater lachte. Die
Mutter sagte: »Später weinen – nötig ist das ja eigentlich
nicht.«

Zu Hause lagen nirgends Teppiche, und das vermißte
Margret Rapp, die einmal gerne aus dem vollen geschöpft
hätte; aber man mußte halt so furchtbar sparen... Eugen
schien sich nicht darum zu kümmern und nahm es, wie es
war, während sie... Also, anders könntest du dir's auch vorstellen... Und sie freute sich auf den Abend bei Onkel Albert und Tante Gretel, denn diese beiden hatten eine Villa.
Tante Gretel war mit der Mutter in Avenches gewesen, damals im Pensionat, wo sogar sie einmal mit den andern an
Bettziachen in den Garten gerutscht war, um Zigaretten im
Pavillon zu rauchen. Und solch ein Pavillon stand auch im
Garten dieser Villa.

Durch eine Tür neben dem hohen Tor, hinter dem der Boden grasbewachsen war, kamen sie in die Auffahrt hinein, deren Weg zwischen Mauern beiseite bog und zur Remise für die Kutschen führte, wo jetzt ein Auto wartete und der Lift nicht mehr ging; deshalb stieg man über die Treppe links hinauf, und wieder stützte sich der Vater auf die Brüste einer lagernden Sphinx, deren grünliche Steinhaut sich rauh und kühl anfühlte. Büsche machten den Treppenweg zu einem Gang mit lebendigem Dach, das sich bewegte. Und dann die Rasenfläche, deren Springbrunnen auf poröses Gestein träufelte, abseits Gewächshäuser staubige Scheiben spiegeln ließen, Ziegenställe und ein Hühnerhaus hinter Drahtzäunen lagen und ein Taubenturm heraussah. Der Kies des Weges war mit Gras vermischt, weshalb er nicht mehr knirschte. Die Villa zeigte ihre Fenster zwischen Sandsteinflanken, und das Geländer an der Treppe, die zum Eingang führte, war noch immer so verschnörkelt wie auf jener bräunlichen Photographie des Jahres neunzehnhundertvierzehn, die den Vater groß und aufrecht in einem Militärrock zeigte, der bis zu den Knien reichte; die Knöpfe blank, das helle Militärtuch faltenlos, und ein Bein hatte er in dunkler Hose vor das andere gestellt; als Leutnant, der kahlgeschoren war und das Eiserne Kreuz am gestreiften Band aus einem Knopfloch hängen hatte, stand der Vater da und faßte einen gußeisernen Knopf des Treppengeländers an; zwei Stufen höher stand die Mutter in knöcheltiefem Kleid, als ob sie neben ihn hingestellt worden wäre, um zu zeigen, wie groß der Leutnant sei... Und Margret dachte, sie begegne diesen beiden jetzt als fremden, in der Mode einer vergangenen Zeit gekleideten Personen und höre dazu die Erklärung jenes weißhaarigen Professors, der Glenk hieß und vor einigen Wochen dieses Bild so beschrieben hatte, daß ihr seine Worte nicht mehr aus den Ohren gingen und sie anders machten, beinahe so, als ob sie zwanzig Jahre oder noch viel älter wäre: ein seltsames Gefühl vor dieser Villa, wo der Vater mit Brille und Stoppelhaar neben der Mutter und dem Bruder wartete, die alle, wie sie selber, jetzt hierhergehörten, wenigstens für einen Augenblick; eben so lange, bis der ältere der beiden Roth-Buben die Tür öffnete, derselbe, der eine Narbe in der linken Backe hatte, was wie ein Schmiß aussah, aber die Spur einer umständlichen Furunkeloperation war. Ihr schien's, als werde sie auch heute wieder zu einer anderen gemacht, weil diese Villa etwas hatte – also, ich weiß nicht recht… Es kam halt dieses Alte her, oder es war, als ob sie es durch ihre Freundin Eva Maurer sähe, der sie nicht mehr begegnete und die sich hier zu Hause gefühlt hätte, wo Onkel Albert mit rauchig grollender Stimme am Kopf der Tafel redete und erzählte, daß ein alter Zimmermann, wenn er ihm etwas sage, mit »Jawohl, Meister«, antworte, übrigens einer, der die Gesellenprüfung bei seinem Vater gemacht habe; da sehe man, daß eine konservative Erziehung immer noch dauerhaft sei, denn solch ein alter Meister… Also, auf den könne er sich unbedingt verlassen, der gehe auch politisch nicht neben hinaus, sondern wisse, was er seinem Vaterlande trotz einer wachsweichen Demokratie wie der von heute schuldig sei; worauf der Vater lachte und sagte: »Dann glaubst du also nicht, daß der die Sozi wählt?« Und als Onkel Albert, jetzt schon nachdenklicher, den Kopf schüttelte, fuhr Margrets Vater fort, die Sozi fühlten sich, wenn's drauf ankomme, mit den Kommunisten unter einer Decke wohl. »Dann heißt's bei denen wie beim Schiller: ›In den Armen liegen sich beide / Und weinen vor Wonne und Freude.‹«

Die andern lachten, nur Eugen sah ins Vage; doch als einer der Roth-Buben fragte, wann er denn nun endlich zu Jung-Deutschland komme, flüsterte er Margret zu, als schlechter Turner sei er auf Gepäckmärsche nicht scharf. – »Wart nur: auch du machst noch einen Gepäckmarsch!« sagte der Vater, und die Roth-Buben lachten. – »Wenn ich dazu gezwungen werde, dann freilich schon; aber freiwillig: danke schön.« – »Ach, freiwillig…, freiwillig!« Und sie lachten über ihn, als ob sie besser als er wüßten, was freiwillig sei. Die meinten es, scheint's, anders, aber wie? Eugen schien's nicht zu verstehen, und zum erstenmal war auch unter den Jungen etwas, das mit denen oben am Tisch harmonierte oder gemeinsame Sache machte. Ihr Bruder aber harmonierte nicht; das merkte sie ihm an, obwohl er schwieg, während der Vater sagte: »Ja, mein Eugen... der ist halt ein Demokrat!« Er betonte das Wort ›Demokrat‹ so breit, daß es länger als der Tisch wurde und bis an die Zimmerwand reichte; weshalb wieder gelacht wurde, Onkel Albert Salz auf seine Butterbrezel streute und Tante Gretel sagte: »Das tut dir doch nicht gut.« Er erwiderte, schließlich müsse er das besser wissen. Fräulein Dürrich, die am Fenster saß und Tante Malchen genannt wurde, sagte, ihr schmecke Ziegenmilch. Nun wurde über Ziegenmilch geredet, die es hier direkt von der Ziege gab.

Frau Hauber kam, eine Stattliche im hellen und dünnen Kleid; sie streckte dem Vater ihren nackten Arm hin, eine rauchende Zigarette in der andern Hand. Der Vater verbeugte sich wie im Offizierskasino, Frau Haubers Augen glänzten von der Seite; zu Haus hieß sie der Vater ›die lustige Witwe‹. Sie war auch eine aus der Pensionatszeit in Avenches und hatte damals Elfriede Rauscher geheißen; ihr Bruder war in Berlin mit einer Anwaltstochter bis zu der Zeit verheiratet gewesen, als ihm im August vierzehn beide Beine abgeschossen wurden; dann hatte seine Frau sich von ihm scheiden lassen. Sonderbar, daß die Alten nie an im Krieg abgeschossene Beine, dafür aber an Gepäckmärsche und Jung-Deutschland dachten, die für ihre Kinder notwendig sein sollten. – »Was macht eigentlich dein Gerold?« fragte der Vater und erfuhr von Frau Hauber, ihren Gerold habe sie in ein Davoser Internat geschickt; er freue sich darauf, Breecheshosen tragen und Ski fahren zu dürfen. Und Margret erinnerte sich, daß dieser Gerold mit der angekratzten Lunge ihren Bruder aufgeklärt hatte; vor bald zehn Jahren mußte das gewesen sein. Nein, vor sieben Jahren, als sie mit den Eltern ein paar Tage hier in dieser Villa übernachtet hatten, oben unterm Dach, wo das Grammophon mit den Hartgummiwalzen und dem Trichter gestanden war, ein kurios krächzender Kasten. Die Buben hatten mit den Kopfkissen geschmissen, Tante Gretel war hereingekommen, um zu sagen, jetzt müßten sie damit aufhören, müßten schlafen; was man halt so als Mutter immer wieder sagte. Du hast bei Vaters ›lustiger Witwe‹ geschlafen, und der Eugen… Dem also wurde von Gerold genau gesagt, wie Kinder gemacht wurden, damit er es für immer wisse. Die Villa aber, diese außergewöhnliche Villa mit den Schlingpflanzenornamenten aus Schmiedeeisen vor dem Lift, der nicht mehr ging, einer bis zum ersten Stock bequemen, ja vielleicht sogar feierlichen Treppe, die sich schließlich kahl nach oben wand und in die tief hinabzuschauen eine Schwindelgefühlsmischung hervorrief, die elegant war: diese Villa also gehörte zu ihr wie ein Traum, den sie verschwieg. Warum aber war's klüger, den Traum nicht zu verraten? Weil es unangemessen oder unanständig [als schicke es sich nicht mehr], ja am Ende frevlerisch [oder so ähnlich] war, heutzutag in einem Haus zu wohnen, wo nichts neu und anders war als früher; wo die Söhne sich in Sessel der Großeltern setzten und auch alle Betten noch dieselben waren, denn Onkel Albert lebte hier nur als der Sohn des Mannes, der die Villa erbaut hatte und dessen Porträt in der holzgetäfelten Halle überm Kaminplatz nachgedunkelt hing, weshalb es schien, als könne hier nichts anders mehr geschehen, als was immer schon geschehen war, weil der Sohn nur dasselbe wie der Vater machte und die Villa als eine Hülse dastand, obwohl sie noch in jedem Winkel benützt und betastet werden konnte; doch wie es sich verhielt, brachte sie, eine Sechzehnjährige, auch nicht heraus. Oder war's falsch, wenn sie meinte, Onkel Albert habe seit dem Tode seines Vaters nur die ausgedehnte Spielzeugeisenbahn erworben, die in der Weihnachtswoche vor der Hallentreppe und nicht weit vom Flügel einen Eßsaaltisch bedeckte? Da flimmerten die Lampen einer Bahnhofshalle, Züge verschwanden nacheinander unter einem Berg aus wasserglasversteiftem Rupfen, den grüngefärbte Schwammbäume und Büsche überwuchert hatten, Pappefelsen seine Flanken stützten und ein Bergdorf eine graue Kirchturmnadel hervorstechen ließ; das Ganze rauschte und rumorte, wenn es lief, und blieb wie festgebannt auf seiner Platte stehen, wenn der Strom abgeschaltet wurde. Etwas sickerte herein, und niemand hätte sagen können, was es sei, weil niemand es bemerkte; und Onkel Albert war ein schwerer Mann mit breitem Mund, der in seine Weste griff und ein Messer mit Korkenzieher hervorholte, Tante Gretel aber eine liebe, dicke, gute Frau.

Sei still. Was denkst du da..., Eva Maurer hätte dich verstanden... Und wieder wünschte sie sich, mit ihrer Freundin über die Villa des Fabrikanten Roth zu reden und ihr zu erzählen, wie unsicher ihr in diesem Haus alles vorkomme, als ob die Wände aus grauem Fließpapier wie bei Wespennestern wären. Eva hätte wahrscheinlich gesagt: ›Aber, was willst du: es ist doch alles sowieso recht aschig‹ und die Fingerspitzen aneinandergerieben, wie sie's öfter getan hatte. – ›Nein, bloß eine Schachtel, in die du nichts Neues mehr hineintun kannst, wird brüchig‹, hätte sie Eva geantwortet, und Eva atmete auf und rief: ›Ja, du hast recht! Und alte Schachteln sind wir keine!‹ Oh, gewiß nicht, denn Eva Maurer hätte eine von denen sein können, die mit Frau Haubers Bruder befreundet waren, demselben, der im Krieg beide Beine verloren hatte und der sich mit dem Vater manchmal in der Zirbelstube des Hotels Royal traf; dann hatte er Mädchen oder Frauen bei sich, die Eva Maurer glichen, allerdings etwa um fünfzehn Jahre älter; sie stützten ihn, wenn er sich an zwei Stöcken zu seinem Taxi schleppte, und der Portier des Hotels Royal begleitete die beiden. Er sagte zum Vater: »Hermann, wenn ich wenigstens für mein Vaterland hätte kämpfen können! Aber im ersten Gefecht hat's mich erwischt, und dann gleich so.« In seiner Jugend mußte der fast so etwas wie ein Weltmann gewesen sein.

Hier in der Villa trippelte Fräulein Dürrich, die Tante Malchen genannt wurde, durch die Zimmer mit der altdeut-

schen Täfelung, klein, eine Weißhaarige, und die Buben
brachten ihr Kissen für den Klubsessel am Kamin. Onkel
Albert ging mit großen Füßen über das Parkett, als stapfe
er auf schlammigem Waldboden, schnaufte, schlürfte und
fragte den Vater, ob er nach Vier A gekommen sei. – »Ha
freilich, oder was glaubst du? Weißt, wenn die Kollegen jetzt
um mich herum vom Nach-Vier A-Kommen schwätzen,
blinzelt mir der Pommer zu und sagt: ›Hermann, nous le
sont!‹« Und er erzählte, gestern hätten sich im Pragfriedhof
zwei Dompfaffen vor ihm auf dem Weg gebalgt, und er habe
beide mit seinem Hut zugedeckt: »Mit meinem grünen
Hütle! Da habe ich gleich alle zwei gehabt!« Als ob sie ver-
dutzt gewesen seien, so waren sie im Hut gesessen und
schnell wieder weggeflogen, der eine dahin und der andre
dorthin: »So sollte man es mit den Reichstagsabgeordneten
auch mal machen!«

Jetzt war die Fastnacht da, und die Straße machte weiter
vorne einen Bogen. Nebel ruhte, die Dachrinne des Nachbarhauses war voll alten Laubs. Der Winter hatte eine
dünne Schneehaut auf Trottoirzement und Asphalt gelegt,
was günstig war, weil Eugen dann das Trottoir nur mit dem
Besen kehren und die Schippe nicht benützen mußte. Nach
dem Nachtessen putzte er auf der Kellertreppe Schuhe und
Stiefel der Familie und pfiff dazu, denn nur solche Beschäf-
tigungen hatte er sich in den letzten Wochen neben seiner
Lernarbeit erlaubt; also alles ziemlich brav und grau in grau.
   Dann die Prüfung, die er mit ›befriedigend‹ bestand. Er erzählte, daß im Gang vor dem Klassenzimmer, wo die saßen,
die sich ›fürs Mündliche‹ vorbereiten mußten, der lange und
bleiche Gomeringer zu Walter Koch gesagt hatte: »Wenn
das herauskommt, verliert der Papa Rapp seine Stellung!«
Eugen aber wurde angefahren: »Mach, daß du weiter-
kommst! Das geht dich jetzt nichts an!« denn mit ›Papa
Rapp‹ meinten sie den Vater; der war ja auch in dieser
Schule, im Reformrealgymnasium unten am Stöckachplatz,

und hatte also die Prüflinge fürs Maturum beaufsichtigen müssen; Eugen aber hatte er nicht bewacht, schade eigentlich, aber so war's arrangiert worden. Und während Papa Rapp die Aufsicht führte, gingen Gomeringer und Koch in das Klassenzimmer [die waren kühn], holten sich die Zettel mit den Aufgaben, lösten sie und trugen ihren Freunden diese Lösungen hinein.

Als Eugen es erzählte, hielt der Vater einen Löffel Suppe überm Teller, hörte zu, schlürfte die Suppe, wie er's immer getan hatte, sagte: »Das hab ich halt einfach nicht g'sehn« und lächelte beiseite. Er fragte nach dem Havelock des Großvaters aus Gablenberg und bat die Mutter, ihn bereitzulegen. Auf der Kommode wartete eine Pappnase neben dem Telegramm: »der schulmeister gehört heute in die schule«; das kam von seinen Stammtischbrüdern, die schon in der Weinwirtschaft ›Zur Schule‹ hockten. Die Mutter aber haßte dieses Telegramm; und daß der Vater sich sogar noch kostümieren wollte, fand sie ganz unmöglich. »Mit achtundvierzig…«, flüsterte sie in der Küche und hatte weite Augen. »Vom Eugen könnt ich das verstehen, bloß will der's net.« Der Vater aber sagte: »Wenn ich meine Buben d' Fasnet malen laß, muß ich auch dort gewesen sein.«

Er brauchte es zur künstlerischen Anregung, zog einen alten Cutaway mit blumiger Weste an, legte einen steifen Kragen um, der ihm fast bis an die Ohrläppchen reichte, und schlang sich einen roten Seidenschal als prächtige Krawatte unterm Kinn zurecht; Pappnase und aufgerauhter Zylinder kamen auch dazu. Er warf des Gablenberger Großvaters schwarzen Havelock um und stapfte, die Spitze seines Albvereinstocks hart aufs Trottoir setzend, zum Gartentor hinaus, als wäre er ein Kutscher aus der Vorkriegszeit. Margret hörte ihn lachen, als eine Nachbarsfrau, die für fromm galt, vor ihm beiseitesprang.

»Schwager, wo steht dein Wagen?« hatte sie auf der Königstraße von ihm wissen wollen, aber das lag schon wieder hinter ihm. Sein Bub sollte studieren; der wollte Pfarrer werden, ach, du liebe Zeit. – »Also, meinetwegen... Aber er muß in eine Verbindung, sonst wird er bloß a Eigenbrötler, a Ästhet!« Margret hörte es, als nebenan der Vater sich im Bett umdrehte und das Licht ausknipste.

Das mit dem Pfarrer konnte sie auch nicht begreifen, freilich aus einem anderen Grund, und der hing mit Eva Maurer zusammen; denn Pfarrer waren immer arg unelegant, solche mit Stiefeln statt Halbschuhen, kurzgeschnittenem, fettigem Haar, schwarzen Anzügen, die an den Ellenbogen und am Hosenboden glänzten, solche mit vielen Kindern; und immer hatte man vor denen ein schlechtes Gewissen, als wüßten sie es besser, und man habe etwas falsch gemacht, während sie selber niemals was falsch machten; die kamen gleich hinter den Lehrern und wollten den andern was vorschreiben. Das aber paßte nicht zu ihrem Bruder, der sagte, ihm sei's recht, wenn ein anderer anders sei als er. Und dann, daß Pfarrer etwas an sich hatten, das zusammengedrückt war wie ihre immer irgendwie zu engen oder zu kurzen Hosen oder Jacken. Ob Eugen niemals merkte, daß ihm ein gut geschnittener Anzug besser als ein schlapper stand? Der war doch fürs Elegante gemacht und nicht fürs Schlampige und Schäbige. Zwar trug er jetzt meistens Anzüge aus Amerika [die Mutter hatte dort Verwandte]; die hingen lommelig an ihm herum, aber wenn er auf die Universität ging, mußten ihn die Eltern wenigstens ein bißchen herausputzen. Der hätte eine Schwester haben sollen wie die Eva Maurer. Die würde dir den Schwung beibringen.

Sie sagte: »Hast du's denn nicht gern, wenn du ein bißchen schick daherkommst?« – »Das ist etwas für Frauen. Ich bin nur ein Schulmeisterbub: 's Geld langt halt net!« Und er zog die Augenbrauen hoch, damit sie lachen mußte. Dann fragte er, ob sie's gern hätte, wenn er *soo* auf der Königstraße ginge... und machte einen mit aus den Hüften heraus schlängelndem Gang nach. Da war sie wieder still.

Er bekam jetzt Einladungen von Korporationen; darunter

war eine, die ›Normannia‹ hieß und ein Wappen auf ihre Karte gedruckt hatte, eines mit den Farben rot-weiß-rot. – »Da gehst du hin«, sagte der Vater, und sie freute sich. Die Kerle trafen sich in der Stadt zu einer Ferienkneipe. Eugen sagte: »Aber die Handschrift auf dem Kuvert ist halt so grob.« Er lachte, zog seinen grauen, glatten Sonntagsanzug an, den man ihm vor zwei Jahren gekauft hatte, und erzählte am anderen Tag: »Die nehmen mich ganz bestimmt nicht. Weißt du, ich bin zusammengezuckt, als einer mit dem Schläger auf den Tisch gehauen und ›Silentium!‹ geschrien hat… Die ziehen in der Wirtschaft da so dünne Säbel mit dicken Körben aus einem Futteral heraus; die Körbe sind auch rot-weiß-rot. Eigentlich scheißlich… Und der Vater soll mich alleinlassen. Ich lern schon genug Kerle kennen, bin aber nicht besonders scharf darauf, das gebe ich gern zu.«

Der glatzköpfige Waidelich redete Eugen ins Gewissen: »Später ist das nämlich so… Da sitzen irgendwann einmal im Ministerium Herren beieinander und sprechen über die Bewerber. Es heißt ›Rapp Eugen? Den kenn ich nicht. Weiß jemand etwas über ihn?‹ Und wenn niemand etwas von ihm weiß, dann zucken die halt mit den Schultern. Also, ohne sogenannte Konnexionen hast du nie Aussicht, daß man dich nimmt; und wenn du noch so glänzende Zeugnisse auf den Tisch legst.«

Das war nun entweder geschwindelt oder übertrieben. Eugen merkte es; so durfte man den nicht anpacken. Wie man's hätte machen sollen, wußte sie allerdings auch nicht, stellte sich aber vor, daß sie zu Tanzereien nach Tübingen eingeladen wurde und unter Studenten in schwarzen Samtjacken, die vorn wie Husarenuniformen oder Hausröcke für Pensionisten verschnürt und mit farbigen Seidenbändern geschmückt waren, durch die Gassen einer alten Stadt begleitet und schließlich abends um die Hüfte gefaßt wurde, nachdem ein Eleganter an sein goldbesticktes Käppchen getippt und wie ein Offizier salutiert hatte; beim Nachmittagsbummel träufelten Brunnen, und hohe Sommerwolken waren über Kirchtürmen und Giebeln dick und weiß.

»Sag, kann dich so etwas nicht locken?«

»Nein.«

»Warum nicht?«

»Weil es anders ist, als du dir's vorstellst. Ich soll also gezwungen werden, mich zu kostümieren…« Und er sagte, daß er von der Ferienkneipe dieser ›Normannia‹ nur Wulstlippen, den Knall des Schlägers auf dem Wirtshaustisch und ein Gesicht in Erinnerung behalten habe, aus dem die Worte: »Sie haben also eine gute Allgemeinbildung, Herr Rapp« herausgekommen seien. »Der hat mich halt aufzwikken wollen.«

Sie mußte bei den Eltern bleiben, er aber durfte in Tübingen sein und wurde von niemandem beaufsichtigt; das war sehr ungerecht, denn schließlich wußte Eugen seine Freiheit nicht zu schätzen. Der war also jetzt immer unter Jungen, sie aber mußte mit den Eltern Doktor Martz in Ludwigsburg besuchen, einen grauhaarigen Herrn mit Zwicker, der Chemiker war, Cello spielte, und zu dem sie ›Onkel Eduard‹ sagte. Tante Clärchen aber hielt im Frauenverein Vorträge, und Onkel Eduard sagte, dort habe seine Frau nur Heiterkeitserfolge. Seine Fabrik in Tamm hatte Onkel Eduard vom Vater übernommen, und deshalb erinnerte, sozusagen dem Gefühle nach, die Lebensluft in seinem Hause draußen am Rande der Stadt an die Villa von Onkel Albert und Tante Gretel, nur daß hier die Fabrik [Farben und Lacke] in alten Gebäuden heimisch war, ihre Besitzer aber – wahrscheinlich weil die Kinder nicht mehr bei ihnen lebten – in einem Reihenhaus wohnten, als schränkten sie sich ein.

Die Alten unterhielten sich jetzt über Eugen, und Onkel Eduard sagte, der sei zu verträumt. Der Vater sah auf seinen Teller: »So kann man auch sagen«; und er lachte. Onkel Eduard fragte, wo er in Tübingen wohne, und der Vater schilderte die Gegend draußen ganz am Rande, wo die Her-

renbergerstraße auslief, nahebei die Ammer [ein Bach] vor-
überschlich, und vor seinem Fenster Gärten lagen; über die
sehe er zur Stadt mit dem Schloß darüber, das einen seiner
dicken Ecktürme vorwölbe. Es hörte sich wie die Beschreibung einer Radierung an, die der Vater auf altes Papier
hatte drucken lassen; und dies mochte damit zusammen-
hängen, daß er mit seinem Buben nicht zufrieden war, der
also jetzt bei einer Pfarrerswitwe wohnte, einer, die lange
Jahre in Lonsee auf der Alb gelebt hatte und erzählte, bei
den Leuten habe es geheißen: ›Keinen Hund würde man
heute vor die Türe jagen, aber der Pfarrer ist unterwegs.‹
Jetzt saß ein achtzehnjähriger Student an seinem Schreibtisch, diesem verschnörkelten Möbel mit Schubladenaufsatz
und Fächern für Bücher, ein ›lieber Kerle‹, der weder ein
störrischer noch ein geschmeidiger, sondern fast ein schlaf-
wandlerischer Bursche war und sich insgeheim freute, wenn
andre Leute [also auch der Vater und der Doktor Martz]
über ihn sagten: »Den muß man halt lassen.« Nicht weit von
seiner Bude hatte eine Wirtschaft aus den sechziger Jahren
Stühle mit geschweiften Lehnen und an den Wänden bräunliche Photographien; das war ganz nach seinem Geschmack.
Der Wirt hieß Seeger und war weißhaarig; jeden Morgen
um halb acht Uhr sah er Eugen vorbeigehen, weshalb er zum
Vater sagte: »Oh, fleißig ist Ihr Sohn, Herr Rapp!« Doch
Eugen schämte sich, als ihm der alte Mann das Essen in den
fliederbuschverhüllten Winkel hinterm Hause brachte, wo
runde Eisentische standen. Er hatte sich gewünscht, einmal
beim Seeger im Gärtchen zu essen und hernach ein Glas
grünlichen Weins zu trinken wie ein Alter, aber nicht be-
dacht, daß ihm Herr Seeger dann die Schüsseln heraustra-
gen mußte... Doch für den Vater war es nicht erfreulich,
nach Tübingen zu fahren, denn der Bub hatte einen argen
Brief geschrieben, oder einen verzweifelten. Was aber war
gewesen? Daß ihm diese Verbindung mit den weißen Mützen widerlich erschien, denn jetzt trug er doch eine weiße
Mütze. – »Ich will halt nicht, daß er allein herumhängt; er

muß sich unbedingt einfügen lernen. Aber, weißt du, was der zu mir g'sagt hat? ›Mit der Mütze seh ich aus, als käm ich aus einer Kadettenschul; und das ist mir wie Spitzgras!‹ Dabei sind's lauter feine Kerle, und ich bin bei der Kneipe oben g'sessen! Also, ich sag euch: einfach tadellos... So ein lustiger Kneipbetrieb, und mit Komment! Wie ein Appell morgens um halb fünf auf dem Kasernenhof hat das geklappt! Oder wie im Kasino! Wunderbar... Aber jetzt... Ihr wißt ja schon, was los ist.«

Eugen war aus der Verbindung ausgetreten, und jetzt hatte er's, wie er es wollte. Dem fehlte nichts, wenn er allein war, der brauchte diesen Betrieb nicht. – »Aber, ich sag euch, im Herbst muß er zu den ›Freiländern‹, da hilft ihm alles nichts! Ich hab's schon mit dem jungen Schöllkopf abgemacht. Da kann er einfach nicht mehr anders. Der Schöllkopf zwingt ihn halt.«

›Freilandia‹ hieß die Verbindung, deren Mitglieder keine Mützen trugen, dafür aber schwarze Bänder mit Silberverzierungen, die nicht länger als ein Zeigefinger waren, an ihren Taschenuhren hängen hatten. Doch wenn es nur die Bänder mit diesen Verzierungen gewesen wären, hätte es ihm gar nichts ausgemacht; es hing aber auch sonst noch allerlei daran.

Du würdest's leichter nehmen..., ha, und wie!

Sie wurde nach Tübingen eingeladen, und Eugen mußte eine namens Margret Mauser zum Schlußball abholen, weil jetzt Semesterschluß und auch die Tanzstunde zu Ende war. Daß dem nicht mal die Tanzstunde gefallen hatte, von der er sagte... Aber der übertrieb, und wenn's so war, wie er erzählte, dann durfte man nicht so genau hinschauen. Oder es ekelte ihren Bruder alles an, so wie es wirklich war. Vielleicht kam der mit Wirklichem nicht gerne in Berührung. Oder war für den eine Tanzstundenpartnerin am Ende gar unwirklich? Ihr erschien's lächerlich, und zuweilen dachte sie, er sei nicht ganz normal, weil er so tat, als wären ihm Jugendgefühle von der Wurzel aus gleichgültig oder kämen ihm bloß komisch vor. Wo aber steckte denn die Wurzel? Unten jedenfalls.

Über Jugendgefühle hatte nur Eva Maurer Bescheid gewußt und gesagt, die dauerten doch bis zum Tod, und wenn man neunzig werde; schlechte Aussichten, wie? Margret sah wieder Evas Gesicht mit der kaum merkbaren Verzerrung im linken Mundwinkel und der eingeritzten Stirnfalte, beides Merkmale, die ihr auch bei Eugen aufgefallen waren, diesem komischen Vogel, dem alles auf die Nerven ging und der widerwillig Verbindungsstudent war, weil es der Vater ihm befohlen hatte.

»Was die alles machen… Freilich, was soll man auch schon machen, wenn man lustig ist«, war eines seiner Worte, die immer spöttisch klangen, als stelle er sich hinter seinen Spott, damit ihn nichts erreichen konnte. Und er erzählte vom Bierfäßchen, das vor dem Klavier aufgebockt gewesen, von einem in den Arm genommen und bei der Kneipe vor den Erstchargierten getragen worden war; dann hatte der Bierfäßchenschlepper den Spund herausgezogen und das Bier spritzen lassen, doch war der Strahl vorbeigegangen und hatte die Tafel mit den Namen der Gefallenen benäßt; ein beschämendes Vergehen, der Übeltäter schlich mit dem Bierfäßchen geduckt weg, obwohl jene Gefallenen als Lebende auch gerne Bier getrunken hatten. ›Hinten hoch, vorne lauft's von selber!‹ würde der Vater sagen… Etwas Kurioses aber sei kürzlich passiert, und da sehe man, was das für grobe Burschen seien, obwohl sie freilich auch nur etwas getan hätten, das früher gang und gäbe war, wenigstens unter den ›Freiländern‹; denn es ging hier darum, einen Eigenbrötler zur Räson zu bringen, ihn, wie sie sagten, ›in die Gemeinschaft einzuordnen‹ oder einzugliedern. – »Wer weiß, ob mir so etwas nicht auch einmal blüht. Aber ich wohn ja nicht bei denen droben, sondern arg weit draußen, angenehm weitab.« – »Willst mir nicht endlich sagen, was passiert ist?« fragte sie, sah sich im Spiegel, hielt die Bürste überm Haar, denn jetzt stand sie in seiner Bude bei der Waschkommode und richtete sich für die Tanzerei; übrigens eine beneidenswerte Bude, weil sie vor der Glastür lag; aber das nützte ihr Bruder niemals aus.

»Sie haben einen im Schlaf überfallen und ihm den Stempel der Verbindung auf beide Hinterbacken und auf den Penis gedrückt.«

Sie lachte, dachte aber, so etwas sei grobschlächtig; und ihrem Bruder wünschte sie es nicht. Trotzdem war's kurios und kraftvoll, eine Männersache. Du weißt freilich nicht, was sich nebenbei abgespielt hat und weshalb sie's getan haben. – »Das ist ganz einfach: der Gestempelte hat halt nicht zur SA wollen; da hat er die andern gereizt, denn er ist auch noch fleißig.« Und Eugen erzählte, daß bei jedem Konvent ein anderer aufstehe und entweder: »Ich melde meinen Eintritt in die SA an!« oder: »Ich melde meinen Eintritt in die NSDAP an!« sage, weil doch der Schöllkopf Fuchsmajor und Führer des braunen Studentenbundes sei. »Sieh dir's nur einmal an, wie's zugeht, wenn der Studentenausschuß hier gewählt wird. Dann mischen die sich alle braun kostümiert unter das zivilistische Volk. Einer heißt Heck – sein Vater ist in Ulm Feldwebel –, der hat sich einen Waffenrock mit Sternen am Kragen machen lassen. Vor jedem Spiegel bleibt er stehen, stülpt seine Wulstlippen vor und greift sich zwischen Hals und Kragen; der hört auf den Kneipnamen Wulle.« – »Und du?« – »Schlonz. Gemein, nicht wahr? Ich weiß schon lange, daß sie mich nicht mögen.« – »Und wie heißen die andern?« – »Pfropf, Hedwig, Flamingo, Spezial, Dachs, Enzian, Pilz, Neffe... oder so. Von manchem weiß ich gar nicht, wie er wirklich heißt. Übrigens heißen sie den Schöllkopf ›Blitz‹.«

Margret wurde von ›Enzian‹ abgeholt, einem Bleichen, der Vetter hieß und schielte, dunkeläugig und witzig war; einer, der in eine Kutte gepaßt oder dem der enge Uniformkragen einer Kadettenschule gut gestanden hätte; aber er sagte, wahrscheinlich müsse man sich doch eingliedern, und in einem Jahr trügen sie alle – »also auch Ihr Bruder, Fräulein Rapp« – mindestens die Uniform des Arbeitsdienstes. – »Nein, mein Bruder nicht.« – »Oh, warten Sie nur ab.« Und sie merkte, daß die Unterhaltung mit Studenten anders war, als sie es sich vorgestellt hatte. Herr Vetter roch auch aus dem Mund; er war also einer, der sich quälte und dem das Nachdenken die Magenwände beizte. Dazu ein Kleiner, Blonder mit hochgewölbter Stirn und blauen Augen, der einen französischen Namen hatte; sie begegnete ihm vor verschnörkelten Garderobenständern, und er sagte, bei einem Propagandamarsch auf der Alb hätten ihn die Bauern gefragt: »So, hast au mitdürfe, SA-Büble?« Schöllkopf aber kam im langen, weiß und schwarz gemusterten Fischgrätmantel, vor der Stirne das Schild einer dunkelblauen Kappe, wie Margret sie auf Hausmeister- und Arbeiterköpfen gesehen hatte, streckte das Kinn vor und fragte schwarz glitzernden Blicks: »Ist dein Bruder schon mit Fräulein Mauser da?«

Später hielt Schöllkopf Fräulein Mauser in den Arm gezwängt und ließ sie nicht mehr los; ihre Augen blieben auf seine Kinnlade gesenkt. Eugen wurde angestoßen: »Guck bloß, wie der Blitz aufs Ganze geht!« Sie wollten ihn aufzwicken, hänseln, spöttisch anfeuern, damit er sein Recht auf Fräulein Mauser geltend mache, denn schließlich habe er sie abgeholt. – »Ach was, dazu bin ich nur befohlen worden. Der Blitz weiß schon, daß ich harmlos bin. Der soll sie nur behalten, der bringt sie auch nach Haus… Aber die Schönste ist sie jedenfalls.« Und er sprach mit Margret über die Tanzstundenmädchen, sagte, die Kleine, die dort mit dem ›Tango‹ tanze, sei ein gewisses Fräulein Käpsele, eine Feldwebelstochter, enorm munter. »Die hab ich mal in die Kaserne heimgebracht, drüben überm Fluß; und sie hat sich an mich g'hängt, als sollte ich sie tragen. Oh, gar net schlecht… Und ich seh noch, wie sie mich im Kasernenhof immer auf der Schattenseite entlangführt, weil Vollmond ist.« Er lachte, schenkte sich das dritte Glas Erdbeerbowle voll und machte Margret auf den eingerissenen Ärmel des Fräulein Käpsele aufmerksam: »Die hat zwischendurch mal mit dem ›Tango‹ im Garten Fangerles gespielt.« Pfropf hatte seine Kusine dabei, eine Magere mit Brille und vielleicht deshalb die Gescheiteste von allen. Pfropf rutschte seine Brille auf der glänzenden Knollennase vor, und wer sehe neben dem noch den aalglatten ›Tango‹ an; »du kannst auch schmierig sagen, aber oh, der schafft's; der kommt nach oben, weil er zu Haus vom Wachstuch ißt... Eigentlich merkwürdig, daß man jedem anmerkt, wie er später sein wird; oder kein Wunder, weil jeder schon seit seinem sechsten Jahr der gleiche ist, der er bis zum Tod bleibt. Ich zum Beispiel...«

Sie wurde von ihm weggeholt, und er blieb im Ecksofa sitzen, trank und schaute zu. Sie hörte, daß Eugen ihnen leid tat, weil ihm der ›Blitz‹ [oder der Schöllkopf] seine Dame weggeschnappt habe, und sie sagte: »Den braucht ihr doch nicht zu bedauern; der ist bloß froh.« Die glaubten, Eugen sei halt ein bißchen zurückgeblieben [sozusagen in seiner Entwicklung], ihr aber kam es vor, als ob der mehr verlange als die andern. Beispielsweise hatte er erzählt, daß ihm der ›Pfropf‹ seine Kusine angeboten habe: »Du kannst das Wiesle mähen. Da habe ich dir vorg'schafft... Ich selber hab da keine Ambitionen.« Für ihn, Eugen, aber sei die Magda zwar gescheit, bloß halt ein bißchen stärch. »Und wenn der Pfropf nicht will, dann will i au net, weil der Pfropf schon weiß, worauf es ankommt. Dem riechst du doch die Praxis sozusagen an.«

Nicht nur der Erdbeerbowle wegen ging er jetzt aus sich heraus; der war doch froh, weil er, wenigstens für diesen Abend, unabhängig war: »So das Gefühlsgeflecht, und daß manchmal einer mit seinem Mädchen in den Garten oder nach oben gehen muß... Also, weißt du, mir graust's, wenn ich mir vorstell, diese Kerle sähen mir dann dabei zu... Du kennst sie bloß im blauen Anzug, ich aber in der braunen

Uniform. Die wollen nämlich einen Krieg. Und die Juden...
Also, ich stell mir vor, die gehen bald mit der Pistole in die
Wohnungen hinein und knallen Juden ab. Ich trau es denen
zu. Jetzt sind ihnen die Uniformen ja verboten, aber ob es
einen Wert hat? Ehrlich gesagt, ich glaube nicht.«

»Aber der Vater...«

»Der versteht sich mit dem Schöllkopf wunderbar. Das
weiß ich längst; und du übrigens auch... Und gelungen ist's
den beiden, mich hier hereinzubringen... Wenn der Vater
es verlangt und ich noch nicht volljährig bin: was willst du
machen! Eigentlich scheißlich... Wenigstens kann ich zu
denen sagen: ›Euer Drittes Reich kommt nie!‹« Er redete
und ging aus sich heraus. Sie wunderte sich wieder, dachte,
also tue ihm dieses Beisammensein mit anderen, die so alt
wie er waren, gut. Er merkte, wie er war und was er wollte,
wenn er sich mit sogenannten Bundesbrüdern oder Freunden unterhielt, obwohl er bis jetzt nur feststellen konnte,
daß sie anders als er dachten, denn die wollten etwas wegwi-
schen, von dem sie meinten, es sei morsch und schwach. –
»Der Brüning ist halt zu anständig. Sieh ihn dir an, dann
weißt du, wie er ist. Ich hab zwei Bücher über ihn; da sind
Photographien drin. Das ist ein ernster und ein strenger
Mann, keiner wie die...« Und er zeigte mit dem Kopf nach
rückwärts, wo Füße schlurften und Grammophonmusik
seufzte und schnalzte. Aber was wollte er denn sagen, diese
andern waren doch vergnügt; und sie wollte nicht wissen,
was die politisch interessierte. Von Haut zu Haut war jeder
gleich, und daß man sich warm tanzte; aber vielleicht mußte
er sich darum kümmern, während sie als Mädchen... Leichter ist's wahrscheinlich schon, wenn du heutzutag weiblichen
Geschlechts bist, weil dieses weibliche Geschlecht... Aber
sie wußte nur halb, was sie dachte; sie spürte es halt nur.

Ihr Bruder hatte sich abgewendet und sah auf seine Fin-
gernägel; dann sagte er: »Für die bin ich doch liberalistisch
verseucht.« Er erhob sich, ging zum Grammophon und legte
eine neue Platte unter die Nadel. Dort blieb er eine Weile,

sah auf die Schuhe der vorbeiwischenden Paare, betrachtete ein Mädchen, das allein auf einem harten Stuhle saß, klein und dunkelhaarig war; danach ging er hinaus. Schöllkopf holte Margret Rapp zum Tanz und sagte: »Du läßt dich führen – also, wie Butter! Wunderbar!« Er wollte mit ihr über Eugen reden und fing an: »Der stellt sich ein bißchen abseits... Aber er ist auch bei uns; er weiß es nur noch nicht und tut nur so.« Dann murmelte er etwas von der ›Größe unserer Bewegung‹, und sie sagte: »Lieber nicht. Ich bin doch liberalistisch verseucht.«

Seine Kinnlade rutschte tiefer; sein Mund klaffte. Margret freute sich und dachte, es werde Eugen amüsieren, wenn sie ihm davon erzähle. Sie schlief heute in seinem Bett, sparte das Geld fürs Hotelzimmer, und von ihm war's liebenswürdig, daß er ihretwegen im Verbindungshaus irgendwo oben hinter der sich in die Höhe windenden Holztreppe, eventuell im ›Senjorat‹ auf einem Sofa den Kopf an die Lehne legte und mit offenem Munde schnarchte, oder, kopflastig vornüberkippend, döste. So stellte sie sich's im Einschlafen vor, während der Morgenwind die Vorhänge bewegte und in der Dachrinne ein Fliegenschnäpper schläfrig schwatzte; es konnte aber auch ein Schmetzer sein... Der Vater hätte es gewußt... Im Verbindungshause war ihr keiner nahgekommen [zum Glück, würde die Mutter sagen]. Lauter feine Kerle also [wenn du dem Vater glauben willst], und sie hatte den gesehen, von dem ihr Bruder sagte, der habe ein Gasmasken-G'sicht, was übertrieben, ja falsch war, denn ihr Bruder sah alle durch Uniformen verzerrt. Wie konnte er sich das Politische so dicht an die Haut rücken lassen... Dann fiel ihr ein, daß ›Blitz‹ [also der Schöllkopf] im Gewitterregen, der den Fußballplatz aufweiche, seine Mitspieler, verrückt kämpfend, angefeuert hatte, wobei sein Unterkiefer noch gewachsen war, während Blitze grünlich leuchteten und Donner knatterte, eine aufgepeitschte und zuckende Szenerie, und für Herrn Blitz vielleicht eine Mutprobe, die ihn noch härter gemacht habe. Ein Turnlehrer wollte das

Spiel abpfeifen, weil der Schweiß den Blitz anziehe, doch Schöllkopf und die Seinen kümmerten sich nicht um den; schließlich war auch nichts passiert. Und Eugen sollte eine ›Leistung‹ schreiben – so hießen die ein lustiges Gedicht für eine Kneipe –, und einer, den sie Makie nannten, sagte: »Für den Rapp ist's doch Leistung genug, daß er überhaupt bei uns eingetreten ist«; vielmehr sagte er »eingesaut«, denn ›einsauen‹, das soviel wie hereinlaufen oder eintreten bedeutete, gehörte auch zu ihrer Redeweise, die ihr im Einschlafen mehrstimmig im Ohre krächzte oder schwätzte, bis alles von Grammophonschmeicheltönen geölt wurde und verstummte.

Sie hatte tief geschlafen; sie stand auf und wusch sich; sie zog sich an. Sie wartete, es war noch eine Viertelstunde, bis ihr Bruder kommen würde, um sich ins Bett zu legen; so hatten sie sich's eingerichtet, ein praktischer und billiger Bettwechsel; außerdem war Eugen vom Kaffeenachmittag mit der ›Mimik‹ dispensiert, wie sie ein selbstgemachtes Theaterstück hießen, dessen Handlung er entworfen hatte; aber dem war es gleichgültig, ob es beklatscht wurde [er hätte sich dabei als ›Dichter‹ feiern lassen können, und sowas ließ man doch nicht 'naus]; aber dann war's ihm wichtiger, Schlaf nachzuholen. Und sie hatte Zeit, sich in der Stube umzuschauen, wo ihr Bruder hauste, derselbe, der nicht zu den andern passen wollte und zu denen er auch gar nicht paßte; aber zu wem hätte er wohl gepaßt?

Hebräische und griechische Lehrbücher lagen auf dem Schreibtisch, zwei Fächer waren mit Romanen [›Prinzessin Fisch‹, ›Villa Schönow‹] und einem absonderlich gedruckten Gedichtband belegt, von dem sie dachte, daß er teuer gewesen sein müsse. »Es lacht in dem steigenden jahr dir / Der duft aus dem garten noch leis« stand darin. Ein Tintenfaß sah aus, als käme es aus einer altertümlichen Kanzlei, obwohl es neu war.

Jetzt klopfte er und kam herein: »Hast gut g'schlafe? Ja,

ich leg mich nach dem Essen 'nei.« Er nahm sie mit, zeigte ihr unterwegs Herrn Seeger von der Wirtschaft, die die schönste sei, weil nur noch alte Leut darin verkehrten. Und Herr Seeger grüßte unter einem Fliederbusch herüber, lächelte, schmunzelte und strahlte. – »Der denkt, du seist meine Tanzstundendame.« Ihr war's unangenehm, wenn alte Leut so strahlten, obwohl dies zu der Stadt gehörte, in der Pensionisten lebten und sich ihrer Jugendzeit entsannen. Und so gehörte es zu braunen und moosigen Dächern, zum gemeißelten Tor eines breiten Schlosses, zur Gasse hinterm Pfleghof, dem Trottoir, das immerzu feucht war und auf dem Eugen vorige Woche in einem Dohlendeckel seine Schirmspitze abgebrochen hatte; zum Spaziergang in warmer Luft, während sie froh war, ein leichtes und helles Kleid anzuhaben, und niedere Häuser von Weingärtnern, die daheim Wengerter, hier aber Gogen genannt wurden, Läden, in die es drei Stufen hinabging und hinter denen werktags eine Schelle von einem Eisenstift gerüttelt wurde, und die Ammer in ihrem engen Bachbett sah, neben der ein Fußweg weiterführte, wo Eugen am liebsten ging, weil dort ein Türmchen stand, in dem er gerne gewohnt hätte; dazu Gärten und Villen, die in die Biedermeierzeit gehörten, von der er sagte, daß sie am geschmackvollsten gewesen sei: »Aber nur was die Kostüme und überhaupt die Kunst betrifft, also die Geschmacksachen.« Sie lachte, weil er's nebenbei erwähnte, denn nebenbei stand ihm am besten. Dann Mittagessen auf alten und krachenden Stühlen, während Schöllkopf oben saß und arg politisch redete. – »Ja, du bist ein sogenannter Feuerkopf«, sagte Eugen zu ihm.

Im Zug wartete sie vor dem Abort, als Eva Maurer herauskam, zu Boden schaute und vorbeiging; sie stand im Zweiter-Klasse-Wagen, und Evas Haar erschien ihr fettig, denn sie hatte nur für einen Augenblick dies Haar und ihr Gesicht ganz nah gesehen und ihr Kleid gestreift, eine Berührung, bei der ihr's vorgekommen war, als habe sich Eva halb abgewendet. Auch ihre weißen Schuhe hatte sie noch in Erinnerung, solche mit dünnen, ausgefrästen Absätzen, die spitz und geschweift waren und an Feilen oder Nägel denken ließen, jedenfalls an etwas, das hineingestoßen werden konnte, vielleicht sogar in die eigene Hand; denn wehren konnte sich eine Eva nicht. Von Regen geschärftes Licht machte den Perron flüchtig hell und ließ die Messingklinke und das beschmutzte Blech des Bodenbelags blinken.

Jetzt stand Eva im Gang, lehnte an einer Glastür, schaute hinaus; sie rauchte eine Zigarette. Margret stellte sich neben sie, und es dauerte eine Weile, bis sie seitlich hersah und: »Ach, die gesunde Margret...« sagte. An der Fensterscheibe drückte Eva ihre Zigarette aus und ließ sie herabfallen. Die hatte immer noch dieses Quecksilberähnliche von stillstehendem Wasser oder Schneckenspuren in den Augen, das ihre Augen schwärmerisch erscheinen ließ und zum Mund nicht passen wollte, der verbogen aussah. – »Also, gut, dann bin ich halt gesund. Auch ganz nett«, sagte sie zu Eva, die ins Coupé zeigte: »Dort ist mein Platz. Komm herein.« – »Aber ich hab doch dritter.« – »Komm herein«, wiederholte Eva und schob Margret in die Kammer mit den grünen Polstern, wo in der Ecke ein Kamelhaarmantel übers Ohrenpolster gehängt war und eine Lacktasche mit eingeklemmtem Schnupftuch klaffte; dazu eine gelbe Zigarettenschachtel, deren Stanniolpapier zerknittert war; und draußen Regensträhnen, im Gegenlicht beinahe bräunlich. Eva hatte Flecken auf den Backen und eine Haut, als wär sie staubig; wie fettiger Staub ungefähr.

»Also, du hast's nett gehabt... Schwebt bei dir nichts herum?« Und Eva bewegte die Hand. – »Ich wart noch drauf. Geküßt bin ich auch worden, neben einem Bücherregal halt, und man hat mich gefragt, ob es so recht gewesen sei. Ha no... hab ich gesagt.« – »Für den Anfang gar net schlecht. Und weißt du was? Laß es nie weiterkommen.« – »Das sagst *du*?«

Eva nickte. Eine Weile rappelten nur Räder, und es schlingerte ein bißchen. Eva hatte es auf jeden Fall bequem, denn immer zweiter Klasse fahren dürfen: Sapperlot… Trotzdem hing sie herum, als wäre etwas in ihr nicht ganz ausgependelt, was Margret heimlich neidisch machte; und dieses Gefühl spürte sie auch neben ihrem Bruder, der zwar manches sagte, aber letzthin eine zugeschweißte Kapsel blieb und seine Angst versteckte; ja, diese Angst saß tief in ihm und wurde von der Politik genährt, über die Eva wenig wußte. Oder doch? Und sie meinte, gehört zu haben, daß Evas Vater ein Hakenkreuz als Briefbeschwerer habe.

»Kennst du Kerle, die's mit der Politik haben?« fragte Margret Rapp und dachte, so hätte sie's Eva nicht sagen sollen; mindestens ›Kerle‹ war nicht angebracht.

»Ja schon…, aber denen geht die Politik doch auf den Wecker. Weißt du, die betrifft's perönlich.«

»Wie denn?«

»Ach, nur, weil Hitler gegen alle Juden ist. Mit solchen versteh ich mich gut, bloß meine Eltern… Schade, wenn du mit deinen Eltern nicht ganz einig bist. Bei dir ist das ja anders.« – »Bei mir schon, aber nicht bei meinem Bruder. Freilich, mein Vater ist auch anders als die Mutter.« – »Und wie?« – »Mein Vater – halt als Reserveoffizier, weißt du…« Und sie versuchte, Eva klarzumachen, daß ihr Vater seinen Sohn ansehe und denke: was ist das bloß für einer… Und er vergleiche ihn dann mit solchen wie Schöllkopf – »nein, das ist jetzt nicht so, wie du meinst, und ich erzähl's dir gleich« –, also mit Kerlen, die breite Kinnladen und, wenn sie wolle, Feuerköpfe hätten; die gefielen ihrem Vater, die seien für ihn etwas anderes als der eigene Sohn, der nur wegschaue und dem's widerlich sei, was die Schöllköpfe sagten, dachten, glaubten, meinten und so weiter: »Halt die Typen sind ihm ekelhaft.« Eva nickte und streckte die Hand aus: »Du brauchst nicht mehr zu sagen. Weiß schon.«

Die schien etwas in sich zu haben, das wie ein dunkler Flekken war und schwebte.

Jetzt wieder zu Hause [sie mußte auch einmal anderswohin, denn die Schule ging in diesem Jahr zu Ende], merkte sie, daß etwas rutschte, obwohl der Vater nach dem Essen immer noch im Ledersessel zum Radiotrödeln döste, bis die Nachrichten kamen; dann horchte er auf und sagte, die Regierung sei ein Saustall, und der müsse ausgemistet werden. – »Mach's no halbwegs«, sagte die Mutter. Margret fiel ein, daß Eugen einen Witz erzählt und zu ihr gesagt hatte: »Daran kannst du sehen, was sie denken.« In dem Witz saßen Hindenburg und Brüning nebeneinander auf einer Wirtshausbank; Brüning gab Hindenburg die Speisekarte, und Hindenburg fragte: »Wo muß ich da jetzt unterschreiben?« Das sei doch eine Gemeinheit, und so ruinierten sie halt alles. »Also, weißt du, allmählich kommt's mir vor, als wäre ich der einzige, der auf den Brüning hofft.« Er hatte sich eine dunkelblaue Skimütze gekauft, und seitdem sagten sie zu ihm: »Aha, der Rapp ist beim Reichsbanner«, denn so hieß ein Verband der Staatspartei, der drei silberne Pfeile als Abzeichen hatte. Aber es ist möglich, daß du alles durcheinanderbringst.

   Sie erinnerte sich an Dürrmenz, wo sie mit dem Vater und ihrem Bruder gewesen war, fühlte sich wieder in der Wohnung der Großeltern [ein befremdendes Gefühl, wahrscheinlich weil die Wohnung so altmodisch war] und sah den Vater neben ihrem Bruder auf dem Plüschsofa mit Spitzendeckchen sitzen. Die Großmutter schaute her, und ihr Katzenkopf mit den Härchen am Kinn, die immer gestochen hatten, wenn sie ihr als Kind einen Kuß hatte geben müssen, war im Lampenlicht weißlich, während der Großvater dunkel dasaß. – »Was ist das eigentlich mit diesen Nazi? Jetzt schwätzen sie doch immer nur von denen«, fragte die Großmutter, und der Vater sah zu Eugen hin, der sich aufrichtete und wahrscheinlich schimpfen und wieder einmal ein arges Gespräch heraufbeschwören würde; doch der Vater sagte: »Ach, halt so a jongs domms G'schrei«, was ihr nicht ehrlich vorkam, denn zu Hause hatte er sich anders ausgedrückt.

Und vielleicht war es auch nicht richtig, alles, was die Nazi sagten, für ein junges und dummes Geschrei zu halten, denn wenn sie Eugen glauben wollte [und der mußte es doch wissen, weil er mit solchen zusammen war], dann ging es hier um etwas, das sich anders zeigte, also zumindest schmuddelig. Aber geschickt war es gewesen, daß der Vater vor den Großeltern so geredet hatte, als ob es bloß danebenläge und zum Drüberwegsehen da sei, weil das Gespräch sonst ausgeartet wäre, und das hätte keinen Sinn gehabt.

Sie hörte dann eine andere Unterhaltung, als sie nachmittags bei offenem Fenster in ihrer Stube saß und unten das Gartentor klappte. Sie sah hinaus. Vom Baum im Nachbarsgarten legten sich grünliche und dunkle Schatten auf die Treppe, und ein Mann unterhielt sich mit der Mutter. Der wollte den Parteibeitrag abholen, die Mutter aber sagte: »Ach, gehen Sie mir weg mit dem! Mein Mann ist sowieso nicht da. Ich weiß von allem nichts, und mein Mann hat auch g'sagt, er trete wieder aus der Partei aus. Bei der nächsten Gelegenheit, hat er gesagt.«

Die Mutter sah herauf, schüttelte den Kopf und schlenkerte die Hand beiseite, als werfe sie etwas weg. Margret ging hinunter, fragte: »Ja, was ist denn das?« und die Mutter sagte: »Ach, komm, geh mir doch damit weg... Und, daß du mir nichts zu dem Eugen sagst, verstanden?! Zum Vater hab ich auch gesagt: Halt ja vor deinem Sohn den Mund; der verachtet dich sonst bloß... Aber verwehren kann ich's ihm ja nicht, daß er bei der Partei ist.« Und wieder winkte sie trüben Gesichts ab.

Margret sagte dann zum Vater: »Also bist du auch dabei?« – »Ha freilich bin ich dabei!« Er warf ein Bein über das andere und zündete seine Pfeife an; das Feuerzeug hatte eine lange und qualmende Zunge. – »Was der Eugen dazu sagen würde?« – »Ach, was ihr immer habt... Und ob! Muß ich mich vielleicht nach meinem Sohn richten? Das wär ja noch mal schöner... Der soll endlich seine zwei Sprachenexamen machen, ich meine: wenn er schon Pfarrer werden will! Der hat kein bißchen Mumm im Ranzen; da ist der junge Schöll-kopf schon ein anderer, ha no! Herrgott, ich meine: wenn man jung ist! Und damit ihr's wißt: dem Schöllkopf habe ich auf der letzten Kneipe versprochen, daß ich in die Partei hineingeh!« Und er beschrieb die Kneipe, sagte, sapperlot, habe ihm das gefallen, wie die Füxe geflitzt seien, als es ge-heißen habe: »Füxe – Stoff!« Freilich war auch dort einer gesessen, einer mit roter Krawatte, der ihn während seiner Rede fixiert hatte, und Margret fielen Eugens Worte über diese Kneipe wieder ein: »Dem Vater seine Rede – also, ich weiß nicht recht... Aber g'merkt hat er schon, was ich ge-dacht hab, denn nachher ist er halt verlegen g'wesen.« – »Dir hat meine Rede nicht gefallen«, hatte der Vater zum Sohn gesagt und seine Rede als eine politische bezeichnet, weil er zum Schluß an die Gefallenen erinnert hatte. »Die Korona erhebt sich!« hatte Schöllkopf gerufen, und alle wa-ren von ihren Bierkrügen aufgestanden. Und wieder sagte er: »Nun ja, von den Gefallenen haben viele auch gern Bier getrunken, deshalb macht's nichts.«

Unpassende Worte ihres Bruders, die sie ihm verzieh, weil sie die Luft unter diesen Studenten kannte und sich vor-stellte, wie er darauf reagierte; der hätte ihnen halt am lieb-sten einen Tritt gegeben; statt dessen mußte er so tun, als ob ihm nicht einmal ihre Gesichter widerwärtig seien; ob-wohl er selber doch auch gerade kein so besonderes G'sicht hatte; freilich, gut schaute er trotzdem aus, ihr Bruder, aber besonders... Denn immer suchte der nach dem Besonderen, fand's aber nirgends, wahrscheinlich, weil dieses Besondere so gut wie nirgends existierte. Und Margret Rapp konnte es nicht verstehen, daß er darauf aus war, denn schließlich mußte sich doch jeder mit dem abfinden, was nun einmal da war. Und sie fragte ihn, als er in den Ferien nach Haus kam, ob er nicht auch schon gemerkt habe, daß einem im Nach-hinein – »also, wenn irgend etwas vorbei ist« – dieses Irgendetwas als etwas Besonderes erscheine. – »Da hast du recht. Dann bekommt's einen Schimmer, also ich meine: sozusagen... Zum Beispiel, wenn ich an unsere Zeit in Künzelsau zurückdenk. Aber damals sind wir ja auch Kinder g'wesen.« Und er lächelte, was wieder fast träumerisch aussah und ihr zuwider war; trotzdem sagte sie, ihren Teller mit dem blauen Erdbeermuster – »gelt, du erinnerst dich?« –, an den habe sie oft hingerochen, hingeschnuppert. »Weißt du, ich hab gedacht, der müsse nach Erdbeeren riechen.«

Sie lachten. Es war, als käme es wieder herauf. Ihr Bruder sagte: »So etwas hätte dem Mörike auch gefallen«, denn er redete immer noch von Mörike, als ob er ihm einmal begegnet sei, während der Mörike... Ach, du liebe Zeit, von dem wollte doch heutzutage niemand mehr was wissen; was war ihr Bruder für ein Hinterwäldler.

Die Mutter spielte Chopin, und es klang, als dränge das Besondere herein und mache den Garten mit seinem Sommerlicht anders, als er wirklich war. Eugen sagte, nur darauf komme es jetzt an, und es sei das Besondere; vielleicht gebe es das Besondere nur beim Lesen und beim Klavierspielen. Sie widersprach, sagte, es müsse auch in dem zu spüren sein, was jeden Tag um einen sei, also zum Beispiel jetzt... Und sie gingen in den Garten; der Hund strich mit ihnen hinaus, und Eugen holte den Photographenapparat des Vaters, um sie unter den hohen Bäumen, dem Ahorn und der Esche, vor dem Geflecht einer verwilderten Haselnußhecke mit dem Hunde zu photographieren.

Das wurde dann ein mit Lichtflecken durchwobenes und von Blattwerk wie hinterlegtes Bild, auf dem sie lächelte und dem Hund ans Halsband griff; der aber hatte einen flaumig verwackelten Schwanz. Und sie lachte mit ihrem Bruder, als sie's ansah, sagte: »Also, die Eva Maurer ist viel eleganter« und meinte, so könnte sie eigentlich gut zum Königin-Luise-Bund gehören, so mit den langen dunklen Zöpfen. Sie erzählte, wie auf dem Schlußball eine zu ihr gesagt hatte, jetzt gehöre es sich auch für Mädchen, daß die irgendwo mitmachten, wenn die jungen Burschen alle... »Komm, geh mir damit weg, das wär ja eine Schand! Aber vielleicht willst auch du tatsächlich mit anderen Studienrats- und Amtsrichtertöchtern beisammensitzen, häkeln, stricken und auf eine Anstandsdame hören, die etwas vom alten Fritz vorliest? Also, ich weiß natürlich nicht, wie dein Geschmack sich seit diesem Schlußball gewandelt hat.«

Der war also wieder einmal ekelhaft, und sie dachte, allmählich kapsele er sich vollständig ab. Und wieder erzählte er die Geschichte vom Bierfäßchen, das einer auf der Kneipe vor den Erstchargierten geschleppt und einen Bierstrahl auf ihn hatte spritzen lassen, doch war dabei nur die Gefallenengedenktafel naß geworden. – »Das ist doch lustig«, sagte sie und drehte sich um. Jetzt hatte sie keine Zöpfe mehr, dafür aber ein Nest im Nacken, was auch nicht elegant war; aber es paßte irgendwie zu Eugens gescheiteltem kurzem Haar. Sonderbar, daß jetzt Mädchen und Frauen durch einen kurzen Haarschnitt [wie bei Eva Maurer] etwas Besonderes bekamen, während Männer beinahe langhaarig sein mußten, wenn sie auffallen wollten. Freilich, klar ist dir das alles nicht... Und wahrscheinlich weißt auch du erst später, wie du in der Jugend hättest leben sollen.

In der Jugend... Eigentlich keine beneidenswerte Zeit. Und später? An der Mutter siehst du, wie es später sein wird... Da hatte nun also die Mutter das Klavierspielen erlernt, wie man es sonst nur im Konzertsaal hören konnte, jetzt aber sammelte sie jeden Löffel Sauce, kratzte Teigreste eines Kuchens mit einem gelben und vorne runden Schaber aus Zelluloid von der Aluminiumwand einer Schüssel ab und war so arg gewissenhaft, so pünktlich und genau und sauber, daß sie, die Junge, manchmal aus der Küche gehen und sich draußen schütteln mußte. Vielleicht kam's daher, weil die Mutter nur noch selten für ihr Klavierspiel Zeit hatte und anderes tun mußte, von dem sie sagte, daß es ihre ›Pflichten‹ seien. Und sie hörte ihren Bruder sagen, an den Eltern könne jeder sehen, was ihm später bevorstehe, und deshalb sei heiraten nahezu ein Krampf; aber er und sie machten dieselbe Dummheit später auch; das jedenfalls.

Noch nicht lange ist's her, seit er behauptet hat, der Vater sei sein bester Freund. Aber ob er's heut noch sagen würde, wenn er gewußt hätte, daß derselbe Vater in die Partei eingetreten war?. Du jedenfalls wirst den Mund halten.

Er fuhr dann mit dem Vater auf dem Rad nach Künzelsau. Als die beiden wieder zurückkamen, war sie neugierig und wollte wissen, wie's gewesen war, konnte es doch möglich sein, daß abends beim Zusammensitzen mit alten Freunden der Vater etwas hatte erzählen müssen, ohne daß er's gewollt hätte, also beispielsweise auch von seinem Eintritt in die Partei. Doch dann erfuhr sie, daß sich Ledermann beim Vater beklagt hatte, weil überall die Nazi Propaganda machten, die Bauern sollten nichts mehr bei den Juden kaufen. – »Und was hat der Vater getan? In der ›Glocke‹ und beim Metzgersbecken hat er g'sagt: ›Also, ihr könnt doch den Ledermann und den Furchheimer, den Stern und den Hanauer, oder wie sie alle heißen, nicht deshalb links oder rechts liegen lassen, weil sie Juden sind.‹«

So redete er und war heimlich in der Partei. Denn so gehörte es sich für einen Beamten, der nicht in den Verdacht geraten durfte, er mache bei denen mit; denn öfters hatte es geheißen, den Beamten sei's verboten, einer solchen Gruppe beizutreten. Eugen erzählte es und schmunzelte: »Da wird der Vater es sich also doch noch überlegen.« Und wieder berichtete er von jener Studentenkneipe im Verbindungshaus, wo der Vater vom jungen Schöllkopf mit Propagandasprüchen richtig traktiert worden sei; sie aber wisse schon… Na also.

Übrigens hatte Ledermann das Fachwerk seines Hauses herausholen lassen, und jetzt stand's breit und mit geschnitzten Wappen neben dem Hotel zur ›Glocke‹. Aber ein teurer Spaß; Ledermann war froh, daß er vom Rathaus einen Zuschuß dafür bekommen hatte. Und beinah wie früher sah er aus, nur daß halt seine Augen wässerig geworden waren, als er den Herrn Rapp und seinen Buben wiedersah; jawohl, Ledermann hatte sich gefreut. Aber dem Metzgersbecken ging es schlecht; der saß vor seiner Wirtschaft in der Sonne, ließ den Kopf vornüberfallen und merkte erst, als er in Hausschuhen die Wirtsstube betrat, wer da gekommen war. – »D' Sunna hat mir gut getan«, sagte der Metzgersbeck. Aber dann sagte seine Frau zu ihm: »Papa, jetzt gehst wieder ins Bett.«

Sonst hatte sich so gut wie nichts verändert. Das Haus in der Keltergasse, so sie früher gewohnt hatten – »Nummer vierhundertachtundzwanzig, weißt du's noch?« – war frisch verputzt worden; »sonst wär es vollends ganz verkommen«, hatte Sattler Haag gesagt. Auch der glasierte Kaminaufsatz war noch derselbe, und dann natürlich der verschnörkelte Türklopfer. Beim Frühstück in der ›Glocke‹ war das Plätschern des Rathausbrunnens mit dem Sommerlicht hereingedrungen, und die Kanapees im Frühstückszimmer hatten schwarze Wachstuchbezüge und Nägel mit weißen Porzellanknöpfen gehabt. – »Und, wen meinst, daß ich auch wieder getroffen hab? Den Hanauer.« Als er aus der Realschule gekommen war – »Ja, dort bin ich auch gewesen, gelt, da staunst?« –, stand der Hanauer vor ihm und sagte, er studiere dasselbe wie Eugen, allerdings in Breslau; auf einer Rabbinerschule. Eugen sagte: »Studieren kann man's eigentlich nicht heißen, was ich tu. Ich lerne halt zwei alte Sprachen nach.« Hanauer nickte, und sie standen beide eine Weile beieinander, als wollten sie sich viel erzählen; und sie hatten sich auch viel erzählt, freilich bloß im Schweigen. »Oder, ich hab ihn etwas merken lassen. Weißt du, damit der Hanauer sich ungefähr vorstellen kann, was ich denk. Ich hab gesagt, heute sei es furchtbar. Und so weiter, halt andeutungsweise. Aber mir ist's vorgekommen, als ob ihm das fast peinlich sei.«

Sie nickte und fragte, ob Hanauer nicht habe wissen wollen, weshalb er Theologie studiere. – »Ich hab schon

g'merkt, daß ihn das interessiert hat.« – »Aber drauf zu
sprechen seid ihr nicht gekommen? Schade... oder nicht?«
– »Vielleicht hätt ich's ihm gar nicht sagen können. Oder
willst du zugeben, daß du etwas erwartet hast, das sich nicht
eingestellt hat?« – »Was denn?« – »Daß ich geglaubt habe,
Theologie sei... etwas von innen her. Aber die ist auch bloß
ein Geschäft. Weißt du, es hätte sich mir etwas zeigen müssen, etwas... also, wie beim Mörike. Dort siehst du nämlich
ab und zu hinaus oder dahinter; oder nebenher, im Nachdenken, wenn du gelesen hast, stellt es sich ein... Etwas zum
Beispiel, das gegen diese Politik ist. Aber jetzt sind doch sogar Theologiestudenten in der SA.«

Den ekelte es also. – »Aber würde es dich nicht auch ekeln,
wenn einer zu dir sagt: ›Eigentlich solltest du Reinhold heißen‹, und dieses ›Reinhold‹ so richtig schmalzig betont?«

Dann ärgerte es also alle andern, daß ihr Bruder anderswo
war als bei denen [so heißt du es für dich] und man's ihm
auch noch ansah; denn sein Gesicht war dem der Eva Maurer ähnlich, allerdings bloß in einem gewissen Sinn; aber be-
schreiben hätte sie's nicht können, wenn Eva Maurer zu ihr
gesagt hätte: ›Beschreib mal deinen Bruder.‹ Gut, daß sie's
nicht von ihr verlangte.

Wieder näherte sich dann der Winter, herbsttrüb angekündigt und wässerig gegenwärtig, eine Sülze auf den Straßen,
die Trottoirs bräunlich benäßt. Seit langem, so kam es ihr
vor, habe sie im Spätjahr Kälte und Wind vermißt und seit
Jahren kaum einmal Schnee unter ihren Sohlen knarren hören, als ihr das bickelharte Eis der Tennisplätze vor fünf
Jahren einfiel, auf dem sie mit fliegenden Zöpfen unter einer
weißen Baskenmütze Schlittschuh gelaufen war, ihr Bruder
sich wackelig auf den Beinen gehalten und der Vater die
Frau eines Kollegen zur Walzermusik aus dem Lautsprecher
geschwenkt hatte. Jetzt saß er im Ledersessel, grub im Haar
und sagte, aus Eugen werde sein Lebtag nichts, und wenn
er nicht im nächsten Frühjahr seine Prüfungen in Hebräisch

und in Griechisch mache, stecke er ihn zum Erpf in die Buchhandlung, denn nicht umsonst sei der sein alter Kriegskamerad von Höhe sechzig vor Ypern.

Unangenehme Atmosphäre..., würde Eugen sagen. Und Margret sprach mit Eva Maurer, allerdings nur in Gedanken. Es genügt auch so, sagte sie zu sich selber, und entsann sich, daß Eva stets erfreut gewesen war, wenn sie ihr irgend etwas erzählt hatte, also beispielsweise, daß der Milchmann, ein Herr Metzger, der Stadtgarde angehörte und auf demselben Gaul, der seinen Karren mit den Kannen zog, sonntags in dunkelblauer Uniform die Straße entlangsprengte und den Roßschweifbusch seines Helms schüttelte; oder daß der Sohn des Bäckermeisters, dem das Café ›Zum Weißenhofbäck‹ gehörte, eine gewisse Margret Rapp heimlich photographiert hatte, als sie eine Milchkanne trug. Ob Eva aber gelacht hätte, wenn sie ihr von des Vaters gerade abgeschnittenen Stehhaaren erzählt hätte, die seinen Kopf quadratisch grob erscheinen ließen, das konnte sie sich nicht vorstellen; denn das häusliche Leben kam ihr gegenwärtig recht verdickt und wie Grießbrei mit Knollen vor.

Auch die Herbstluft fühlte sich über schwarzstruppigen Wäldern und nebeligen Niederungen wie übermäßig lange Schnecken an, obwohl jetzt im November alle Schnecken längst verschwunden waren; trotzdem schien es, als ob etwas Glitschiges warte. Den Vater hatte eine Enttäuschung mit seinem Freunde Waidelich herabgestimmt, der unter den Kollegen erzählt hatte, ein Referendar müsse das Rappsche Wohnzimmer weißen, damit er im Referendarexamen von Studienrat Rapp eine gute Note kriege.

›So sieht halt die Kehrseite eines ordentlichen Bürgerhauses aus‹, sagte sie insgeheim zu Eva Maurer; aber die bekommst du nicht mehr zu Gesicht... Und der Referendar, ein Bleicher, Kleiner und Beweglicher, war mit der Tochter eines Zentrumsabgeordneten verlobt, der sich auf dem ›Weihrauchhügel‹ ein Häuschen gekauft hatte und, wie Eugen erzählte, ein streng blickender Mann war. Margret hörte

Eva bei dem Worte ›Weihrauchhügel‹ lachen und stellte sich vor, wie sie der Eva diesen Weihrauchhügel zeigen würde. Da wunderten sie sich dann beide, daß es dort nirgends nach Weihrauch roch, denn in dieser Siedlung unterhalb des Weißenhofes und ein bißchen rechts hinüber, wo drei Pappeln neben einer Straßenkehre großmächtig dastanden und weiter drüben Weinberge sich streckten, wehte keine andere Luft als bei ihnen, also etwa zwanzig Meter höher. Und was den Zentrumsabgeordneten betraf, so gab er seine Tochter einem Referendar, der Zeichenlehrer wurde, und dieser Referendar verstand sich mit dem Vater, der von ihm sagte, das sei ein begabter Bursche. »Freilich katholisch. Und vom Weihrauchhügel holt er sich sein Weib... Wahrscheinlich au net schlecht.« Er zog die Stiefel aus und schlüpfte in seine Hausschuhe. »Und weshalb soll mir ein Referendar meine Stub nicht weißen, ich mein: wenn er das partout will? Der Waidelich aber erzählt hinten 'rum gemeines Zeug. Der ist für mich erledigt! Ha, wenn ich den einmal am Wickel packen könnt!« Und er nannte ihn einen giftigen und glatzköpfigen Gispel, einen üblen Gesellen, während er zuvor sein Freund Robert [der Teufel] gewesen war.

Nach Weihnachten aber, als Eugen wieder daheim war, brachte der Zeichenreferendar Karten für eine Wahlrede dieses Kanzlers Heinrich Brüning in der Stadthalle mit, den Eugen so gern hatte, und deshalb war's für ihn etwas Außergewöhnliches; schließlich schwärmte der ja richtig für den Brüning. Du aber kannst das nicht verstehen, weil der Brüning einer von den Alten ist. Jedenfalls viel jünger als der Vater war er nicht. Trotzdem schnitt Eugen jeden Aufsatz über Brüning oder jede Photographie des Brüning aus der Zeitung aus. Aber so einer, der steife Krägen mit umgebogenen Ecken und Stiefel statt Halbschuhe trug – also, der war nichts Besonderes. Ein rechtschaffener Mann, gewiß, und dick war er eigentlich auch nicht; aber trotzdem... Und sie konnte nicht verstehen, was ihr Bruder an einem derart seriösen Alten finden konnte oder mit ihm hatte, auch als er sagte, Brüning sei ein Mann, der wisse, was er wolle; einer, der sich alles lange überlege und streng arbeite, der sich nichts schenke und gesagt habe, das deutsche Volk werde hundert Meter vor dem Ziel die Nerven nicht verlieren. Und Eugen zeigte ihr zwei Bücher, in denen auch Photographien waren, zum Beispiel eine, auf der Brüning tief vorgebeugt saß und die Stirn in die Hand stützte, eigentlich ein arg deprimierendes Bild, obwohl im Sommerlicht der Glasveranda ein Türkenbundstrauß in einer geblümten Vase stand und ein Stuhl gedrechselte und vergoldete Stäbe in der Rückenlehne hatte. Der Vater aber, der Brüning früher immer einen Jesuiten, einen Schwarzen, den Notverordnungskanzler und einen genannt hatte, der sich gerade noch mit Polizeierlassen halten könne, ging jetzt zur Wahlversammlung in die Stadthalle drunten auf dem Wasen mit, vielleicht, weil ihn der Referendar hatte wissen lassen, es bestehe Attentatsgefahr; denn so etwas wie ›Attentatsgefahr‹ interessiere die Leute und prickele wie Kohlensäurewasserbläschen auf der Haut, wenn man im Mineralbad schwimme.

Der Vater lachte, und Eugen verzog das Gesicht; der sah schon wieder muffig aus. Am liebsten würdest du ihn jetzt an beiden Schultern packen und rücksichtslos schütteln. Herrschaft, Kerle, warum bist mit deinem Vater nicht zufrieden, wenn er doch so habhaft ist? Sei froh, daß dem jetzt alles lustig vorkommt, auch wenn es vielleicht anders ist... Denn immerhin konnte es möglich sein, daß ihrem Bruder nichts mehr lustig vorkam, weil er wußte, daß sich andres hineinmischte. Und ihr erschien's, als ob er etwas spüre, das weder ihr Vater noch sie selber merkte.

Jetzt fragte er, ob sie nicht auch mitgehen wolle. Da lief sie schon hinaus, schlüpfte in den Mantel, setzte ihre weißflauschige Baskenmütze auf und ging hinter dem Vater und dem Referendar mit Eugen auf die Straße, wo das Gartentor im Schnee dumpf klappte und eine Gaslaterne von Flocken umwirbelt wurde, als ob Nachtschmetterlinge gegen ihre Scheiben stießen.

Die Stadthalle hinter der Neckarbrücke war ein von orangegelbem Licht erhellter langer und hölzerner Saal, dessen Bretterboden von vielerlei Schuhsohlen gescharrt, gerieben und getreten wurde, weshalb die Luft unter den Lampen von Staub wimmelte; es sah wie Mückenschwärme aus, und Eugen sagte, die seien den Leuten aus dem Kopf geflogen. Diese Bemerkung war echt Eugen, und wieder kam ihr Eva Maurer in den Sinn, der solch ein Wort gefallen hätte; übrigens hatte sie gehört, Eva wolle einen Sportredakteur heiraten, und sie dachte an Photographien, auf denen Eva, eine gewandte Sportlerin, nackt zu sehen war und eine ›Brücke‹ machte. Eva hatte diese Bilder einer Klassenlehrerin gezeigt, die zu ihr sagte, solche Aufnahmen gehörten in ein Album oder in eine Schublade, sonst passe es sich nämlich nicht so recht… Doch jetzt füllten die Leute viele Bänke; es war eine Veranstaltung, bei der man aufmerksam sein mußte, auch wenn es Margret nicht danach zumute war. Eugen aber setzte sich neben den Gang, durch den Brüning im schwarzen Anzug und mit randloser Brille ging, während ihm andere Herren folgten und finster in die Leute hineinschauten. Er hatte eine hohe gerötete Stirn und sah so aus, als wären ihm das Bravorufen und das Händeklatschen arg zuwider; für den war ein Zimmer mit brennender Schreibtischlampe und zugezogenen Gardinen der richtige Platz; also einer, der nachdenken und wenig reden wollte, weshalb er auch ihrem Bruder gefiel, während sie, als Brüning hinterm Pult zu sprechen anfing, dachte, so stelle sie sich einen jener Professoren vor, die in Tübingen Vorlesungen hielten. Sonderbar, daß Eugen, der von Professoren nicht begeistert war, auf einmal den dort draußen leiden mochte… Ein ordentlicher Mann, dem's ernst war, das auf jeden Fall, aber ein Junggeselle. Freilich, gerade dies, daß er allein war und etwas an sich hatte, das die andern von ihm wegschob, war nach Eugens Geschmack. Und sie hörte ihren Bruder sagen, den Nazi sei der Brüning deshalb so besonders widerwärtig, weil sie ihm nicht vorwerfen könnten, er habe sich im Krieg gedrückt: »Der ist vorne mit dabeigewesen wie der Vater; der hat eine Maschinengewehrkompanie geführt; und das EK eins hat er auch; da können die schimpfen, was sie wollen.« Aber was dann Brüning draußen sagte, war ihr zu hoch. Bravo, daß er so redete, bravo auf jeden Fall, obwohl's eigentlich lauter Männersachen waren. Und wieder dachte sie an früher, als ihr Bruder in die letzte Klasse des Reformrealgymnasiums gegangen war und erzählt hatte, daß der Lehrer gesagt habe, der vergangene Sonntag sei ein dies ater der deutschen Geschichte, weil die Nazi…

Wieder ›Bravo!‹ und Beifallklatschen. Brüning verbeugte sich, nahm Papierblätter vom Pult und war bemüht, bevor er abtrat, noch einmal in den Saal hinauszulächeln, obwohl er aussah, als ob es ihm anders zumute sei; denn der war nicht begeistert. Dein Bruder aber… Ja, der macht zumindest ein bewunderndes Gesicht, obwohl auch er… So etwas wie Begeisterung paßte halt nicht zu ihm; aber daß er Brüning gehört und gesehen hatte, merkte man ihm an.

»Da gehe ich also aus der Versammlung weg und denke: es wird anders werden; jeder muß doch merken, daß dieser Mann Bescheid weiß. Aber ob es einen Wert hat?« Und wieder sagte er: »Die andern kenne ich ziemlich genau. An einer Universität merkst du, was los ist. Unser Vater ist auch bei den andern, bloß läßt er's noch net 'raus.«

Sie wollte ja sagen und verraten, daß sie von der Mutter wisse, er sei in die Partei hineingegangen, als der Vater herkam. Er sah sich um, sagte, das sei also die Meinung des Herrn Brüning. – »Es lohnt sich, über seine Meinung nachzudenken«, sagte Eugen, worauf der Vater sagte: »Reden halten kann der Brüning jedenfalls nicht.« Der Referendar kam mit bleichem Gesicht; sein Mund erinnerte an eine Narbe, und der Vater wandte sich ihm zu: »Ja, das war gut… Bei welcher Maschinengewehrkompanie ist der Brüning eigentlich gewesen? Wissen Sie's zufällig?« Und Eugen antwortete: »Bei der Maschinengewehr-Scharfschützenabteilung zwölf des Infanterieregiments Nummer dreißig. Der ist freiwillig in den Krieg gegangen, und schon im Juni fünfzehn hat es ihn erwischt. Streifschuß am Kopf und Schuß durch die linke Schulter.« – »Ja, sapperlot! Also, daß du dich im Militärischen so auskennst, hätt ich nicht gedacht.« – »Du mußt halt die zwei Bücher lesen, die ich über Brüning hab.«

Spannung zwischen Vater und Sohn... Angenehm war's nicht, und ihr kam's vor, als ob es auch der Referendar spüre, obwohl der nur sein strenges Gesicht zeigte, wahrscheinlich, weil er vorsichtig sein mußte, damit er's mit dem Vater nicht verdarb; schließlich war der sein Meister, bei dem er in die Lehre ging. Und gut, daß auch ihr Bruder nichts bemerkte oder es ihr nicht zutraute, daß sie mehr aufnahm, als was nur außen sichtbar wurde.

Allerdings nur Kleinigkeiten wie Lichtspritzer oder wie das Gefühl der Schneeflocken im Gesicht, als sie dann wieder nicht weit von der Brücke in die Straßenbahn einstiegen; dort roch es nach aneinandergepreßten nassen Mänteln, und der Schaffner zwängte sich mit seiner Zahltasche hindurch; übrigens mürrischen Gesichts, denn vergnügt sah heutzutage selten jemand aus; und wenn sie beispielsweise nach der Schule in begegnende Gesichter schaute, hatten viele angespannte Mienen, als gingen sie, ins Unterirdische eingezwängt, herum. Unter denen sah ihr Bruder beinah heiter aus, obwohl er immer noch in einem anderen Bezirk abwesend zu sein schien als diese Straßenbahnfahrgäste hier im Wagen. Sie flüsterte ihm: »Bist schon wieder bei dei'm Mörike?« ins Ohr, und er antwortete: »Nein, beim Brüning.«

Zu Haus fragte die Mutter in der Küche, wie's gewesen sei. – »Ehrlich gesagt: viel verstanden hab ich nicht. Aber wenigstens hat es keinen Krawall gegeben.« – »Ich habe Angst gehabt, weil man von Attentatsgefahr gesprochen hat.« – »Davon war nichts zu spüren... Du, was hat eigentlich der Vater g'sagt?« – »Ach, daß der Brüning langweilig gewesen sei; dem fehle halt der Schwung. Den, der vor dem Brüning g'sprochen hat, hält er für einen Feigling, weil er gesagt hat, im Saal seien viele Kräfte, die jeden Störversuch im Keim

ersticken würden.« – »Daß der Brüning Maschinengewehr-
abteilungsführer war, hat er nicht g'sagt?« – »Das weiß er
doch von dieser letzten Reichstagsrede, wo sie gebrüllt haben: ›Wo waren Sie zwischen vierzehn und achtzehn?‹ und
Brüning richtig scharf zurückgegeben hat: ›Das will ich Ihnen sagen…‹ Und so weiter. Aber weiß der Eugen eigentlich schon das mit der Partei?«

Sie schüttelte den Kopf. Und weil in diesem Augenblick ihr
Bruder eintrat, sagte sie, den Geschirrspüllappen habe sie
vor das Fenster gehängt, und die Backpulvertütchen lägen
in der Schublade, wo ›Grieß‹ draufstehe.

Der Februar war noch schneestaubig, der März spritzte
von Regentropfen, und irgendwann kam Eugen über Sonntag heim, doch verwischte sich im Nachhinein das Datum,
obwohl sie nicht vergaß, was er erzählte.

In Tübingen hatte der junge Schöllkopf am Tage, als Brüning entlassen worden war, im Verbindungshaus, und zwar
hinter diesen verschnörkelten Garderobenständern rechter
Hand, wenn man hineinkam, einen Grauhaarigen begrüßt,
der vor ihm den Arm hochriß und rief: »Wenigstens ist der
jetzt weg!« Er lachte. Von Schöllkopf war in München ein
Heft mit Gedichten gedruckt und im ›Vau Be‹ laut angepriesen worden. – »Aber, was meinst du mit ›Vau Be‹? –
»Gut, daß du es nicht weißt; die Abkürzung von ›Völkischer
Beobachter‹; eine Zeitung, in die kannst du dich hineinwik-
keln. Hat sie der Vater noch nicht abonniert?« – »Ach, was
bildest du dir denn schon wieder ein!« Und ihr kam's vor,
als habe sie ihre Entrüstung gut gespielt. – »Dann bin ich
aber froh. Und der Schöllkopf ist der Führer vom NS-Stu-
dentenbund.« – »Das kann dir doch egal sein.« – »Nicht
ganz, weil er mein Fuchsmajor ist, weißt du. Der setzt mir
zu. Ich sag immer noch zu mir: Was tust du eigentlich bei
denen anderes, als dich ärgern lassen? Die heißen mich jetzt
einen Biedermeier oder einen Biedermann; und daß einer
gesagt hat, eigentlich sollte ich Reinhold heißen, weißt du
schon. Die meinen halt, ich müsse auch mal etwas mit so ei-

nem Tanzstunden-Besen haben.« Und sie unterhielten sich über die Mädchen, die auch Margret kannte. Er beschrieb ihr wieder die Feldwebelstochter, die ihm auf dem Heimweg von der Tanzstunde nachts neben der Kaserne beinahe in die Hüfte geschlüpft war, so innig habe sie sich bei ihm eingehängt: »Die hat sich beim ›Tango‹ beklagt, daß ich ein Trottel sei. Du, eigentlich war die net schlecht.«

Sie lachten. Ihr Bruder hatte also wenigstens zu ihr Vertrauen; sonst schien er mit jedem über einen Graben weg zu sprechen oder durch eine spanische Wand. Und was die Zeit betraf, so rutschte das Jahr bald in Schneewetter hinein und wurde nach Weihnachten matschig, eine durchsichtige Sauce und an Wasserglas erinnernd, was ihr in die Gegenwart zu passen schien, obwohl sich früher auch schon viele wässerige Winter ausgebildet hatten. Dieser aber mengte alles durcheinander, und aus den Kino-Wochenschauen quoll es wie ein Volksgericht; also sagen wir: Gaisburger Marsch, diese Brühe mit Spätzle und Kartoffeln... Auf der Leinwand wirbelte der nasse Schnee vor einem Palais mit kahlem Garten und Staketenzaun, wo Soldaten ihre Gewehre herunterrissen und senkrecht hielten, während schwarze Automobile vor einer Treppe stehenblieben; es glänzte die Kühlerhaube, und eine Stimme sagte: »Hier der Wagen des Reichskanzlers von Papen.« Die Leute lachten, weil der Kanzler jetzt schon wieder anders hieß; vor drei Tagen hätte dieser Sprecher allerdings noch recht gehabt. Margret hörte ihren Bruder sagen, jetzt sei ein Reichswehrgeneral am Ruder, und der werde auch schnell abserviert. »Du wirst schon sehen, was dann kommt.« Trotzdem hoffte er immer noch, daß dieses Neue dann den Leuten nicht gefallen werde und sie es wieder anders haben wollten. Obwohl die Leute...

Halt ein Pessimist, der Eugen. Im Hebraicum und im Graecum fiel er durch, doch hatte er das auch vorausgesehen. In der Schulstube, wo er geprüft wurde, ließ ein Erdbeben den Boden zittern, weshalb der Lehrer den Witz machte, das Hebraicum habe kosmische Wirkungen. Und dann dieser dreißigste Januar, als SA-Leute am Königsbau vorbeimarschierten und viele Zuschauer den rechten Arm hochstreckten, weil eine rote Fahne mit krummem Kreuz vorangetragen wurde.

Sie sagte Eugen, daß der Vater schon seit einem Jahr in der Partei sei; sie habe es gewußt. Ihr Bruder sagte: »Das trau ich dem schon lange zu.« Er schaute auf seine Schuhspitzen. Sie sagte, im Lodenmantel sehe er wie ein Vikar aus, und er antwortete: »Ja, das schon; aber wie ein durchgefallener.« Zu Hause kam der Vater aus der Stube, lachte und hob den Arm: »Wenn die Pee Gee kommen, dann…« Und wieder streckte er den Arm hinauf. Der war einer, der lachte und mitmachte. – »Bös kann ich ihm nicht sein, er ist halt so. Aber freuen kann ich mich auch nicht darüber.« – »Ach, der meint doch, daß wir froh sein könnten, wenn er jetzt bei der Partei ist. Weil er für uns sorgen muß.« – »Da hast du recht.«

Ein belämmertes Gespräch, und ihr Bruder sagte, ganz schlecht sei, daß man im Leben halt mitmachen müsse; lieber würde er bloß nebendraußen stehen und zuschauen: »Wenn du Geld hast, kannst du dir das leisten. Wir aber… Schulmeisterskinder… Eigentlich ist es ganz scheißlich.« – »Was denn?« – »Etwas verdienen müssen.«

Sie schüttelte den Kopf und sagte, so weit dürfe man's nicht kommen lassen, worauf er zurückgab, das komme schon von selber, und ihm grause es davor. »Besonders jetzt, nach dieser Machtübernahme… Das ist ein ganz besonders schönes Wort. Da siehst du's selber: auch wenn du nicht dabeisein willst, dazugerechnet wirst du trotzdem.« Sie fragte, was er damit meine. – »Das weiß ich auch nicht ganz genau, aber ich spür es halt. Stell dir bloß vor, die machen einen Krieg – und sie werden einen machen; dann muß ich Soldat sein wie jeder andere und werde, nun, sagen wir einmal: von den Franzosen ebenso dazugerechnet wie ein anderer. Und ist das dann vielleicht gemütlich? Aber wahrscheinlich sollen wir's auch nicht gemütlich haben. Es sieht so aus, als seien wir nicht dafür da.«

Ihr kam es vor, als sage er dies zu sich selber, und sie höre es zufällig; wie eine, die an der Tür horcht. Danach blieb er schweigsam, denn jetzt stand es für ihren Bruder schlecht; beim Vater hatte er, wie man so sagte, keine gute Nummer mehr, und dieser Vater äußerte sich einmal abends richtig brummig, während Eugen unterm Dach in seiner Stube saß: »Ich tu ihn zum Erpf in die Buchhandlung. Der schafft doch bloß, wenn jemand auf ihn aufpaßt.« Der Vater hockte im Ledersessel, hatte die Finger im Haar vergraben und sog an seiner Pfeife, welche brotzelte und hierchelte. »Und was will er denn jetzt mit dieser Kunstgeschichte? Das ist doch bloß ein Furz in seinem Hirn; damit kann er nichts werden. Der bringt's zu nichts.«

Der Vater hatte also etwas anderes von seinem Sohn erwartet, als aus ihm geworden war. Die Mutter aber meinte, man könne noch nichts sagen, denn schließlich sei er doch kaum zwanzig Jahre alt. – »Wie hättest du denn gerne, daß er ist?« fragte sie ihn, und er antwortete, er habe sich vorgestellt, daß sein Bub Geschichte studieren und als Regierungsrat an das Kultusministerium berufen werde. »Oder, daß er es als Kaufmann zu einer Position bringt, weil er dann auch... Also da kann er doch angeben, was getan wird; er kann anordnen und bestimmen. Bloß wer das kann, ist etwas wert. Es muß halt aufwärts gehen!« Und Margret wunderte sich, daß auch er, der Lehrer war, von seinem Sohne das verlangte, was er sich selber wünschte, denn auf einem Spaziergang, als es nebelig und immer noch kahl war und sie nebeneinander hinterm Gablenberger Friedhof gingen, sagte er, er stelle sich vor, daß er bald befördert werde, und es sollte halt noch einmal hinaufgehen [er stieß die Faust in die gleichmäßig graue Luft], denn schließlich sei er auch alter PeGe, und was wollten die denn eigentlich noch mehr von ihm? – »Du hast mir d' Flügel g'stutzt«, sagte er zur Mutter. »Hättest du mich richtig hineingelassen in die Politik, dann würd ich heute ganz anders dastehen, das könnt ihr mir glauben!«

Er kam dann einmal von einer Besichtigung des Schloßmuseums heim, lächelte und erzählte, daß sie dort von einem jungen frischen Kerle, dem Doktor Fleischhauer, durch die Säle geführt worden seien; mit dem habe er gesprochen, der habe Kunstgeschichte studiert und sei trotzdem Beamter g'worden... »Zu dem soll der Eugen einmal gehen.« Und Eugen besuchte ihn, Fleischhauer schrieb für Eugen eine Liste, die sich aus Wörtern wie ›Deutsche Plastik des 12. bis 16. Jahrhunderts‹ oder ›Die Zeit Karls des Großen‹ zusammensetzte und die sie an die Titel großer blauer, im Bücherschrank stehender Bände mit Goldaufdruck erinnerten. Seit zwanzig Jahren ließ sich die der Vater als gelbe Hefte, die gebunden werden mußten, schicken, die Mutter aber seufzte oft, weil sie viel kosteten und nie gelesen wurden; doch jetzt erwiesen sie sich fast als eine Kapitalsanlage, weil Eugen sie zum Schaffen brauchen konnte, falls er sie dazu benützen würde, was keineswegs ausgemacht war; denn der dachte zu oft an jenes Durcheinander, das in der Zeitung auf der ersten Seite stand; und dieses Durcheinander quälte ihn und griff ihn an. Wie konnte denn ein Junger sich um etwas kümmern, das, wie er selbst sagte, steinern weiterschritt? Wenn es sich so verhielt, mußte ihm Eugen halt ausweichen, sonst rieb's ihm die Haut wund, falls es ihn nicht an die Wand drückte. Das hätte ihm doch wenigstens einfallen können. Und sie hoffte, daß er einmal darauf kommen werde, weil ein normaler Mensch doch niemals vor etwas Mächtigem stehenblieb, das wie ein Mühlstein weiterrollte.

»Du darfst jetzt in München Kunstgeschichte studieren«, sagte der Vater, als es Aprikosen und gebackene Schnitten zum Mittagessen gab und Eugen statt vom Studium über die Aprikosen und gebackenen Schnitten redete, die er als wundervoll bezeichnete, besser als das Dörrobst mit Dampfäpfeln, weil im Dörrobst immer lederige Birnen schwammen, deren Kernhäuser ihm in die Zunge stachen. Und er erzählte vom Mittagstisch im Hause Herrenberger-straße siebenunddreißig in Tübingen, unten im Erdgeschoß bei zwei ledigen Försterstöchtern, wo er mit einem Kandidaten der Theologie Krach bekommen hatte, selbstverständlich auch des Hitlers wegen. Der Kandidat, einer mit fettiger, geröteter Gesichtshaut, hatte ihn erbittert angefahren, weil er jung sei und von den neuen politischen Tönen nichts verstehe. »Wißt ihr, das ist ein widerlicher Kerl gewesen, einer mit einer Handschrift wie der Bismarck selig. Die Försterstöchter aber, die haben mir dann gratuliert und recht gegeben und gesagt, das sei ganz ausgezeichnet g'wesen, wie ich dem Dickkopf da hinausgegeben hätt; das sei ganz saftig g'wesen.«

Gut, daß er saftig reden konnte; also war der noch nicht ganz auf den Boden gedrückt worden. Weil du es halt nicht leiden kannst, wenn der Eugen verzagt ist; so kleinmütig und ängstlich und auch muffig.

»Wart nur, du wirst dich schon einfügen müssen«, sagte der Vater, und das kam Margret wie ein muffiges Wort vor. Und Eugen sagte später, der Vater meine es politisch. – »Wie denn?« – »Daß er verlangt, ich soll in die SA hinein. Er kann's verlangen, weil ich nicht volljährig bin. Und wenn ich's bin, kann er mich trotzdem zwingen. Er braucht mir bloß kein Geld mehr z'schicke.«

Sie hatte das Gefühl, als könnte es ihm sogar recht sein, weil er dann nicht mehr studieren mußte; diese Vorbereitung auf einen Beruf war ihm zuwider. Der wollte doch ›nur so‹ sein Geld verdienen, also mit ›irgend etwas‹, wie er manchmal sagte; freie Zeit für sich selbst haben, darauf kam's ihm an. – »Was andres ist doch Mist. Wozu mehr haben, als du brauchst, damit du nicht verhungerst? Die sagen oft, daß sie was ›für die Menschheit leisten‹ wollen, ach herrje. Dabei tut jeder nur für sich etwas; an andre denkt er nie.«

Er sagte, was er dachte. Ein Tübinger Flickschneider hatte

ihm aus einer grünen Uniformjacke und einer grauen Militärhose des Vaters einen Anzug gemacht, in dem er wie ein Forstadjunkt daherkam. »Das sieht doch militärisch aus? Na also ... Es genügt.« Und dabei lasse er's bewenden, dies sei gewissermaßen sein Tribut an diese miese Zeit, und morgen also fahre er nach München. So drückte sich ihr Bruder aus, und solche Sätze hatte sie noch nie von einem andern jungen Mann gehört, denn diese andern jungen Leute dachten nur an später und sagten beispielsweise, selbstverständlich brauche man dann später eine Klubsesselgarnitur fürs Herrenzimmer, damit jeder Besucher denke: Der ist gut situiert ... Da würden die anderen neidisch werden, und solch ein Neid gehöre halt zum Hintergrund. Eugen hatte ihr erzählt, das habe ein Schulkamerad zu ihm gesagt; er grinste: »Mir genügt mei' Dachstub mit dem Kanonenöfele.« Und Margret dachte ans Kanonenöfele in seiner Stube, das ihr kurios erschien; weil dein Bruder dort so viele Bücher hat und weil die altmodischen Möbel zu ihm passen ... Die Kommode vom Großvater, Vaters Schreibtisch mit dem Tintenzeug aus dem Jahr neunzehnhundertelf, gehörten zu ihm, und sie dachte, eigentlich sei es arg eng. ›Ha freilich‹, hörte sie ihn sagen, ›du hast recht, Margretle; aber warum soll ich denn mehr haben? Wichtig ist bloß, daß ich denken kann, was mir paßt.‹

Jetzt war er in München, und sie stellte sich vor, wie er dort lebte, obwohl sie niemals in München gewesen war; also dort, wo die Straßenbahnen breiter, schwerer, rumpeliger als in Stuttgart fuhren und der Himmel sich weiter und höher zeigte. Eugen war neugierig auf eine Villa, deren Bild er ihr in einem Buche gezeigt und von der er gesagt hatte, sie stehe am Fluß: ein in der Mitte vorgewölbtes Haus mit drei Balkonen und Fenstertüren vor einem Rasenplatz: »Dahinter steht sein Schreibtisch; dort arbeitet er. Und das erste wird für mich in München sein, daß ich dort hingeh.« Eigentlich rührend ..., grad, als ob er jetzt dorthin wallfahre ... Und sie erinnerte sich, daß im Buch unter der Photographie der Villa ein Zimmer zu sehen gewesen war, das neben einer hohen weißen Türe Bücherregale hatte, dazu einen Sitzplatz mit samtgepolstertem Ecksofa, rundem Tischchen und Sesseln, einem Platz für Gäste, wo eine Stehlampe drei befranste Zipfel ihres seidenen Schirms sehen ließ, eine Couch sich streckte und gegenüber ein Eckschränkchen stand, dessen vorgewölbte Tür mit eingelegtem Holz gemustert war und wo zwischen Biskuitfiguren eine alte Uhr ihren Perpendikkel schwang; die Büste eines bärtigen Herrn aus Marmor sah darauf herab.

Weiße Türen in einer Villa, Bücher, und neben einem Ecksofa eine Stehlampe mit zipfeligem Seidenschirm, der Fransen hatte: all dies sah abgelegen aus, auch distinguiert; und eigentlich paßte alles schon nicht mehr in diese Zeit... Und es war mit dieser Villa etwas schon nicht mehr ganz in der alten Ordnung, fast als hätte sich's verschoben; obwohl wahrscheinlich Bücher, Möbel in ihr unverrückt an den gewohnten Plätzen standen, sich auch im Garten nichts verändert hatte und das Wetter und die Bäume sowieso wie immer waren; nur der Hausherr, seine Frau und seine Kinder hätte ein Besucher nicht mehr in der Villa angetroffen, wenn er an ihr geklingelt hätte, weil die Herrschaften nicht mehr von der Reise heimgekommen und [auch wegen dieser neuen Politik] im Ausland – Eugen sagte: in der Schweiz – geblieben waren. Übrigens eine Familie, die anders war, als man sich gemeinhin eine solche dachte [deine Eltern, du und dein abwesender Bruder können nicht mit ihr verglichen werden], weil der Hausherr Schriftsteller war. Doch vielleicht hatten diese Leute etwas der Eva Maurer Ähnliches. Ja, das vielleicht schon... Aber du stellst es dir nur vor, weil Eva Maurers Eltern auch Geld und ein Auto haben... Nein, nicht allein dessentwegen, sondern auch, weil etwas in Eva Maurer leichtflüssig war und sich verflüchtigte, wenn sie sich bewegte, die Hand gesprächsweise beiseite bog und ging, also zum Beispiel auf dem Kies des Rosengartens, diesem

Privatgarten des Königs, den es schon lange nicht mehr gab. Allerdings nur ein Gefühl, eine Stimmung, die mit sonneglänzenden Schieferdächern und blauem Himmel ineinanderfloß und sich hineinschlich, wenn man alleine war. Aber das hast du nur von deinem Bruder, selbst wärst du nicht darauf gekommen... Und sie erinnerte sich eines kleinen Buches, das ihr Bruder ihr gegeben hatte, in dem von der Familie eines Professors aus der Inflationszeit erzählt und ein Mädchen dargestellt worden war [so nebenbei und ohne daß du's merkst, also bloß durch die Art, wie sie geredet hat], von dem sie gedacht hatte: Eva Maurer, wie sie leibt und lebt, bloß halt ein bißchen frecher...

Nein, das Mädchen in dem Buch konnte mit Eva nicht verglichen werden, aber die Stimmung des Professors, der am Fluß spazierenging und nachdachte, hätte gut zu ihr gepaßt oder war die Stimmung Eva Maurers; jedenfalls hätte sie so denken können [melancholisch halt]; und dieses ›melancholisch halt‹ paßte ebensowenig in die Zeit wie die abwesende Art ihres Bruders, um den sich jetzt sogar die Mutter sorgte, weil er nirgendwo mitmachen wollte und einen argen Brief geschrieben hatte, in dem er von ›Rüpeln in abortfarbenen Uniformen‹ sprach, zu denen er niemals gehören wolle. Ja, die Mutter fürchtete, er könne den Anschluß verpassen, denn jetzt gehöre es dazu und sei eine Lebensfrage, die Uniform anzuziehen; man müsse es halt tun, die anderen Studenten täten's schließlich auch; es sei eine Lebensversicherung... Eugens Brief aber hatte sie dem Vater nicht gezeigt; der wäre fürchterlich wütend geworden, denn das mit den ›abortfarbenen Uniformen‹ [nein, er hatte es noch deutlicher geschrieben, richtig saugrob, daß sie an den Abort in Dürrmenz hatte denken müssen, diese ›vertikale Kegelbahn‹, wie der Vater zu sagen pflegte], das durfte sie ihm nicht zumuten.

Dabei war es doch Sommer, heiß und sauber blau; auch das Wetter paßte nicht dazu, weil es so schön war. Und ihr fiel wiederum die Hitlerrede ein, dieses Gepolter von Wörtern

100

und grollendem Schreien, das aus dem Radioapparat ge-
dröhnt war und von dem ihr Bruder gesagt hatte, es sei, als
ob ihm jemand einen Abfalleimer über den Kopf schütte.
Der Vater hatte es begeisterungsvoll und großartig gefunden, den Arm mit seiner Pfeife durch die Luft geschwungen
und sich im Klubsessel aufgerichtet, wobei im Sitzpolster
eine gebrochene Feder geknallt hatte. Bis es unerwartet und
mitten im Wörterpoltern stumm geworden war, tot, eine
fahle Lautsprecherleere, eigentlich verblüffend. Anderen
Tags aber – du siehst deinen Bruder grinsen, wie er's sieht
und liest – war in der Zeitung die Photographie einer Mauer
erschienen, an der ein Kabel eine Unterarmlänge lang bloß-
gelegen hatte und durchgehauen worden war mit einem
Beil.

»Der Hitler hat es nicht verhindern können – wunderbar«,
hörte sie Eugen sagen, während sie im Garten zwischen
warmen Beerenbüschen auf einem dreibeinigen Klapp-
stühlchen mit leinenem Sitz hockte, das der Vater mitnahm,
wenn er im Freien zeichnen wollte. Sie zopfte – du weißt,
daß es auf Hochdeutsch pflückte heißt – rote Träuble ab,
was ihr richtiger erschien als das korrekte Wort Johannis-
beeren, denn diese waren doch wie kleine Trauben. Vögel
flogen und ließen sich hören, und sie war froh, zu wissen, daß
der mit dem verschnörkelten, sich auflösenden und immer
wieder wie ein Rauch aufsteigenden Gesang Laubsänger
hieß, während der Schmetzer tatsächlich melodisch
schmatzte. Die Namen schmiegten sich an den Gesang der
Vögel, von denen Eugen sagte, wenn es sie, die Blätter, das
Laub und das sich verwandelnde Licht nicht gäbe, hielte einer wie er diese Zeit nicht aus.

Sie überlegte dann, wie es früher gewesen sei, also vor
neunzehnhundertdreiunddreißig. In deiner Klasse hat dir
sonderbarerweise nur Eva Maurer von einem Hakenkreuz
erzählt, das auf dem Schreibtisch ihres Vaters als Briefbeschwerer oder etwas Ähnliches gelegen ist. Der Eugen
aber... Nun, bei dem war es anders gewesen [kein Wunder,

weil er doch ein Mann ist]. Und ihr fiel ein, daß einer seiner Schulkameraden [»einer mit stählerner Brille und gescheit«] zu ihm gesagt hatte, Eugen unterstütze ein jüdisches Unternehmen, das den deutschen Buchmarkt kaputt mache, weil er in den Volksverband der Bücherfreunde eingetreten sei; aber dies nur nebenbei, obwohl es vielleicht wichtig war und als ein winziges Zeichen dazugehörte, weil von der Zeit nur Winziges und Unscheinbares im Gedächtnis zurückblieb, Spurenelemente, wie der Chemielehrer sagte, Schlieren... Und sie las Eugens Brief vom sechsundzwanzigsten Juni neunzehnhundertdreiunddreißig, in dem er sich über den »widerlichen Rummel ekelhafter Vaterländerei« ausließ, von »Männern des Kommißstiefels und Bierglases, die Freßgemeinschaft miteinander haben«, redete und über den er dick geschrieben hatte: »Nicht für Begeisterte der Neuen Zeit!« Sie freute sich, daß ihr Bruder kräftig schrieb, während die Mutter dünn und zart und fein verknüpft ihre Buchstaben aneinanderreihte: »Versäume doch nichts, lieber Eugen, um deiner Zukunft willen! Schlage dir keine Türe zu, die für dein späteres Fortkommen offen sein muß! Sei klug!«

Andere Menschenarten, verschiedene Temperamente... Die Mutter paßte zum herzhaften Vater, der Sohn jedoch gehörte nirgends hin und wußte es. Sie aber hatte das Gefühl, als sei er bereits mürbe gemacht worden, und es werde nicht mehr lange dauern, bis der Vater triumphieren und sich einbilden könne, er habe den Sohn überzeugt. Das wird euch nie gelingen... Denn auch, wenn sie ihn zwangen, gehörte er niemals dazu.

Sie brauchte dann nicht lange zu warten. Einundzwanzig Tage später war's soweit, daß er die Nachricht schicken konnte, er sei ›dazugegangen‹. Sie aber hätte gern erfahren, wie's soweit oder so tief, so niedrig, so gemein gekommen war, denn da hatten noch andere hineingespuckt, gewisse ›Bundesbrüder‹ nämlich, denen er sogar in München nicht entgangen war; denn sie wußte, daß er dort solche getroffen hatte, an die sie sich von Tübingen noch ungenau erinnerte und von denen er zu sagen pflegte, daß der eine, was sein Gesicht betreffe, einer Gasmaske gleiche, während dem anderen eine eingekniffene Oberlippe eigentümlich sei, die aussehe, als wäre sie ihm weggeschnitten worden; der sage: »Uns steht bevor, daß wir im nächsten Krieg die Lunge stückchenweise herauskotzen«, und damit habe er wahrscheinlich recht. »Aber so einen will ich halt nicht kennen, verstehst du mich, Margretle?«

Bald danach kam er wieder heim, und während er erzählte, zeigte sich ihr das Vergangene, wie es gewesen war. Die Villa hatte er zuerst besucht. Er ging ins Café Stefanie, das graugefleckte Marmortische mit verschnörkelten Beinen und unten gußeiserne Schalen für die Füße hatte; nasse Schuhe oder Stiefel konnten hier abtropfen, denn in München hatte es des öfteren geregnet. Er fragte nach dem Adreßbuch und bekam's. Die Adresse, die er suchte, stand noch drin [»eigentlich seltsam, gelt?«] und hieß: Poschingerstraße eins. Am anderen Flußufer also, und der Weg dorthin durch den Englischen Garten war ein Parkspaziergang wie vor hundert Jahren; denn immer, wenn ihr Bruder etwas loben wollte, sagte er: »Wie vor hundert Jahren.« Das kannst du nicht verstehen, für dich liegt außer deiner Kindheit alles in staubigen Winkeln, und du denkst es nebenher; es huscht dazwischen, während du ihm zuhörst... Der Spaziergang also, und hinterm Park die Brücke, dann die Allee am Flusse mit der Villa und weiter weg dieses ›Isarufergehölz‹, das er schon kannte, weil es beschrieben worden war vom Herrn, dem diese Villa gehört hatte, und vor der ihr Bruder stand und auf die Klingel drückte, ein linkischer Student im schwarzen und nadelgestreiften Mantel, den Verwandte seiner Mutter aus Amerika herübergeschickt hatten. Ein Mädchen mit halblangem Haar, eine Dünnhäutige und Sommersprossige, machte ihm auf und sagte, Herr Professor Thomas Mann wohne nicht mehr hier, doch könne er ihm schreiben; Küßnacht bei Zürich, Schiedhaldenstraße dreiunddreißig sei die Adresse. In der Diele war der Kamin mit Backsteinen ummauert, und auf der Konsole standen pergamentgebundene Bücher, solche, deren Rücken mit bräunlicher Tinte beschrieben waren, eine lange Reihe, von der das letzte Buch links außen sich zur Seite geneigt hatte.

Eugen sagte: »Ja, es hat mir gefallen. Das natürlich schon; aber trotzdem... Ich meine: besser ist's für ihn, wenn er nicht mehr zurückkommt, obwohl ich es mir anders wünsche.«

Später war er jenem mit der Gasmaskenvisage und diesem mit der verkniffenen Oberlippe, zwei Studenten-SA-Leuten, begegnet, von denen letzterer an einem heißen Tag in einem düsteren und kühlen Zimmer an einem schweren Tische vorgebeugt, den Ellenbogen aufgestützt und breitbeinig dahockend, einen Teller saurer Milch gelöffelt hatte, während seine bleichen Schenkel aus einer kurzen Hose herausragten. Mit denen war er auf dem Rad hierhergefahren, und der mit der Gasmaskenvisage hatte seine braune Uniform angehabt; er hängte sich an einen Lastwagen, ein Motorrad streifte ihn... und Margret könne es sich nicht vorstellen, wie es den über die Straß in einen Acker g'schmissen habe: »Das ist in einer weiten leeren Gegend g'wesen; ringsum kein Dorf, und der Tag strahlte. Ich seh ihn noch den Hechtsprung machen, und passiert ist ihm natürlich nichts... Nachher hat er g'sagt: ›Was glaubst, wie der Motorradfahrer geschimpft hätte, wenn ich nicht in Uniform gewesen wär!« – »Hast du denen nie ausweichen können?« – »Manchmal schon. Im Studenten-Eßlokal allerdings nicht.« – »War denn kein netter Mensch für dich in München?« – »Doch, einer namens Wieland; der ist aus Ulm. Ich hab immer gedacht, der sei wie ich nirgends dabei, weil er so elegant gewesen ist. Und dann sagt der wie die anderen auch: ›Ich bin bei der SA...‹ Du, ich hab keinen mehr wie mich gefunden. Und was mir die Eltern dann geschrieben haben... Bloß auf dem Rad hinaus nach Schäftlarn fahren und alleine an der Isar liegen, das hab ich zum Glück noch

gehabt. Und eigentlich hätte mir das genügt, weißt du…«
Und sie erinnerte sich einer Karte, die er vorige Woche geschickt hatte, als er schon ›dazugegangen‹ gewesen war. Die
Karte hatte die Eltern erschreckt. So deprimiert war es gewesen, was er mit Tintenstift daraufgekritzelt hatte. Und
sie fragte: »Dann haben dich die zwei in die SA hineingeboxt?« – »Das wär zuviel gesagt, aber es langt mir trotzdem. Es ist manches dazugekommen.« – »Sag doch, wie es
war!«
  Einmal hatte er mit einem lange diskutiert und ihm alles
rücksichtslos gesagt, was er über den Hitler dachte. Da
beugte sich der andere plötzlich vor, legte die Stirn auf die
Tischkante und heulte. »Ja, du wirst lachen, aber das hat's
auch gegeben. Weißt du, das ist einer gewesen, der schon vor
dreiunddreißig bei der SA war; ein kleiner Mensch, ein
Pfarrerssohn, ein liebenswerter. Und mir hat's scheußlich
leid getan, daß ich dem seiner SA wegen so zugesetzt hab.
Vielleicht habe ich dem alles zerstört. Aber, wie man bei der
SA Idealist sein kann, ich meine: unter denen…« Und er
schüttelte den Kopf, wiederholte, daß er trotzdem arg erschrocken sei, als dieser nette Kerl auf einmal geheult habe,
und erzählte dann von einem heißen Mittag, an dem lange
und gerade Straßen von der Sonne ausgebacken gewesen
waren und um Mittag schmale Schattenränder gehabt hatten. Zu dritt gingen sie vom Essen heim, und der mit dem
Gasmaskeng'sicht und jener ›ohne Oberlippe‹ nahmen Eugen in die Mitte. – »Wie es immer g'wesen ist«, sagte er und
ließ Margret in seinen Gesprächsfetzen [denn er deutete alles nur an] die scharfe Münchner Hitze spüren, die ihm vor
den Sommerferien immer im Nacken gesessen war. Die
Schellingstraße hatte auf der einen Seite kühle Schattenstreifen, aber die Amalien- und die Türkenstraße glühten;
dort gingen sie dann links hinunter, und der dicke Kunstakademiebau schaute her. Neben Eugens Schulter waren
graue Quader löcherig [das hatte er in der Erinnerung], und
der mit dem Gasmaskeng'sicht deutete auf die andre Seite:

»Dort drüben gehst du ins grünliche Haus hinein und meldest dich im ersten Stock. Du merkst dann schon, was los ist.« Er tat's; was die Gasmaskenvisage von ihm verlangte, führte Eugen aus. Es war ein kühler Durchgang und daneben eine ausgewetzte Treppe links hinauf, wo oben Türen einer alten Wohnung offenstanden und Bretter eines Bodenbelags ausgescheuert und gerauht von Stiefeleisen in der Mitte dörrten, Vorhänge im Durchzug wedelten und Kerle herumgingen, aus und ein und mit den Sohlen scharrend, während einer gähnte, hinter einem Schreibtisch hing, die Stirn mit senffarbenem Blusenärmel wischte und seine Augengläser vorgerutscht und wie beschlagen waren; der füllte eine grüne Karte mit den Krakelfüßen seiner Handschrift aus und schmierte einen Namen, der vielleicht als Eugen Rapp entziffert werden konnte.

»Feine Sache. Studentenbunds-SA… Ich kam zu den Viehzwickern; aber so sagt man halt zu den Tiermedizin-Studenten; meistens Bauernbuben. Einer hat Cordes geheißen, daran denk ich manchmal. Der mit der Gasmaskenvisage war mein Vorgesetzter und soviel wie Leutnant. Mit denen hab ich ein paar Wirtshäuser von innen angesehen… Und bei einem Ausmarsch ist ein Mädchen oben in einem Haus so arg begeistert g'wesen, weil viele Männer zu ihr hinaufgeschrien und die Arme gestreckt haben; deshalb hat sie gerufen: ›I spring' obi!‹ ist aber zum Glück g'scheiter g'wesen. So eine Massive, Blonde, weißt du.«

»Bei wem hast du gewohnt?«

Er sagte die Adresse, die sie von seinen Briefen kannte, also: »Tristanstraße 4 a. In einer Villa.« Die Leute hießen Winkler, eine Architektenwitwe mit ihrer schwarzhaarigen Tochter, und seit der Mann gestorben war, vermieteten sie auch noch das Dachzimmer. Wieder also war er in einer Dachstube heimisch, aber jene ging nach Westen, während die im Elternhause südwärts schaute… So drückte er sich aus, so redete er wieder, zögernd und mit nachlässigem Tonfall; an der Lehne des Polsterstuhls aus dem Großvaterhaus in Gablenberg ließ er die Hand herunterhängen. Übrigens war die Tochter, eine Hübsche und leider viel zu alt [fünf Jahre nämlich], einmal im Nachthemd mit einer umgehängten Decke zu ihm heraufgekommen, barfuß und verstört und Tränen schluckend, freilich nicht deshalb, was sie jetzt denke. Ach, du liebe Zeit, bei ihm... Nur weil ein anderer Student auf der Blockflöte geblasen hatte, was auch ihm unangenehm gewesen war, denn Wand an Wand mit einem Flötenbläser hausen zu müssen, das sei kein Schleckhafen. Aber, wie gesagt, die Leute hatten's schwer, weil sie das Haus verkaufen und einen Tabakladen übernehmen mußten, was schmerzlich war für solche, deren Buffet von Silberkannen sozusagen strotzte. Und er lachte, als er ›strotzte‹ sagte und hinzufügte: »Hier bei uns gibt es so etwas freilich nicht«, denn unten bei den Eltern stand außer einer Kupferkanne nur ein Tafelaufsatz aus Neusilber neben einer Kaffeemaschine auf dem Buffet.

»Aber der Schützenpreis vom Großvater, der Pokal, steht doch auf der Kredenz. Und der ist auch aus Silber!« sagte Margret und dachte, er schwätze hochnäsig daher. Gewöhnte man sich das in München an? Doch dann erzählte er von einem jüdischen Assistenzarzt – »ein junger blonder Mann« –, der im Haus Winkler gewohnt und ihn bis vor vierzehn Tagen noch recht freundlich gegrüßt hatte; später war ihm der Arzt ausgewichen, und Eugen wisse schon, weshalb. »Der dreckfarbenen Bluse wegen, die ich jetzt anziehen muß. Du«, sagte er, »die Sache wird mir nicht besonders gut bekommen.«

Es war, als ob er etwas an sich hätte, das sie früher nicht an ihm gesehen hatte, obwohl es vielleicht nur eine verstärkte Abwesenheit war, jetzt allerdings traumähnlich; denn ihr Bruder schien sich in den Traum zurückzuziehen. Er erzählte, daß ihm im Klosett die silberne Konfirmationsuhr seines Vaters aus der Hose gerutscht und auf den Boden gefallen sei; sie gehe seitdem nicht mehr. Vielleicht könne man sie reparieren lassen, nur glaube er nicht, daß dies möglich sei. Die Uhr war ihm an jenem Tag kaputt gegangen, als ihn der Assistenzarzt zum letzten Male gegrüßt hatte. »Das kann natürlich auch ein Zufall sein. Daß eine Uhr kaputt geht, bedeutet schließlich nicht besonders viel.«

Es nistete sich etwas in ihm ein, oder war er nur älter geworden? Ja, dies konnte es auch sein... Jetzt sagte er: »Vielleicht stimmt's, wenn einer meint, zwei Drittel aller Menschen seien abschußreif. Aber der bildet sich dann ein, daß er zu denen g'hört, die übrig bleiben. Immerhin...«, und er verzog den Mund. Sie fragte, woher er das denn habe, und erfuhr: »Vom Wieland, aber der ist auch aus Ulm; das war doch früher eine Freie Reichsstadt; dort schwätzt man räß... Der Wieland ist vielleicht auch Besseres gewöhnt, wer weiß.« Es konnte möglich sein, daß er es lustig meinte, doch verstand sie ihn trotzdem nicht ganz und dachte, das sei eine bissige Bemerkung; jedenfalls keine besonders freundliche, obwohl einer wie er heute so etwas schon denken konnte, wenn er viele Leute auf Plätzen zusammenlaufen sah und Lautsprecher aus allen Winkeln grölen hörte. Aber das war schließlich doch nicht viel mehr als ein Volksfest, obwohl ihr Bruder sich an keinem Volksfest freute und sagte: »Untertauchen in den andern will ich nämlich nicht.« Da war sie anders, denn ein Volksfest... oder wenn du dicht zwischen den andern tanzt, fühlst du dich wohl... »Das ist wahrscheinlich die vitale Kraft der Masse, die dich schluckt; du kannst auch aufsaugt sagen.« Und er lachte.

Immerhin war er von München auf dem Rade manchmal nach Schäftlarn gefahren; er erzählte ihr davon und sagte: »Das hat mir dann über die braune Soße weggeholfen.« In seinen Worten hörte sie das grüne Isarwasser strömen, sah es flach und rasch und da und dort von Rinnsalen weißen Gischtes marmoriert. Weidenbüsche hatten in den Gelenken ihrer Zweige ein weißes Gespinst; seidige Samenfäden wehten über Geröll und Sand. Eine Turmuhr schlug. Eichenbohlen rumpelten auf einer grauen Brücke, wenn ein

Auto drüberfuhr. Immer wieder sah er an den Talhängen hinauf, wo Blätter bewegt wurden, ein Aufatmen der Bäume, dem Geräusch des Wassers ähnlich, und in der Luft ein Fluß, der oben hörbar und stumm wurde, bis er von neuem unsichtbar herankam und wiederum durchs Zimmer zog, während der Wind den Vorhang auf die Seite wehte, daß die Messingringe an der Stange klapperten und das Muster am Saum des weißen Leinenstoffes, dieses verschlungene Band aus braunen und aus gelben Fäden, ihr das Wohnzimmer des Künzelsauer Hauses an einem Sonntagnachmittag ins Gedächtnis zurückholte, als Schattenmulden und Lichtflecken einander abgewechselt hatten und der Linoleumboden unterm Fenster heiß gewesen war. Darüber redete sie jetzt mit ihrem Bruder, der vom Zimmer der Sonntagsschule mit den langen Bänken sprach, wo der Pfarrer niemanden zurechtgewiesen hatte. Denn ein Tag, an welchem nur das Gehen neben aufgeschichteten Brettern im Kirchenschatten, das Gefühl des frischen Hemdes und die Luft am nackten Bein zusammen mit dem Mittagessen auf einem sauberen Tischtuche und hernach ein Hinausschauen auf braune und moosige Dächer lautlos mitgespielt hatten, war ihrem Bruder sehr viel wert. Wenn nichts passierte, dann gefiel es ihm; sie aber mußte wieder denken: eigentlich bist du da anders.

Heute aber zog der Vater seine senffarbene Uniformbluse mit den silbernen Ecken auf beiden Kragenspiegeln an und sagte: »Ihr kommt dann also auch ins Waldheim.« Das war, während die Kirchenglocken läuteten. Über Mittag blieb er fort, weil er beim Festprogramm des Sommerfestes der Ortsgruppe Prag als Blockwart und ›Angstwalter‹ [ein spöttisches Wort] dafür sorgen mußte, daß die Kästen mit Bier richtig gestapelt wurden, die Säcke fürs Sackhüpfen, die Töpfe zum Zerschlagen bereitstanden und die Gabenverlosung reibungslos vonstatten ging. Und als Margret mit Eugen und der Mutter dort gegen halb fünf an einem Holztisch unter Akazienbäumen saß, hatte der Vater seine Uniformbluse unter den Achseln bereits durchgeschwitzt, so daß ein ovaler, nasser und dunkler Flecken sichtbar wurde, wenn er den Bierkrug hob. Zwischendurch lobte er die vielen hilfreichen Hände, die ihm beigestanden hatten, und sah seinen Sohn an, als habe er Angst, dem werde irgend etwas an ihm nicht gefallen. Aber der Vater hatte doch Kriegsauszeichnungen an sein braunes Hemd geheftet, also das Eiserne Kreuz, das silberne Verwundetenabzeichen und eine Ordensschnalle, an der der ›Blaue Fritz‹, ein königlicher Orden mit Krone und Schwertern, beinahe distinguiert zu leuchten schien. Der Leiter der Ortsgruppe, ein schnaufender ›Goldfasan‹, setzte sich neben ihn und ließ sein von einem Kosakensäbelhieb quer durchhauenes und vernarbtes Gesicht sehen, das Eugen russisch vorkam.

Man würde also in die Ferien fahren: eine Ablenkung…, nur waren auch noch die Eltern dabei. Herr Bareis kam zum Triospielen, und als die Männer bei einer Zigarre saßen, sagte der Vater, indem er im Klubsessel ein Bein übers andre warf: »Siegfried, du solltest jetzt in die Partei eintreten.« Und Siegfried sagte, als ob er sich geschmeichelt fühle: »Wenn man mich dort will… Ja, die knüpfen einfach drüben an… Weißt du, ich meine: dort, wo wir jung gewesen sind. Manchmal denke ich sogar: wo wir zu Hause sind. Bei unserm König halt.« Und er lächelte, breiten Gebisses und mit rundem Schädel, das Haar kurzgeschoren. Margret wußte, daß der Vater von seinem Freunde Bareis gerne als vom ›Siegfried mit dem Schleppsäbel‹ sprach, weil Siegfried [auch ein Kollege und ein Studienrat, der Cello spielte] vom Weltkrieg eine Rückenmarksverletzung mitbekommen hatte, weshalb er sein linkes und langes Bein nachzog und am Stocke ging; daher dieser ›Schleppsäbel‹. Wie aber konnte man froh oder nahezu geschmeichelt sein, wenn ›die Partei‹ und ›die Bewegung‹ dort anknüpften, wo man durch eine Verwundung im Rückenmark gebrochen worden war?

Doch jetzt ging es in die Vakanz, freilich mit den Eltern.

110

Eugen fuhr mit dem Vater auf dem Rad zum Bodensee, mit jenem Vater, von dem er früher gedacht und zu dem er gesagt hatte, er sei sein bester Freund. Seltsam, daß dies immer noch zu gelten schien, obwohl der Vater doch über so gut wie alles anders dachte. Aber, so mochte ihr Bruder zu sich selber sagen, was willst du denn, schließlich bist du nicht einmal volljährig; dein Vater bezahlt alles, und letzthin ist's gleichgültig, was der andre meint und denkt, weil du mit ihm zusammenleben mußt. Es gibt so gut [oder so schlecht] wie niemand, mit dem du dich verstehst. Also nimmst du mit denen vorlieb, zu denen du gehörst; es kommt ja auch so genau nicht drauf an.

Beim Radfahren die Luft spüren. Auf weißsandigen und heißen Straßen schwitzen, während er sein Rad schob. Sie hatten einen klaren und von Sonne scharfen Tag. Margret stellte es sich vor und meinte, daß ihr Bruder beim Fahren auf das gewichtige Hinterquartier seines Vaters sehe, das die Sattelfedern ächzen ließ, und wisse, daß er sich auf ihn verlassen könne. Und sie erinnerte sich der Photographien, die er auf einer Wanderung über die Alb vor sieben Jahren gemacht hatte und die den Vater mit offener Weste und die Jacke überm Rucksack zeigten. Ein Wirt hatte Blumenschein geheißen und sich mit seiner Frau zu ihnen an den Tisch gesetzt. – »Vor dreißig Jahren ist meine Frau gegangen wie ein Remonte-Gäule«, sagte Herr Blumenschein im leeren und vom Sonnenlicht weißen Wirtshauszimmer; der hatte sanfte Augen. Und der Vater erzählte von Künzelsau, vom ›Hohenlohischen‹, und Herr Blumenschein sagte, dort gebe es auch viele Juden, nickte und schaute her, als ob er etwas vom Vater erwarte; der erzählte, daß sein Futtermeister im Krieg Löwenthal geheißen habe. »Wissen Sie, als der im Stall gewesen ist, haben meine Gäul geglänzt, und es hat ihnen nichts gefehlt«, worauf Herr Blumenschein »ja« sagte. Der hatte also damals nichts hinzugefügt, der Vater aber hatte nachher »Bei dem spricht sein Blut nicht mehr« verlauten lassen; und jetzt war er in der Partei der Judenfeinde und hätte doch eigentlich anders denken müssen, weil er in Künzelsau mit Löwenthal und Ledermann und Furchheimer und damals auf der Alb mit Blumenschein sich hatte unterhalten können wie mit andern Männern auch. Trotzdem, und weshalb eigentlich...

Sie trafen sich in Hagnau am Bodensee, und Margret Rapp erfuhr von ihrem Bruder, daß sie auf der Fahrt einem Stuttgarter Straßenbahnkontrolleur begegnet waren, der auch auf dem Rad unterwegs gewesen sei; übrigens ein Mann, der gesagt habe, die neuen Herren müßten erst mal zeigen, was sie können. »Sonderbar, daß der Vater dem auch recht gegeben hat, wie früher dem Herrn Bareis. Erinnerst du dich noch?« Jawohl, das hatte sie noch im Gedächtnis, nur ging es sie halt nicht viel an. Ihren Bruder aber... Einen Mann mußte das Politische wahrscheinlich interessieren, obwohl sie heute lieber an den Schlager dachte: ›Wenn am Sonntag abend die Dorfmusik spielt / Hoidideldidel, hoidideldidel dum dum‹, denn der gefiel ihr jetzt. Und sie sagte zu ihrem Bruder, als er lachte: »Du verstehst halt nix vom Rhythmus.« – »Jedes kleine Mädel die Liebe dann fühlt...«, summte er, lächelte und machte das Hoidideldidel, hoidideldidel dum dum nach. Er sagte, wenn man den Paaren so zuschaue... »weißt du, denen mit Hautgefühl«, dann könne man ihnen bloß viel Vergnügen wünschen. – »Hast du da keines?« fragte sie und dachte: also, wie ein alter Mann... Er sagte: »Ach, ich kann schlecht tanzen«, und sie verstand ihn nicht, der wieder vom Politischen zu reden anfing und sich überlegte, ob der Vater nicht allmählich auch draufkomme, daß er, um als Blockwart Waldfeste zu arrangieren, nicht in die Partei hätte hineinzugehen brauchen; da hätte es ein Kleintierzüchterverband schließlich auch getan, obwohl es freilich besser sei, Sommerfeste zu organisieren, als sonst etwas Gemeines... »Weißt noch, wie der Herr Kurrle von seiner Amtswaltervereidigung erzählt hat? Da hat doch hinter ihm einer gemurmelt: ›No recht fest glaube... No recht fest glaube. Wenn wir alle recht fest glauben, dann wird's wunderbar...‹« Und sie nickte, indes er sagte, es nütze freilich alles nichts, weil die ganze Schose trotzdem weiterrolle, wie sein Fahrrad... Und als er dies auf der Fahrt hierher gedacht habe, sei er vom Rad gefallen und habe überm Ellenbogen eine blutende Rille gehabt, in der Steinchen steckten. Der Vater wusch sie ihm in einem Bauernhof mit Schnaps aus und sagte: »Jetzt g'schwind auf d' Zäh' bisse, Eugen!« Ein alter Mann, dessen verschwitztes Haar wie mit Heufasern durchwoben aussah, erzählte, daß er vom Christian komme, und der habe einen Wein! »A Weinle, sag i euch, der ist dag'stande wie's Mädle ohne Hemmat!« Und er berichtete, daß sie beim Christian auch über Päpste geschwätzt hätten, von denen sogar einer mal ein Weib gewesen sei; weshalb sie in den Papstthron ein Loch gesägt hatten, und wer Papst werden wollte, mußte ohne Hose darauf sitzen, damit ein anderer von unten heraufgucken und rufen konnte: »Er hat's! Er hat's!« In Sigmaringen raschelten Mäuse im kalten Ofen, und der Wirt brachte blutiges Fleisch an den Tisch, damit die Gäste sähen, woraus er sein Gulasch mache. Oben im Gang vor dem Spiegel aber hatte eine Wirtstochter hinter ihm, der sich die Hände wusch, summend gesungen und ihr blondes Haar aufgesteckt, hoidideldidel, hoidideldidel dum dum.

Er war also kein lahmer Bursche oder trüber G'sell, denn er hatte es gemerkt, worauf diese Wirtstochter hinauswollte, nur traute er sich noch nichts zu, obwohl er für ein Mädchen schon in Frage kam. Als Schwester konnte man das freilich kaum abschätzen, wahrscheinlich, weil der Abstand fehlte, und noch aus einem andern Grund; doch mußte es sich so verhalten, wie sie es sich dachte, weil die Frau eines Chirurgen, eine Hochgewachsene mit dunklem Haar, die sie am Badplatz kennengelernt hatten, zur Mutter sagte: »Ach, wie sieht er heute wieder lecker aus!« Und, in der Tat, wenn er ein frisches, blaugestreiftes Hemd anhatte, war er trotz seiner goldrandigen Pfarrersbrille einer, der als Blickfang gelten konnte; allerdings nicht immer, weil es bei ihm wechselte. Aber, was wechselt denn bei deinem Bruder? Das Aussehen, diese Jugendfrische, wie man für gewöhnlich sagte, und daß er gebräunt war? Aber da konnten andere und Bleiche, ja sogar Häßliche und solche mit den sogenannten Ohrfeigengesichtern, diese Gauner, anziehender als ihr solider Bruder sein, bei dem allerdings manche denken mochten: a guater ond a liaber Kerle... Der wird mal eine kriegen, die ihn in der Hand hat, gängelt... Oder er würde keine nehmen, weil er ab und an durchblicken ließ, am wohlsten fühle er sich, wenn er auf warmem Grasboden gehe, vor seine Schuhspitzen oder in die Ferne schaue, also als ein Hans-guck-in-die-Luft.

Sie lachte: »Du bist gut, weil du das auch noch selber weißt!« Und er: »Erst wenn du's selber weißt, hast du etwas davon.« – »Ich nicht. Du, ich vergesse mich manchmal, denk gar nicht dran, daß es mich gibt.« – »Ich auch, aber bloß beim Alleinsein.« – »So?« Und sie wunderte sich. Beim Alleinsein denkst du eigentlich immer an dich selber; das ist dir ungemütlich; dann fällt dir alles Unbequeme ein... »Nein«, sagte sie, »ich wünsch mir, daß mich jemand von mir wegholt.« – »Natürlich ein Bub, ein Kerl oder ein junger Herr. Hoidideldidel dum dum.« – »Jetzt hör doch endlich mit diesem Hoidideldidel dum dum auf! Du verdirbst einem alles!« – »Warum sagst du denn nicht: versaust?«

Hinter ihnen sagte der Chirurg, der in ›Mein Kampf‹ las: »Und das hat er alles ohne Universitätsbildung geschrieben...«, worauf der Vater ein »Ja« hören ließ, obwohl er ›Mein Kampf‹ nicht gelesen hatte und dieses Buch wahrscheinlich auch nie lesen würde. Ihr Bruder sagte: »Siehst du, so etwas versaut mir jetzt die Stimmung.« Das Wasser wusch am Kieselrand des Ufers und hatte gegen Mittag ein stumpfes Graublau, als wäre es mattiert. Rechts drüben streckte sich die Halbinsel mit Konstanz, eine Strandzunge und flache Silhouette, von der man sich einbilden konnte, auf ihr warte etwas Ungewöhnliches; im Insel-Hotel vielleicht, wo man nie hinkam…Eugen sagte, gut, daß die Berge in der Ferne lägen, manchmal rosig mit Schneeschrunden, jetzt aber blaukantig, denn aufs Gebirge sei er gar nicht scharf. Und er las Mörike und Wilhelm Raabe, und dieser Raabe hatte auch bloß über sich selbst nachgedacht.

Sie schwamm und ließ sich sonnetrocken werden, daß die Haut spannte. Eugen kämmte sich vor einem Taschenspiegel; er tat es immer wieder, wenn er aus dem Wasser kam. Das war ihr neu an ihm. Hinter ihnen wurde gelacht, geflüstert. Über ihren Bruder und ob seiner Eitelkeit? Dir kann's nur recht sein, wenn er jetzt ein bißchen auf sich achtgibt. Nun gehörte dies dazu, mußte so sein, nur war es bei ihm noch allzu beflissen und beinahe ohne Schmiß und Schick, obwohl ihm seine neue Knickerbockerhose trotz der magern Waden recht gut stand. Und sie erinnerte sich, daß der Vater einmal zu ihm gesagt hatte: »Ha freilich hat der Sperling Waden, nur meistenteils recht dünne.«

Ferienstimmung wie in vergangener Zeit, also vor drei Jahren, denn die Aussicht und die Luft am See waren so wie immer, nur innen hatte es sich ein bißchen verschoben. Bei den Eltern verschob es sich nicht mehr, und deshalb waren sie auch zu beneiden. Wie die Mutter vorsichtig ins Wasser ging und mit den Händen pritschelte, weil sie nicht schwimmen konnte. Der Vater lachte, daß es bis ans Ufer schallte; und er sagte zum Chirurgen: »Gelt, mein Mäusle ist noch recht gut beieinander, richtig kugelig!«

Du bemühst dich nicht darum, herauszubringen, was daran schuld ist, daß sich in dir etwas verschiebt. Bei deinem Bruder ist dieses Politische dazugekommen, und bei dir? So gut wie nichts, wahrscheinlich, weil sie niemand zwang, indes ihr Bruder jetzt gezwungen wurde und der Zwang von außen und von innen kam. Du bist neugierig, wie sich's bei ihm auswirkt; ob der mal aufhört, mitzumachen? Du traust es ihm zu.

Zu Hause lernte er in einem jener großen blauen Bücher, denen mit goldenen Ornamenten auf den Deckeln, die im Bücherschrank standen; die Glasscheiben an den Rändern waren schräg geschliffen und, wo Licht darauffiel, grünlich. Auch der ›Dienst‹ fing wieder für ihn an. Einmal brachte er einen Tornister heim, von dem er sagte, er habe ihn ›gefaßt‹; übrigens für einen Gepäckmarsch, der am Sonntag sei, und es müßten drei Ziegelsteine hineingelegt werden. An der senfgelben Bluse hatte er einen Trauerflor über die Hakenkreuzarmbinde geschoben [»das tu ich gerne, weil man's dann nicht so arg sieht«]; es war ein sogenannter ›Kamerad‹ gestorben oder umgekommen, wahrscheinlich im Dienst; »aber gekannt hab ich den nicht. Ich gehör doch nicht zu ihnen«. Und Margret erfuhr, daß er von denen immer ›der Bojer‹ genannt werde, weil er hellblaue Kragenspiegel habe; und sie wollten, daß er in der äußeren Reihe marschiere, also nahe beim Trottoir. – »Weil du besser aussiehst als die andern Knaudel«, sagte sie und erfuhr später, daß sie sich gewundert hätten, weil er tatsächlich drei Ziegelsteine im Tornister gehabt habe; sie selber hatten halt Papier hineingestopft. – »Weil die nicht so blöd sind wie ich. Die lassen sich doch nicht alles vorschreiben.« – »Sag das nicht!« ermahnte ihn der Vater, der im Haar grubelte, und Eugen fügte hinzu: »Die sind Arbeiter und wissen, wie der Schwindel läuft; die kennen ihn aus der Fabrik; bei denen ist es anders als unter Studenten; gemütlicher, das auf jeden Fall.«

Er war also mit einem anderen befreundet, und der sollte Wieland heißen. »Das ist ein berühmter Name; schließlich hat ein Dichter so geheißen, und darauf ist er stolz. Rapp aber…, nun ja, Rapp: Halt das Wort für einen Gaul; aber mir genügt es«, und sie mußte wieder einmal lachen. Den Wieland hatte sie noch nicht gesehen, und, ehrlich gesagt, sie war auch nicht auf ihn neugierig; den stellte sie sich affektiert vor, weil Eugen sagte, daß er elegant und ›typisch

116

gut aussehend‹ sei. Wahrscheinlich so ein Eierkopf, dem die Haare bald ausgingen, was sie sowieso nicht leiden mochte, obwohl beim Triospielen in der Wohnung eines Obersekretärs vom österreichischen Konsulat, der Seiz hieß und zu dem sie ohne ihre Eltern manchmal ging [und daß du Geigespielen kannst, wird dir bloß nebenbei bewußt, halt für den Hausgebrauch], ein Bratschespieler neben ihr zu sitzen pflegte, der auf den Ingenieur studierte, und die Seizens [aus Wien, und die Frau macht feine Gutsle, denke bloß an ihre Schokoladebutter, die zwischen Oblaten liegt] immer wieder sagten, sie und der Herr Abele verstünden einander doch recht gut? »Ja, warum auch net?« antwortete sie dann und erinnerte sich dieses Abele, der also ebenfalls einen Eierkopf hatte und bei der SS war; einer von den Hellblonden, über die ihr Bruder zu bemerken pflegte: »Also vielleicht Herrenrasse?« Aber sagen, daß er ihr widerwärtig sei, das hätte sie nicht können, der war nur trocken, wie es sich für einen Ingenieur geziemte, ein Gewissenhafter, über dessen Handschrift sich Eugen einmal vorsichtig geäußert hatte, also ungefähr so: »O ja… Aha… Der macht alles, wie man es von ihm erwartet; aber für seinen Beruf ist das nur gut.«

Dieser Gauner; der wollte nichts Genaues sagen, weil er dachte, das müsse sie doch mit sich selbst ausmachen. Er hatte recht und war wieder in München. Jedenfalls brauchte er sich nicht darum zu kümmern, ob er heiraten sollte oder nicht; beneidenswert; ein Mann hatte es leichter.

Worauf lief es hinaus? Zuweilen sah sie Abele, der sein Examen machte. Der mit seinem überanstrengten Gesicht, dachte sie dann und meinte, das werde wohl von seiner Arbeit kommen, die ihm gefiel und von der er sagte, also Schwierigkeiten habe er mit ihr so gut wie keine; dem glänzte die gute Examensnote sozusagen auf der Stirn, und deshalb paßte er wahrscheinlich nicht zu ihr; der konnte doch nicht richtig lachen und sagte so gut [oder so schlecht] wie nie etwas, das nur von ihm sein konnte. Einmal schaute er sie von der Seite an und befahl: »Dreh deinen Kopf noch ein bißle nach links.« Sie tat's und fragte, was er jetzt gesehen habe, doch spaltete er seinen Trinkstrohhalm mit dem Daumennagel und blieb still. Dann sagte er, in der Hochschule hätten sie einen Automotor umgekehrt laufen lassen, so daß also die Luft durch den Auspuff eingesaugt worden sei, während es vorne geraucht habe. – »Toll. Und daran hat dich jetzt mein Hinterkopf erinnert?« – »Nein, aber daß ich dir's nur sage: Du hast ganz wenig Nordisches... Und weil ich doch bei der SS bin, wo jeder eine Photographie der Frau vorlegen muß, die er heiraten will... Bei euch aber ist der am meisten Nordische dein Bruder.« – »So? Und der ist grad dagegen! Also, ich meine: ausgerechnet... Was?«

Es war ihr so herausgefahren, und Abele sah auf das Tischtuch, ein betretener Mensch, der den Nickelkelch mit dem Eiskaffee beiseite schob. Ob Eugen vielleicht meinte, einen solchen Mann solle sie laufen lassen? Aber du bringst aus deinem Bruder nichts heraus... Und sie hörte zu, wie Abele in zähem Tonfall vorschlug, sie solle mit ihm nach München fahren, wo er sich bei der MAN – »Emm A Enn« sagte er – vorstellen müsse; sie könnten auch Eugen besuchen, und vielleicht hätten sie dann noch für das Hofbräuhaus Zeit.

Sie lächelte und sagte: »Wie's dir recht ist« und hatte schon den trockenen Geschmack des überheizten Eisenbahnabteiles auf der Zunge, in dem sie mit diesem zwar gut gewaschenen, aber wie ausgebleichten Abele dann sitzen würde, während draußen lauter ordentliche Felder sich ausstreckten und Bäume einer Zahlenreihe oder einer Reißbrettzeichnung glichen. Und auf der Reise stellte sich alles so ein, wie es ihr im Café vorgeschwebt hatte, nur dachte sie jetzt nicht darüber nach. Du hast nur das Gefühl, als ob hinter dem grauen Reißbrett trotzdem einmal etwas anders würde, aber wann? Und immer dachte sie nur an den Tod des Hundes Nero, anderes fiel ihr nicht ein; wahrscheinlich, weil der vor drei Jahren wie dieses ungelüftete Abteil gerochen und der Tierarzt gesagt hatte, das sei der typische Geruch eines nierenkranken Hundes. Unterm Tisch im oberen

Flur war es mit ihm ausgegangen, worauf ihn einer von der Kadaververwertungsanstalt im Genick am Fell gepackt und als ein steifbeiniges Tier zum Schubkarren auf die Straße geschleppt hatte. Neben deinem Abele fällt dir halt nur ein toter Hund ein.

Eugen aber war dann gar nicht schlecht. Der zeigte ihr seine Bude, die hoch oben lag und nach hinten hinaus ging; unten streckten sich von Mietshausmauern umschlossene Gärten aus. Und, Abele betreffend, fragte er sie nur, was sie eigentlich mit dem wolle. Dann erzählte er von den Verwandten seiner Wirtin, die ihn zur Hochzeit ihrer Tochter einladen wollten, damit »dann auch einer in SA-Uniform dabeisei«, denn dies habe die resolute Braut zu ihm gesagt. »Sie hat gemerkt, daß ich nicht will. Du, die empfiehlt mir immer ihre Schwester, so eine Zierliche und Dunkle, weißt du. Aber, wenn ich höre: ›Warum soll in Herrn Rapps Bett nicht auch einmal ein Mädchen schlafen?‹ verschlägt es mir nicht nur den Appetit, sondern auch das Gesicht, womit ich sagen will, daß ich aufpassen muß, damit ich nicht rot werde.«

Ein Empfindlicher also, doch wußte sie es längst; da sagst du mir nichts Neues… Und ihr Bruder war der Bub, den sie am längsten kannte. Warum dann trotzdem immer ein gewisser Abstand spürbar wurde? Vielleicht hatte er's vom Großvater Julius Krumm geerbt, denn befremdend wirkte dieser Abstand bei ihm nicht; jedenfalls anders als beim Abele, von dem sie dachte, daß er ein lendenlahmer und stärcher Geselle sei, beinah, als schmecke der nach nichts. Neben ihrem Bruder, und wenn Abele weit weg und im Büro der Emm A Enn war, kam es ihr so vor. Und wie ist's, wenn Abele bei dir sitzt? Da wünschst du ihn dir ins Büro der Emm A Enn und denkst: bleib doch bei deiner Emma selig… denn Eugen sagte immer Emma statt MAN; und das schien ihr für Abele zu passen.

Sie sah jetzt eine ihr bis heute unbekannte, großflächige, gedehnte und nahezu imposante Stadt. Die Straße, in der ihr

Bruder wohnte, endete vor einer Anlage; der Museumsbau dahinter hatte eine verwaschen rote und geschwärzte Flanke, und zwischen Pflastersteinen, die wie ein Mosaik geordnet waren, hatte sich Gras eingenistet. Daß du's hier siehst, daß es dir auffällt, obwohl es all dies auch in Stuttgart gibt... »Woanders merke ich es mir genauer als daheim«, sagte ihr Bruder, der ihr weiter unten einen Anbau neben einer Mauer zeigte, hinter der eine Platane ragte, ein Ekkensteherhäuschen, das, wenn man es nüchtern ansah, nichts anderes war als ein Pissoir; hier aber fiel ihr sogar ein Pissoir auf. Weiter oben dann geschnitzte und staubige Bücherbretter im Schaufenster eines Antiquars, eine grünlich gestrichene Eisentüre mit schräger Messingklinke, deren Griff eingerollt war [ein Ornament], und gegenüber diese Rarität eines Auskochgeschäftes, die nur hier zu finden und schmuddelig war, ein ebenerdiges Zimmer mit fliegenbesetzten Kuchen und im Hintergrunde packpapierbelegten Tischen, alle eng besetzt, die Gäste meistens in bis zu den Knöcheln herabhängenden Lodenmänteln, vorgebeugte Suppenlöffler, die blecherne Bestecke rührten. Nahebei ein abwehrendes Haus mit rundbogigem Tore, durch das niemand ging und dessen Fenster verhängt waren. Eine Kirchenuhr schlug; ihr Schlag drängte sich hallend vor.

»Was denkst du über meinen Abele?« fragte sie ihn, und er antwortete: »Dasselbe, was du auch über ihn denkst«, worauf sie sagte, das könne er nicht wissen. – »Vorstellen aber schon... Ich meine nämlich, du hättest ihn gern.« – »Ganz sicher bin ich mir noch nicht.« Er sagte nichts mehr, und ihr schien's, als ob er nun etwas erwarte, aber was?

Es war trocken und kalt, ein eingemummter Tag, in dem einer wie Eugen heimisch war, weil jetzt die Straßen graue Stuben waren, die ein Dunst begrenzte. Und er wünschte sich, am Fenster zu sitzen, den wärmeknisternden Ofen hinter sich. »Dann fehlt mir nichts, und ich brauch weder verlobt noch verheiratet zu sein. Denn wozu eigentlich?« Und er erzählte von jenem Ururgroßvater Krumm, der Müller in

Grötzingen gewesen und nachts aufgestanden war, um sich im Hemde ans Spinett zu setzen; übrigens hatte der sein Geld mit Offizieren der napoleonischen Armee verspielt. Freilich, verheiratet mußte er gewesen sein, weil sonst sie beide nicht dawären. Doch gefiel es heute einem Nachgeborenen, der als Student in München lebte und Eugen Rapp hieß, sich mit Erinnerungen an den Ururgroßvater von innen her warmzumachen und sich vorzustellen, daß derselbe ganz und gar unabhängig gewesen sei.

Abele kam. Sie trafen ihn vor einem wasserschüttenden Brunnen, und Abele war ein blasser Mensch. Ihr kam es vor, als sähe sie ihn mit den Augen ihres Bruders; weshalb es ihr lohnender schien, den schwarzen, naßspiegelnden Boden vor dem Siegestore zu betrachten und sich einem Aborthäuschen zuzuwenden, dessen verschnörkelte Eisenflächen angerostet zwischen ausgerauftem Buschwerk standen und neben dem's in eine distinguierte Straße ging [auch ein Wort, das sie von ihrem Bruder hatte]. Weiter unten roch es vor dem Eingang zum Englischen Garten nach Lysol, und Eugen sagte, das sei der Viehzwickergeruch, weil der aus dem tierärztlichen Institut komme und, falls er von einer senfbraunen Uniformbluse ausströme, besonders wirkungsvoll sei; er könne so was beurteilen, hierin sei er Experte, denn als Mitglied eines Veterinärstudentensturmes habe er's mit der eigenen Nase aufgenommen. Keinen Widerspruch also, das bitte er sich aus.

Margret lachte, Abele zeigte ein mockiges Gesicht; und weil es Zeit war, sich zum Bahnhof aufzumachen, mischte sich im Gehen nur schuldige Freundlichkeit mit dem Gefühl eines eisenfarbenen Tages, dessen Luft sie stärkte.

Ob ihr Bruder noch lange bei diesen Uniformierten bleiben würde, wie es der Vater haben wollte und die besorgte Mutter wünschte? Ihr kam es vor, als warte er nur auf eine Gelegenheit, um unauffällig wieder weggehen zu können. Auch der Vater schien ihm nichts zuzutrauen, und einmal sagte der: »Wenn du sie alle haßt, dann mußt du doch etwas gegen sie tun... Also, werd ein Christus oder sonst so einer!« Der Vater meinte es [im Hinterkopfe] spöttisch, das traute sie ihm zu: und es war wohl kein Wunder, wenn ein derart um Hüften und Brust kräftiger Mann mit massiver Stirn und dichtem Haarwuchs wie der Vater ungeduldig wurde, sobald er seinen Sohn immerzu bittere und verächtliche Reden führen hörte oder schweigen sah; wenn man doch zwanzig Jahre jung war, heidenei! Aber jetzt war er schon einundzwanzig und wich aus, ja, ihr kam's vor, als ob der Sohn den Vater dulde und ja sage, ihn bestärke, als sich der Vater freute, daß beide Buben des Obersten Ruß Soldat geworden waren. Der ältere kam zu Besuch und hatte die graugüne Uniform an; aber wie sah der aus: Die Hände von Schrunden und Kratzern rissig, das Gesicht eingefallen, ein magerer Mensch, der oft ein Gähnen unterdrücken mußte. Der Vater fand solch eine Zucht und Ordnung wunderbar; ihrem Bruder aber graute es, und später sagte er: »Der Fritz sieht überanstrengt aus: nun, 's ist kein Wunder...«, worauf der Vater im Klubsessel hochfuhr: »Ja, glaubst du denn, daß aus einem Soldaten etwas wird, wenn er sich schont?! Es ist bloß gut, wenn einer mal geduckt wird!« Und er erzählte von seiner einjährig freiwilligen Dienstzeit vor dem Krieg und wie er damals als junger Lehrer geglaubt hatte, daß er etwas sei; bis ihm dann irgend so ein dummer Unteroffizier auf dem Kasernenhof bewiesen habe, daß er nicht mal gehen könne: »Und das hat mir bloß gutgetan!«

Eugen nickte und sagte, jawohl, das glaube er ihm gerne; dann ging er in seine Dachstube und schmunzelte sich auf der Treppe eins; denn sie beobachtete ihren Bruder, als er oben um die Ecke bog, dort wo eine Brüstung oder ein gemauertes Geländer vorgebaut und mit schwarzlackiertem Holz belegt war. Der hatte sich also weggeschlichen als ein Schmunzler, schon mit einundzwanzig Jahren, wahrscheinlich, weil ihn die Zeit, gegen die er leben mußte, älter machte. Sie erinnerte sich der Stunden in München, da er, wie sie jetzt meinte, affektiert oder geziert geredet hatte und insgeheim spöttisch gewesen war wie einer, der sich nicht in fremde Verhältnisse mischen wollte, weil doch die Sache zwischen ihr und Abele für ihn nur ein fremdes Verhältnis war. Und wieder dachte sie: du Gauner… dich habe ich durchschaut…, und wurde ein unbequemes, ja schmerzendes Gefühl nicht los, weil ihr der Bruder schließlich hätte helfen oder einen Wink geben können, wie sie's mit Abele halten solle, denn sich entscheiden war in diesem Falle heikel. Du weißt nicht, was du willst, es heißt zuviel von dir verlangen, wenn du an später denken sollst, denn später… Später war wie eine Münchener Straße im November, auf der sie nur bis zum anderen Trottoir hatte sehen können, weil dahinter alles weißlich oder grau verhängt gewesen war.

Er erzählte ihr [die Frühjahrsferien hatten angefangen, und was hatten doch Studenten für lange Vakanzen] von Theaterstücken und Romanen, die jetzt nicht mehr gelesen oder gespielt würden, aber schließlich wüßten er und sie nur aus Romanen etwas übers Leben; und dort stehe manchmal nebenbei – »Schriftsteller verstecken allerlei, damit es dir erst hintennach einfällt, oder weil sie es beim Schreiben auch nicht genau merken« –, daß es nur gut sein könne, wenn am Anfang nicht viel Leidenschaft mit drin sei; also vor einer Ehe beispielsweise. Daraus könne etwas Dauerhaftes werden. – »Und wenn du neben deinem Partner gähnen mußt?« – »Zuviel gähnen müssen, ist natürlich schlecht, aber ich meine doch: ein bißchen in Schmalz gebackene Langeweile – au net schlecht…« – »Da bin ich lieber für das Gegenteil; also, daß es knistert.« – »Das heißen die Schriftsteller dann ein ambivalentes Verhältnis: Also, daß du dich ganz heiß über ihn ärgerst und dich bald danach ebenso heiß über ihn freust. Dazu kann dir ein Außenstehender nur herzhaft gratulieren und arg auf dich neidisch sein.«

Jetzt wußte sie nicht mehr als vorher; aber er hatte ›heiß über ihn freust‹ gesagt, und über Abele freute sie sich halt bloß lau. Eine halblebige G'schicht… Und wenn sie es sich genau überlegte [was du nicht kannst] oder hinunterstieg und tiefer grub und kratzte, also wie in einem Steinbruch, oder wie es sich ihr Bruder wünschte, daß er einmal etwas Vergrabenes finden werde [du findest es nie], dann schmeckte sie nur Fades. Nein, dieser Abele verbarg nichts, der war langweilig. Wenn er lockerer gewesen wäre, fröhlicher, ja, dann schon… Aber so… ein ganzes Leben lang mit diesem Abele… Sie konnte es sich nicht vorstellen, warf die Hand beiseite, schüttelte den Kopf im Stuhl ihres Großvaters Julius Krumm und saß dem Spiegelschranke gegenüber, aus dem sie sich anschaute, als wär sie eine andere. Allmählich wirst du dich schon kennenlernen, würde ihr Bruder sagen, der gern altmodisch redete, wenn er irgend etwas in der Schwebe lassen wollte.

Übrigens war dieser Frühling wieder da, von dem sie sagten, er gleiche der Jugend. Vom Alter her betrachtet, mochte es so scheinen, wahrscheinlich, weil alte Leute sich selbst kennengelernt hatten und sich nicht mehr mit sich herumzuquälen brauchten. Wie hatte doch ein Professor gesagt? »Wenn Sie älter werden, lassen Sie es sich gern schmecken und bekommen halt ein Bäuchle.« Die hatten's gut; und auch ihr Bruder sagte, nur die Angegrauten seien zu beneiden… Der Frühling machte, daß im Vorgarten des Nachbars jeder Zweig so glänzte, als hätte man ihn eingesalbt. Jetzt konnte sie in ihrer Stube sitzen, weil die Luftheizung des Kachelofens drunten im Eßzimmer genügend warm machte, und Eugen legte droben nur noch zwei oder drei Briketts in das Kanonenöfchen bei der Tür und sorgte nachts mit einem in Zeitungspapier gewickelten Brikett dafür, daß das Feuer nicht ausging. Denn daran dachte eine, die sich die Verlobung mit Abele überlegte, weil das Geschäft des Haushalts ihr im Blute lag.

Du bist eine, die fürs Heiraten gemacht ist… Ringsum sagten es die Leute, und also sollte vielleicht Margret Rapp Abele glücklich machen; so ist die Meinung in der Straße, und du weist sie auch nicht von der Hand… Sie hätte nicht gewußt, weshalb sie sich dagegen sträuben sollte, weil's für eine wie sie nichts anderes gab. Vielleicht war dies sogar abwechslungsreicher, als ihr Bruder dachte, der zugab, daß ihm bis heute noch kein Mensch begegnet sei, der ohne Spießbürgertum ausgekommen wäre. Vernünftig, sehr vernünftig…, nur ist es nicht ganz nach deinem Geschmack. Und auch bei ihrem Bruder drang etwas hindurch, das ungemütlich oder nicht ganz sauber war. Das Spießbürgertum paßte nicht zu ihm, doch nahm er's hin und fand sich damit ab wie sie, wenn in der Küche die Mutter allzu ›pünktlich‹ war und zu ihr sagte, man wische Milch niemals mit einem Lappen ab, weil dann der Lappen zu rasch fettig werde; weshalb die Mutter die Milchtropfen mit der Hand vom Wachstuch ins Glas streifte und das Glas austrank; denn in einem Beamtenhaushalt durfte nichts verkommen.

Gewissenhaft und pünktlich sein: eigentlich war's scheißlich; ja, scheißlich mit i… Und trotz ihrer Kleinlichkeit, ihrer Käsdrecklerei, konnte die Mutter immer noch eine Beethovensonate nach der andern, dazu Chopinwalzer, Etüden, Schubert-Impromptus wie im Konzertsaal spielen. Eugen war zu faul gewesen, sich damit abzumühen; weil er sich vor den Geigenstunden beim Musikus Gronbach in Künzelsau gefürchtet hatte, war ihm die Lust vergangen, obwohl er, wie die Mutter sagte, am musikalischsten von ihnen beiden sei. Er aber meinte, lieber so was wie Talent sozusagen abgestanden werden lassen, als sich anstrengen, denn schaden werde es jedenfalls nichts; worauf sie sagte, aber schade sei es trotzdem, was ihn freute, denn er schüttelte die Hand und lachte: »Wenigstens pflanzt sich in dir die musikalische Tradition unserer Familie fort. Mir würd es weit 'nei grausen, wenn ich so was tun müßt.«

Auf diese Weise konnte man's ausdrücken, so ungefähr verhielt es sich, weil bei ihr dieser Drang zur Kunst bloß bis zum Hausgebrauch zu reichen hatte. Daß es die Mutter aber niemals schmerzte, weil sie selbst keine Künstlerin geworden war, verstand Margret Rapp nicht. Dein Bruder aber verbirgt etwas. Vielleicht grub der immer nur diesen Gedanken um: wie komme ich von der SA los… Eine Drüse wurde an seinem Hals immer dicker, und unterm Kiefer war ein Knollen spürbar, ungefähr wie ein Vogelei, was die Mutter manchmal besorgt machte, obwohl er sagte: »Also, i spür nix… Auch an meiner Lebensweise kann's nicht liegen; denn ich, ein durchaus solider Student, was i beschwöre kann… Freilich, das Leben ist halt arg gesundheitsschädlich, da habt ihr recht.«

Du kennst dich im Haushalt aus; du bist eine geschulte Köchin, die auch putzen kann…, weshalb sich Abele immer noch sehen ließ [»Der weiß schon, was er an dir hat und springt nicht ab«, sagte der Vater] und mit den Eltern den Termin ihrer Verlobung absprach. Es zeigten sich Verwandte, und immer wieder mußte sie an Sonntagvormittagen in einem anderen Salon oder ›besseren Zimmer‹ sitzen, das sich überall ähnlich war und das sich kühl und unbenützt anfühlte; zu seinem Schmuck gehörte eine Topfpflanze, die zu Hause fehlte; aber auch im elterlichen Hause stand ein Ledersofa vor einem runden Tischchen, das eine gehäkelte Decke und unter der Platte ein Fach hatte, wo beim Zahnarzt immer illustrierte Blätter lagen, während es hier mit dem Prachtalbum ›Bismarck – Denkmal für das deutsche Volk‹, Wilhelm Buschs ›Humoristischem Hausschatz‹ und einem brandmalereiverzierten Kästchen belegt war, in dem Photographien und Postkarten aufbewahrt wurden, die Tante Emilie aus Petersburg, Reval, Mentone oder London geschickt hatte. Auf dem Sofa saß es sich behaglich, nur löcherte es Margret insgeheim, daß sie jetzt also bald wie ein Briefbeschwerer oder eine Vase zu einem solchen ›Besseren Zimmer‹ mit ihrem Abele gehören sollte, der doch bei der SS war und nicht davon ablassen konnte, heimlich ihren Hinterkopf zu prüfen. Abele benahm sich arg korrekt, kaum daß er in der Küche einmal den Arm um sie legte, indes ein

126

junger Bauer, der sieben Reit- und Zugpferde sein eigen nannte und einen Gutshof erben würde, früher einmal mehr von ihr verlangt und auch gerne bekommen hatte; weshalb's ihr leid tat, die Verbindung mit dem jungen Erbhofbauern nur der Mutter wegen wie eine Garnrolle auslaufen lassen zu haben, obwohl es vielleicht doch schwierig geworden wäre, so als Bäuerin... »Dort bist du dann nichts anderes als eine Magd«, hörte sie die Mutter sagen, während Abele im Verwandtensalon ein zähes Gespräch weiterdehnte und sie sich später streng zusammennehmen mußte, damit sie ihm ihre Gedanken nicht verriet.

Dann die Verlobungsfeier, bei der man lange auf die Torte warten mußte, weil der Sohn des Bäckermeisters, dieser Emil Reiser, sie verspätet fertigstellte oder nicht rechtzeitig ins Haus bringen wollte.

Eugen sagte, eine Verlobung sei niemals etwas Endgültiges, und überlegen könne sie sich diese Schose immer noch. – »Du hast leicht reden«, antwortete sie ihm. Es war beinahe wie ein Schwindelgefühl oder wie ein Kater; hoffentlich verschwand es bald. Es richtete sich dann auch wieder ein [wie ein verrenkter Magen], und bald kam es ihr vor, als hätte sie sich etwas eingebildet.

Dann war ihr Bruder schon wieder in München, und im Zurückdenken saß er als einer vor ihr, der beim Lesen abgewendet aussah; aber beim Lesen wandte sich schließlich ein jeder von den andern ab; und der las also nun, seitdem er sechzehn war, immer wieder Mörikes Gedichte, nahm das orangegelbe Bändchen überallhin mit, ein Reclam-Heft, das er am Stöckachplatz im Papierwarengeschäft Klingler [seiner Schule gegenüber] hatte binden lassen und auch in den Turnspielen hinterm Gaskessel bei Gaisburg dabeigehabt hatte, um dort, falls Turnlehrer Wochele beiseite schaute, im Gras liegend, darin zu blättern, ein paar Verse nachzuschmecken und dann wieder aufs Gras zu schauen, wo Samenkugeln von Löwenzahnblüten wie stehengebliebener

Rauch oder wie Staub aussahen, der kristallin geworden war; dazu der Abend hinter dem Gaskessel und wie er spürte, daß alles locker und nachgiebig wurde, weil eine Stadt doch tagsüber gespannt war; das Gespannte aber mochte er eigentlich nicht. »Ein verschlafenes Nest ist mir halt lieber; denk' bloß an Cleversulzbach«, hörte sie ihn sagen, und dachte wieder: weil ihm zuviel auf die Nerven geht.

Er kam, der geschwollenen Drüse unterm Kiefer wegen, vier Wochen früher heim, als es noch Juni war; er sagte, wenn's etwas Ernsthaftes sei und aufgeschnitten werden müsse, solle es ihm recht sein. – »Warum denn?« – »Weil ich dann die Platten putzen werde.« – »Welche Platten willst denn putzen?« – »Das kommt von den Landstreichern. Die sagen so, wenn sie weggehen wollen. Und ich werd also die Platten bei der SA putzen, das unbedingt. Mein Viehzwikker-Sturm sieht mich nie mehr. Gelt, Margretle, du hältst dein Maul?«

Jetzt hätte sie sich fast geärgert, weil er ihr nicht zutraute, daß sie schweigen konnte; aber dann fragte sie, wie es in München sei, und er erzählte: »Vielleicht bilde ich's mir ein, aber trotzdem hat's dort in der letzten Zeit geknistert; du kannst sagen, was du willst.« – »Aber ich sag doch nichts! Mach lieber weiter«, fiel sie ihm ins Wort, und er wartete eine Weile, ehe er von einem Gedicht in Schreibmaschinenschrift erzählte, das jener Wieland auf dem Abort gefunden hatte und das mit: ›Du deutscher Mann in der SA‹ begann. Ein Schmähgedicht, etwas Erfrischenderes könne sie sich nicht vorstellen; der Wieland solle es ihm schicken. Im August komme der vielleicht hierher, dann lerne sie ihn kennen und werde selber sehen, daß er ein feiner Kerle sei. Und er beschrieb die Aussicht von Wielands Münchener Bude im vierten Stock, wo Dächer aus rotem und grünem Blech, aber auch Schiefer wie ein weiter Boden seien, über dem der Himmel höher, heller aussehe als hier. »Aber du kennst ja alles schon. Gelt, ich bin blöd, weil ich's noch mal erzähl?

Und die Türme, die beiden graubeinernen Ludwigskirchen-
türme... Und beneidet habe ich eine Studentin, weil sie einen Schreibtischplatz am Fenster hat, hoch über diesen Dächern; von der hab ich bloß eine Hand gesehen, die schnell
geschrieben hat. Weißt du: wegen dem Vorhang.«

»Gut, daß du nur die Hand gesehen hast.«

»Ach so, du meinst von wegen der Enttäuschung. Wie
geht's mit deinem Abele?«

Sie antwortete mit: »Schon recht. Klagen kann ich da
eigentlich nicht...«, und hatte ein ungutes Gefühl dieser Drüse wegen, die ihm deutlich geschwollen war. – »Ja,
ich gehe schon zum Doktor Steinheil. Deshalb bin ich ja
auch heimgekommen«, sagte er, als sie ihm an den Hals
sah.

Ihr Bruder gab sich recht vergnügt; danach war der dreißigste Juni. Der freute sich also..., eine Freude, die er hin-
unterdrückte oder die hineingepreßt wurde in ihn, weil er
befürchtete, er komme auch noch einmal dran. Umgelegt
werden könne heutzutage jeder, um einen mehr oder weniger schere sich dieser Ringverein nichts, ließ er beim Essen
hören, und der Vater fragte, was er mit ›Ring-Verein‹
meine. – »Die, die oben sitzen. Für die bin ich nichts wert.
Und du übrigens auch nicht.« Und er fügte hinzu, wenigstens freue es ihn, daß er gemerkt habe, wie's in München
knistere, was die Mutter benützte, um zu sagen, vielleicht
sollte man dem Hitler dankbar dafür sein, daß er die Homosexuellen ausgerottet habe; die Universitäten wären doch
sonst Lusthäuser geworden.

Margret war froh, daß er den Mund hielt. Die Mutter sagte,
wichtiger als alles sei, daß er zum Steinheil gehe. Und Margret ging mit ihm die Treppe aufwärts, blieb oben stehen und
betrachtete mit ihrem Bruder eine Kohlezeichnung; darauf
war die krumme Stiege mit den ausgewetzten Stufen im
Künzelsauer Haus zu sehen, bei der Margret das Gefühl der
breiten Eichenbohlen hatte, mit denen der Gang belegt gewesen war, und die der Vater neben dem gußeisernen Gar-

derobenständer vor der Türe des Hinteren Stüble so gezeichnet hatte, daß sie meinte, jetzt spüre sie an den Fingerspitzen alle Astknollen und Risse; sie sah hinab, ob niemand um den Weg sei, und flüsterte dem Bruder zu:

»Meinst du, daß du dich freier fühlst, wenn du nicht mehr bei der SA sein mußt?«

Zwar hatte er »ja« gesagt, aber gemerkt, was sie sich dabei dachte; denn wer war nicht hineingespannt in das, was draußen vorging und sich in der Zeitung niederschlug, eine Ablagerung in Schlagzeilen? Nicht, daß dieses Politische das Gefühl in ihr hätte wachsen lassen, als ob sie nicht weglaufen könnte, wann's ihr paßte, sondern aus einem anderen Grund; der Grund lag in ihrer Verlobung. In dieser ›Schose mit dem Abele‹, wie Eugen sagte, von dem sie dachte, daß er leider wenig von ihr wisse. Diese Verlobungs-Schose hat dich anders g'macht… Wie denn? Vielleicht ein bißchen älter, als die andern meinen, daß du seist… Für dich bleiben kannst du jedenfalls noch nicht. Auch deinem Bruder ist's unmöglich, und er wird's zu spüren kriegen… Der wollte sich abdichten, eine Mauer bauen, in Mörikes Gedichten lesen, sein Studium vorschützen und Stuben, die in Münchener Mietshäusern oben und nach hinten hinaus lagen, wo von der Straße nichts zu merken war, zwischen sich und die anderen schieben, damit er nicht behelligt wurde; weshalb er auch noch keine Freundin hatte.

Er erzählte von einer Blonden, die er beim Zeppelin-Hotel angesprochen hatte. »Die sagt zu mir, es sei notwendig, alles für das große Ziel zu tun. Da bin ich ganz schnell weggegangen. Das große Ziel war Hitler: Wenn eine davon spricht und es auch noch ernst meint, ist es für mich halt aus.«

Dein Bruder ist dir interessanter als dein Abele. Dieser Abele selig… Und Eugen ging zum Doktor Steinheil drunten beim Güterbahnhof; wurde ins Katharinenhospital überwiesen; legte sich im Operationssaal auf einen Schragen, bekam ein Tuch übers Gesicht, spürte Spritzenstiche im

Hals; hörte Scheren knacken und den Chefarzt sagen: »Da sehen Sie's«; der zeigte es dem Assistenzarzt, damit er etwas lernte; die Scheren hatten scharfe Löffelmulden an den Spitzen, und das Zeugs wurde herausgelöffelt, weggeschlenkert, das Wundloch mit Watte ausgestopft; man hieß das tamponieren, und sie wußte es von einem Sanitätskurs, wo sie bei Operationen gerne zugesehen hatte. »Das hat mich arg interessiert«, sagte sie zu ihm, der jetzt mit dickem Halswickel vor ihr saß und sich hätte hinlegen sollen; er hatte aber wenig Lust dazu, weil er nichts spürte und sonderbarerweise hagebüchen war, obwohl er gar nicht danach aussah; einer mit frischem Gesicht, ein gemütlich Empfindlicher, der sich sein Haar jetzt ohne Scheitel zurückkämmte. Und ihr kam's vor, als fange er an, auf sich achtzugeben. Immerhin hat er gemerkt, daß ihm die neue Frisur besser steht... Und er sagte: »Weil die SA-Köpfe alle kurzgeschoren und gescheitelt sind, mach ich's jetzt so.« Sie schmunzelte sich eins. Da meinte also dieser Eugen, daß er mit langem Haar so etwas wie ein besserer Mensch sei.

Chefarzt Döderlein hatte zu ihm gesagt: »Das ist etwas ganz Scheußliches gewesen, was Sie da gehabt haben: eine tuberkuloide Drüse.« Und Eugen erzählte es, als ob's ihn nicht bekümmere, also beinahe pfiffig; dann rieb er sich die Hände: »Feine Sache. Den SA-Dienst bin ich los! Oder glaubst du nicht, daß ich es schaukeln werde?« Bis er dann später und immer noch mit dem Halswickel einen, wie er sagte, ›dezimierten Eindruck‹ machte, weil er sich jeden dritten Tag im Krankenhaus die Wunde mit Höllenstein aufstoßen lassen mußte, eine schwärende Geschichte, eigentlich recht schmierig.

»So, jetzt gehe ich zum Dichter.« Der Dichter wohnte um die Ecke und hieß Stefan Bitter; dessen Verse hatte er gelesen und gesagt, sie seien hoch bemerkenswert; er hatte ihm geschrieben, und es ging um ein Gedichtbuch, das Bitter zu Hause hatte, also um etwas besonders Feines; in der Buchhandlung war's nicht zu kaufen, weshalb man also zum

Dichter persönlich gehen, ihm schreiben und ihn anläuten mußte.

Der Mann war dann ein Schwarzhaariger, Kleiner, der so redete, daß alles beim Erzählen anders wurde; denn daß er seine Schuhe hatte frisch besohlen lassen, kam bei dem heraus, als sprächen hinter seinen Schuhsohlen vom Juli vierunddreißig alle durchgelaufenen Sohlen seines Lebens mit; oder so ähnlich. Einer, von dem Eugen sagte, der sei ein ›guter Mann‹.

Du siehst den nüchterner und siehst auch seine Frau... Weil er Hämorrhoiden hatte, mußte sein Schreibtischsessel immer weich mit Kissen ausgepolstert sein; seine Frau erzählte dies, und sie war größer als er und massiver.

Die Menschen kennenlernen... Durch ihren Bruder bekam sie andre zu Gesicht als ihren Abele, als Waidelich und Kurrle, die Kollegen ihres Vaters, von denen ihr der Zeichenlehrer Glenk nicht nur seines scharfkantigen Riechkolbens, sondern auch einer ähnlichen Empfindung wegen, die Margret jetzt neben Bitter hatte, in Erinnerung geblieben war; es hing damit zusammen, daß solche Leute vieles, das anderen kurios erschien oder gar lästig war, für wichtig hielten, daß es sie umtrieb und bewegte, also beispielsweise ein Spaziergang auf dem Höhenweg neben Wiesen, wo Wegwarten und Hirtentäschelblüten Ende Juli wichtig waren, obwohl es überall dieselben Wegwarten und dieselben Hirtentäschelblüten gab. Der Anfang eines Bitterschen Gedichts ging so: »Auf der jungen Wiese blüht im ersten Jahr das Hirtentäschel / Blüht im zweiten Jahr der Klee / Riecht's wie abends in Wolhynien, / Wo am Dorf ich, vor Tverdini, steh.« Wenn sie es las, verflüchtigte sich die Entfernung zwischen Stuttgart und Wolhynien, wo Bitter im Krieg als Gefangener Pferde getränkt hatte, übrigens weitab in Rußland. Was aber Rußland und den Tonfall des Gedichtes anging, so waren dieselben ihrem Bruder ›sozusagen gemäß‹. Denn sobald ihm etwas gefiel, sagte er, ihm sei's (sozusagen) ›gemäß‹, eine Redewendung, die er früher nicht benützt hatte und die ihr geziert erschien. Er hatte sie vielleicht vom Wieland, denn vom Bitter hatte sie das Wort noch nicht gehört. Wenn Bitter vor dem Küchenofen einer alten Wirtschaft stand, wo an einem kalten Regenwettertag ein Reisigfeuer knackte [wie im alten Künzelsauer Haus, weit hinten in der Kindheit], bewegte Bitter seine Hände über gelben Flammen und sagte: »Man hat jetzt schon die Wärme gern.«

Es hörte sich wie aus einer abwesenden Zeit an, der Bitter zugehörte; aber auch ihr Bruder, ja, der ebenfalls. Für die ›Berliner Illustrirte Zeitung‹ schrieb Bitter Romane, und Eugen sagte: »Um zu leben halt.« Bitter klopfte solche Sachen gleich in seine Schreibmaschine und machte manchmal zwischendurch auch noch einen Roman, der dann als Buch herauskam. Der Verleger schickte Kritiken ins Haus, die Frau Bitter las die Kritiken, denn Bitter sagte: »Ich habe geglaubt, es seien bloß Verrisse.« Und das gehörte jetzt zum Leben wie die Worte einer Frau Würzburger, die sich, sobald sie lachte, an den Mund griff: »Pßt! Sonst heißt es gleich: Die Juden lachen wieder!«

Würzburgers Wohnung war mit schweren und geschnitzten Möbeln ausgestattet, alle schwarzes Holz, das an den Kanten dunkelrot lackierte Drachenmäuler hatte; wahrscheinlich waren sie aus Ebenholz.

Um diese Zeit geschah es, daß der Vater seinen Amtswalterposten bei der Partei aufgab; Blockwart war er nicht mehr.

Bitter, dieser Dichter, sagte zu ihrem Bruder, in einer Zeit wie dieser sollten junge Leute Freiheitslieder schreiben. »Überlegen Sie sich das mal mit den Freiheitsliedern.« Als Eugen ihr's erzählte, meinte er, das Gesicht des Bitter sei ihm dabei vorgekommen, als hätte es zwei Gewehrkugeln statt der Pupillen gehabt: »Der hat gut ausgesehen und seine Pfeife schnorcheln lassen.« Und bald danach fand sie auf Eugens Schreibtisch ein mit Bleistift bekritzeltes Blatt und las: »Hitler muß verrecken / Schlagt ihn endlich tot, / Daß die Hunde lecken / Sein Tyrannenblut. / Auf dem Kirch-turmknopfe / Hängen wir ihn auf, / Daß von seinem Kopfe / Tropft des Blutes Lauf.« Er hatte vieles durchgestrichen, und sie las es mühsam, brachte es aber zuletzt heraus. Auf der Rückseite stand noch etwas anderes, und das ging so: »Deutschland ist unter Hitler uns zum Kotzen, / Das sollt ihr wissen auf dem Nazi-Thron, / Ihr Bourgeois, ihr fetten Ordensprotzen, / Euch schwimmt der pralle Arsch im Angstschweiß schon.« Besser als das mit dem Kirchturm-knopfe war es nicht, und was hatte er damit schon anderes gemacht, als etwas Komisches auf dem Papier. Er tat ja nichts, machte nichts anders, schimpfte bloß und konnte es nicht ändern; und daß den fetten Ordensprotzen der Arsch in Angstschweiß schwimme, war ganz einfach falsch; er wünschte es sich bloß.

Leben mußte er, und Lebertran zu trinken war ihm vom Chefarzt Döderlein verordnet worden, ein zwar ekliges, aber lebensstärkendes Tränklein, das einzunehmen die Mutter ihn ermahnen mußte, als ob er siebenjährig sei. Spä-ter machten sie sich zum Bodensee auf, wie es zu den Ferien gehörte, ein Vakanzaufenthalt, den sie in diesem Jahre auf der Insel Reichenau verbringen wollten. Auch Abele ging dorthin mit, und Bitter hatte ebenfalls die Absicht, hinzuge-hen, doch mußte sein Roman für die Berliner Illustrirte Zei-tung erst noch so weit sein, daß er sich eine solche Unterbre-chung leisten konnte. Also war es wieder mal geordnet, wie es sich für Bürgersleute ziemte, und sie dachte: als ob es ran-zig schmecke.

Am Ufer lag dann die pergamentweiße Frau Obermeyer aus Gablenberg im Liegestuhl als eine Achtzigjährige, die schwarz gekleidet war und ein langes Gesicht hatte. Wenn sie etwas beobachten wollte, wandte sie sich immer noch rasch um, und ihre dunklen Augen schienen das Entfernte-ste zu treffen. Der Vater nannte sie »der Fürstin Mutter«, weil sie wie aus einer Equipage und wie eine aussah, welche wußte, daß ihre Wünsche befolgt wurden. Jetzt schob sie eine Zeitung mit rot unterstrichenen Überschriften weg und hatte Tränen, weil Hindenburg gestorben war; der Führer habe wunderbar geredet, sagte sie.

Vor den Badekabinen, die, hochbeinig und brettergrau, an eine Pfahldorfsiedlung denken ließen, hörte Margret, wie ein fetter Mann zum Vater sagte: »Die ist meine Bettflasche«; er meinte damit seine Frau. Zu Eugen sagte er, ein Mann wolle auch einmal richtig satt sein, und wiederholte Hitlers Worte: »Großer Marschall, geh nun ein nach Walhall«, die er am Sarge Hindenburgs gesprochen hatte. Eugen lächelte, obwohl's ihm nicht danach zumute war [du merkst's ihm an] und ging an Abele vorbei, dem er riet, beim Sonnenbaden vorsichtig zu sein; doch war der sowieso schon zimperlich genug.

Ihre Ziehharmonika hatte sie auch dabei, und Abele erlaubte ihr, darauf zu spielen, wahrscheinlich, weil die meisten Leute des Nachmittagsschlafs wegen sich ins Hotel zurückgezogen hatten, das ›Löchnerhaus‹ hieß [auch so ein engstirniger Name]. Und deshalb ließ sie, im Badeanzug auf den Planken sitzend, die Ziehharmonika dudeln, während unten Wasser klatschte, die Helligkeit des Sees sie zwang, die Augen schmal zu machen und das Hoidideldidel, hoidideldidel dum dum fröhlich herauskam. Später schlich sie zum Aborthäuschen hinüber, das penetrant und holzwarm roch [auf nackten Sohlen schleicht doch jeder], machte ihr Sächlein und blieb auf dem Rückwege im Schatten einer Weide stehen, wo sich Lichter, von Blättern gefiltert, flimmernd regten, wenn der Wind in ihnen Atem holte; es streichelte die Sommerluft. Margret wartete [ein Augenblick ohne Abele... nicht schlecht] und sah eine Szene vor dem scharfsonnigen und jalousieverschlossenen Löchnerhause mit den weißlackierten Eisentischen, wo neben der Treppe nur ein Gast alleine saß und schrieb. Sonntagsverschlafenheit..., der Gast war jung und weiblich [weshalb du ›eine Gästin‹ sagen müßtest], eine Weißblondhaarige in abgewetzten Männerhosen; im Schatten lehnte ein Motorrad, ein schweres Modell. Das Mädchen rauchte, schaute schräg herunter, und Eugen kam dazu. Da ließ sie ein Milchkännchen über die Tischkante fallen, daß es auf den Treppenstufen nickelblank hüpfte und Eugen zugriff. Das hättest du dem niemals zugetraut; aber da schaust du jetzt beiseite.

Später dann Motorradknattern; windflatternden Haares fuhr sie ab und hatte nicht mal Strümpfe an den Füßen. Margret wunderte es nicht, daß sich ihr Bruder eine solche suchte, denn von nun an war er oft mit dieser Weißblonden zusammen, und es schien, als sähe er jetzt weder seine Schwester noch die Eltern, um vom Abele zu schweigen; ein Schlafwandler, den die Seeluft betäubt hatte, eine intensive und blendende Fläche Licht, ihm bisher unbekannt; am Halse hatte er ein Pflaster auf der Wunde kleben. An der linken Hand des Mädchens war ein Fingerglied von einem breiten Ringe silberblank verdeckt; sie hatte eine vorspringende Unterlippe, und nach dieser ersten Sekunde, als ihr Margret die Hand gab, wußte sie, wie sich's mit ihr verhielt; ein sympathisches Gefühl bei einer, die sich immer wieder zurückziehen würde; auch ihr Bruder würde nie aus ihr schlau werden, doch war ihm das gerade recht. Einen Nachmittag lang ließ sie sich auf warmen Badebalkonbrettern die Ziehharmonika erklären und griff immer wieder einen Mollakkord; beim Photographieren sah sie gerade in die Linse; also ein abschätzender Blick oder ein skeptischer; ja, das auch. Die wollte allerlei probieren, kennenlernen, von den anderen etwas erfahren. Mit Eugen schwamm sie viel zu weit hinaus; er war hernach erschöpft. Sie aber, ach, du liebe Zeit... Bis an das Schweizer Ufer schwamm sie in der Nacht [so etwas vorzuschwindeln hat doch die nicht nötig], und Margret tat die Mutter leid, weil sie von diesem Mädchen sagte, eine solche könne auch Spionin sein, denn wie komme man ohne Paß hinüber in die Schweiz? Für sie war diese Schwimmerin ein gefährliches Luder, wie man es in Filmen oder Theaterstücken vor dem Hitler hatte sehen können... Denn so redete ihr Bruder jetzt über die Mutter,

136

und es klang ein bißchen Mitleid durch. Dabei erschien das Mädchen allen anderen nur deshalb ungewöhnlich, weil sie ihnen aus Konkurrenzneid unbehaglich war; wenn die etwas ist, dann sind wir nichts, dachten die Leute, die als Frauen nicht in Männerhosen gingen, sich kein rotes Halstuch umzubinden wagten und niemals auf einem Motorrad saßen. Aber was wollten die, weshalb sagte einer, das sei eine typische Schmach-und-Schande-Zeit-Studentin, die Jus studiere, was zu einem Mädchen gar nicht passe? Sie sprach mit jedem. Eugen sagte: »Sogar deinen Abele findet sie nett«, und bei einem Unterhaltungsabend hatte sie ein grünes Kostüm an und schaute einem jungen Lehrer recht nachsichtig in die Augen, als er sagte: »Heute haben Sie sich für die Leute fein gemacht. Ich meine: Wie es sich geziemt?« Ihr Gang war freilich schlampig und deshalb recht beneidenswert [weil die leicht weggeht, an nichts klebt]. Und wieder dachte Margret Rapp: kein Wunder, daß eine solche dem Eugen gefällt; das spricht für deinen Bruder.

Sie sah ihm an, daß es ihm schwindelte. Ein schwindliges Gefühl beschlich ihn, oder es suchte ihn heim, denn bisher war er so gut wie allein gewesen; wenigstens weißt du es von ihm nicht anders… Vielleicht wär es besser gewesen, wenn er mit einem leichteren Fall angefangen hätte, sozusagen als Vorschule; denn diese Geldmacher war schwierig, und Margret kam es vor, als ob er's wüßte. Mit dem Motorradmädchen wirst du niemals fertig…, dachte sie und hörte im Auto bei schwemmenden Gewitterregengüssen, nachdem die Bitters hergekommen waren und in einem Taxi von Konstanz nach der Insel fuhren, hinter sich die dunkle Stimme der Motorradfahrerin zu Eugen sagen: »Da wird man sich doch auch mal sehen, wenn Sie dann in München sind. Ich werde Sie das Cocktailtrinken lehren.« Nachher aber sagte zu ihm Frau Bitter: »Ihre Mutter möchte wahrscheinlich, daß Sie sie fragen, ob Sie dieses Mädchen am Bauch kitzeln dürfen.«

Eine Zwickmühle für ihren Bruder. Anmerken lassen wollte er sich nichts. Und nachdem Margret die beiden photographiert hatte, kam ein Bild heraus, vor dem sie die Hand wegschlenkern und gleich danach auf ihre Finger beißen mußte, um nicht hinauszuplatzen. Einmalig…, dachte sie. Da war ihr Bruder mit spiegelnder Brille, den Mund verzogen, fast in einem Liegestuhl verschwunden oder weggerutscht, als wäre er nicht gern dabei, während das Mädchen mit der blonden Strähne auf den Badebrettern hockte und eine Zigarette in der Hand mit dem dicken Silberring hielt; die wollte also ihre schöne Hand auch auf dem Bilde haben; dazu die schwere Unterlippe und daß sie so herschaute, die Lider ein bißchen zusammengezwickt, wahrscheinlich, weil das Wasser spiegelte. Die war nicht affektiert, und Margret wunderte sich, daß ihr bei July Lion Geldmacher [so hieß die Julie] das Affektierte fehlte; die sah doch zu scharf her.

Zu Hause war dann Eugen so wie früher, ohne etwas von ihr zu erzählen. Manchmal hatte die Lion gelächelt, fast als ob sie ihn beneide, doch dachte die, daß er viel zu versponnen sei; oder eben dies gefiel ihr gut an ihm, weil er anders war als ihre Freunde. Da meinte also das Motorradmädchen, dieser Eugen Rapp sei einer, der gewissenhaft arbeite, sich einfüge in den Bezirk der Eltern, und Museumsbeamter werden wolle, eine geachtete Person unter Honoratioren einer Stadt mittlerer Güte, vielleicht Heilbronn; obwohl Eugen sich alles anders wünschte und oft sagte, wie seine Eltern möchte er nicht leben. Beamter oder so…, und wer, wie er, heutzutage jung sein müsse, »heutzutage, wo halt ein Krieg wartet«… da wolle er an seine Zukunft nicht mal denken, weil die sowieso schwarz und rot angepinselt sei.

Die Mutter erzählte vom Großvater in Gablenberg und daß er sich mit einem namens Arnold, der Bierbrauer gewesen sei, recht gut verstanden habe; »dem hat die Schloßbrauerei gehört, der ist ein Herr gewesen«. Seinen Sohn hatte er in einer Kinderkutsche mit zwei Geißböcken fahren lassen, so viel Geld hatte der gehabt; und einer, der von den andern Abstand gehalten habe, sei er auch gewesen, wie ihr Vater, von dem heute niemand als Julius Krumm rede; wenn über ihn gesprochen werde, dann heiße es immer nur: »Ja, der Herr Krumm...«, obwohl er doch freundlich gewesen sei.

Gut möglich, daß dein Bruder auch auf Abstand aus ist [aber er weiß es nicht]. Bis heute hast du dir das noch nicht klargemacht, aber nach der Begegnung mit dieser Studentin auf dem Motorrad denkst du, daß es sich mit ihm auch so verhält... Über Gefühle redete der nicht, und wieder kam's ihr vor, als zöge er sich aus der Gegenwart zurück und sei richtig verduselt. Schläfrig halt, weshalb ein Klassenkamerad, dem er nicht weit vom Hotel Royal begegnet war, zu ihm gesagt hatte: »Also schlaf gut weiter.« – »Der studiert in Berlin und ist elastisch, weil er gerne turnt; und zynisch ist er vielleicht auch, wie man halt ist, wenn man glaubt, daß es heutzutage aufwärts geht.« – »Hat der denn deinen Verband am Hals nicht gesehen?« – »Ja, glaubst du denn, daß die Leut etwas andres sehen als sich selber?« Und er lachte wieder, hatte aber um die Lippen einen angespannten Zug, was von den Schmerzen kommen mochte, die ihm seine Wunde machte; sie war ihm wieder mit Höllenstein aufgestoßen worden, und deshalb schwärte sie; dazu dieser spöttische Ton, den sie nicht leiden mochte. Dem Assistenzarzt war der Höllenstein bei der Behandlung in der Wunde abgebrochen, und sie hatten ganz schnell alles wieder aufgerissen, aufgeschnitten, so geschwind auf einem Schragen, daß sich die Operationsschwester gewundert hatte: »Ist da bei Ihnen etwas gemacht worden, ohne daß man's vorher angemeldet hat?« – »Ja. Der Assistenzarzt hat die Fleischfetzen nur so weggeschlenkert.« Vielleicht sei's eine Vorübung auf alles, was im nächsten Kriege auf ihn warte, und deshalb hieße es ›hart bleiben‹, sagte er zu Margret, und sie dachte: wieder so ein zynisches Geschwätz. – »Red doch nicht alleweil vom Krieg, der kommen wird.« – »Ja, der kommt sowieso. Da hast du recht.«

Die Mutter sagte: »Wenn man *solch* ein Krankes im Haus hat…«, und schaute Eugen an. – »Jetzt seid doch mit dem Kranksein still!« Und er schmunzelte, als dächte er, daß bei dem Kranksein etwas Feines für ihn herauskomme, erzählte auch vom Assistenzarzt, der ihn ermahnt hatte: »Bitte, jetzt keine Exzesse…, während Sie das haben, hören Sie?!« Und er durfte diesen Mann beruhigen und ihn versichern, daß so etwas wie Exzesse bei ihm nicht vorkomme. Vielleicht hatte ihn der aushorchen wollen. Aber bei deinem Bruder… Der war doch schlau und machte nirgends mit…

Abele hatte sich als zahm erwiesen, und ihr war's leichtgefallen, ihn auf später zu vertrösten [nach der Hochzeit] und warum? Vielleicht, weil von innen her etwas fehlte, ohne das es nicht ganz das Richtige war. Und sonderbarerweise wurde es ihr jetzt erst klar, obwohl es sich wie Dampf aus einem Wurstkessel anfühlte, weil ihr Bruder aus dem Krankenhaus erzählte, daß der Chef vormittags gegen halb elf mit einem weißen Schwanz aus Schwestern und Ärzten von der Visite ins Sprechzimmer gekommen sei und eine jammernde und runzlige Frau mit einem lila und braun gegerbten Hautflecken auf der Backe angefahren habe: »Wenn Sie es nicht machen lassen, wächst ihnen das übers ganze Gesicht hinauf!« Gurgelndes Stöhnen war aus einer angelehnten Tür gedrungen, der Chefarzt setzte sich, zog Eugen zu sich her, schnitt den Verband weg, stocherte mit dem Stift in seinem Hals und fragte: »Wird es Ihnen schlecht?« – »Nein, nein.«

Septemberlicht legte sich auf den Garten und drang in jede Stube. Es kam auch dieser Wieland, der Freund ihres Bruders und ein gewandter junger Mann. Der interessiert dich nicht… Sie war in anderes verstrickt [mit Abele, der nach Augsburg zur Emm A Enn gegangen war] und knipste die beiden Freunde vor des toten Nero Hundehütte mit Wielands Photoapparat; sonst hatte sie mit denen nichts zu tun.

Als Wieland wieder fort war, sagte sie: »Und was wohl später sein wird?« – »Er hat eine Freundin; mit der bleibt er ein ganzes Leben lang beisammen.« – »Schon möglich. Und mit dir?« – »Mit mir wird später nicht viel los sein.« – »Dann mach ich dir den Haushalt. Du, das tät ich gern.«

Seine Augen wurden weit, als ob er verwundert wäre; der sah jetzt etwas, das er nicht bei ihr erwartet hatte, indes ihr alles nur nebenbei eingefallen war; weshalb, wußte sie nicht, bis dann ihr Bruder einen eingeschriebenen Brief brachte, der Vater: »Vom Abele? Was will denn der jetzt?« sagte und das Kuvert mit dem Taschenmesser aufschnitt. Er las. Ihr kam es vor, als sei im Kuvert noch etwas Dickeres drin. – »So... Der Abele löst die Verlobung mit Margretle auf, weil aus einer Ehe nur ein Unglück würde; da hat er recht. Im Kuvert ist sein Ring.« Dann weinte sie. Die Mutter nahm sie in den Arm: »Ach, das ist bloß der erste Schrecken.« Und sie erzählte ihr dann diese Sache mit dem Rechtsanwalt, die sich Anno neunzehnhundertelf ereignet hatte; damals war der Mutter der Verlobungsring auch zurückgeschickt worden; übrigens von einem Gerichtsvollziehers-sohn aus einem Ort nahe bei Lübeck. – »Duplizität der Fälle!« sagte der Vater und lachte. »Ha, jetzt komm, Mäusle! Wer wird denn wegen so was heulen! Das ist net schlimm!«

Auf dem weißen Tischtuch lag der goldene Ring unter der Lampe, und sie meinte, daß er tiefer sänke und vom Tische geschluckt werde, als wär's so gut wie nichts. Jawohl, dies verschwand schnell, oder sie wünschte sich, daß es verschwände, vielleicht durch einen Taschenspielertrick. In der Kindheit waren ab und an Seiltänzer von Ingelfingen, Braunsbach oder Nagelsberg nach Künzelsau gekommen, jetzt aber gab es nirgends mehr einen abgelegenen Ort. Du kommst dir fast wie ausgezogen vor, aber es ist gleichgültig... Und sie beneidete, wie schon oft, ihren Bruder, der abseits stand und zusah, freilich mit einem Verband am

141

Hals. Und beim Hinaufgehen über die Treppe sagte er: »Bei uns ist halt die Schutzschicht weg... Und wie geht's eigentlich der Eva Maurer?« – »Ja, die... Wie kommst du denn auf die? Ach so, wegen der Schutzschicht... Die fehlt bei der allerdings auch. Von der Eva habe ich schon lang nichts mehr gehört.«

Vielleicht hätte sie froh sein sollen, weil sie vom Abele frei war, nur wußte sie mit ihrer Freiheit nicht viel anzufangen. Jedenfalls mußt auch du einmal von den Eltern weg... Und sie dachte, bei ihr komme es nicht mehr drauf an, und schließlich sei Dienstmädchen-werden auch nicht schlecht. Dann rutschst du wieder dort hinunter, von wo dein Vater zum Studienrat hinaufgekrabbelt ist. Warum eigentlich nicht? Eugen würde nichts dagegen haben, weil er immer sagte, heutzutage sei doch alles Schwindel: Ansehen, Geltung, Beruf oder Erfolg; denn schließlich lebe auch ein Scherenschleifer glücklich. Vielleicht könne sie sich noch den Turm zwischen Hagnau und Meersburg denken, dort überm See in den Weinbergen? – »Also, in den möchte ich immer noch hinein.« »Als was?«

»Als Württemberger Nichts.«

Sie entsann sich, daß der Vater in Künzelsau vom Sohn der Frau Furchheimer gesagt hatte, das sei der Württemberger Nichts, und sie sah ihn als einen mit schlaff hängenden und bräunlichen Lidern vor sich [»Der hat verseichte Augendeckel g'habt«, sagte der Vater], wie er im Laden seiner Mutter Stoffe auf den Tisch gelegt und schnarrend geredet hatte, als wäre er aus Norddeutschland. Ein verstörter Mensch also, der nach dem Kriege nichts anderes mehr hatte tun wollen, als Stoffe verkaufen und bei seiner Mutter bleiben. Jetzt aber lebte der nicht mehr; vor einem Jahr hatte sich der junge Furchheimer erschossen, als die SA... Und wenn ihr Bruder sagte, daß hinter den Bergen bei den sieben Zwergen auf sie alle nichts anderes warte als ein neuer Krieg, dann lohnte es sich nicht mehr, etwas Rechtes anzufangen, weshalb der Furchheimer in Künzelsau recht gehabt hatte, wenn er sich nach dem Krieg nicht mehr anstrengte. *Vor* einem Krieg jedoch tat man dasselbe, nämlich nichts. Und wenn man auch noch entlobt worden war… Also gut, du darfst dich schlenkern lassen, weil niemand etwas von dir will. Paß aber trotzdem auf, weil sich nicht einmal das Hinunterrrutschen lohnt. Denk an deinen Bruder; der sagt: Zuschauen, darauf kommt es an.

Es war wie eine Lähmung. Eugen rieb sich die Hände, als er aus dem Hospital nach Hause kam; er zeigte ihr einen Zettel, auf den der Assistenzarzt mit spitzer Schrift geschrieben hatte, daß bei Herrn Eugen Rapp bis Neujahr eine Beurlaubung vom SA-Dienst angezeigt sei. Eugen wiederholte das Wort ›angezeigt‹ und schlenkerte das Papier, als ob's ein weißes Fähnchen wäre. – »Gelt, du schreibst mir genau, wie du es schaukelst?« sagte sie zu ihm, und er erwiderte: »Ha freilich… Margretle, jetzt lass' ich mir mein Haar so lang wachsen, daß es mir bis in den Nacken hängt. Weißt du, wofür sie mich dann halten werden? Für einen liberalistischen Lebejüngling aus der Schmach-und-Schande-Zeit.«

Drei Wochen später schrieb er vom »eingemummten und verpelzten Münchener Novembertag«, an dem er in einen Hinterhof der Schellingstraße hineingegangen und seitlich eine Treppe hochgestiegen sei, wo der Sturmführer Reichel wohne, ein angegrauter Kaufmann ohne Stellung und deshalb bei der Partei; der hätte doch sonst stempeln gehen müssen. Und dieser Mann ermahnte Eugen Rapp, sagte, daß sich ein solcher Schritt später schlecht für ihn auswirken könne, weil er dann nirgends dabei sei, und das sei nicht gut, und eigentlich möchte er ihm abraten. Eugen aber sagte, daß er's trotzdem tun wolle und ihn bitte, seinen Austritt schriftlich zu bestätigen; er wohne in der Schackstraße sechs, dritter Stock rechts bei Baronesse von Crailsheim.

Reichel versprach's, wünschte alles Gute auf den Lebensweg und bat Eugen, seine Uniformstücke dem Sturm für einen bedürftigen Kameraden zu dedizieren. Und so ging denn, wieder an einem grauen, verpelzten Novembertage, jener leichtfüßige Wieland aus Ulm mit einem Paket unterm Arm zu Herrn Fritz Reichel in die Schellingstraße, denn Eugen wollte sich jetzt nicht mehr bei ihm sehen lassen. Wieland aber wurde von Herrn Reichel freundlich aufgenommen, er dankte ihm für die geschenkte Uniform und hatte einen silbergrauen Schal unterm rasierten Kinn; wie ein Offizier alter Schule war Reichel dem Wieland erschienen, und sie hatten nachher beide miteinander über den Reichel gelacht. Denn auch Herr Wieland hatte der SA Valet gesagt, weil sein Sturmführer gebrüllt hatte, jeder solle 'raus aus der SA, der nicht drinbleiben wolle. – »Jetzt sind wir nirgends mehr dabei... Das verdanken wir dem schwulen Röhm, hochgelobt sei sein Name«, schrieb ihr Bruder und meinte jenen ermordeten Stabschef mit dem zerstörten Gesicht, der dem Leiter der Ortsgruppe Stuttgart–Prag geglichen hatte, weil diesem von einem Kosaken Nase und Backe zerhauen worden waren. Doch kürzlich – und das wolle sie Eugen doch auch noch schreiben – hatte der eine Versammlung ins Hotel zum ›Schönblick‹ einberufen. Die Mutter war mit Siegfried Bareis [»der ist jetzt auch in der Partei«] aufgefordert worden, dort ein Musikstück von Schumann, Chopin oder Beethoven zu spielen; »aber erschrick nicht, die Mutter geht niemals in die Partei, der würd's bloß grausen«; und der mit dem Kosakensäbelhieb hatte geredet, und die Mutter und der Siegfried hatten es hinter dem Podium mit angehört; worauf der Siegfried [der mit seinem dicken Kopf und massiven Gebiß] so entsetzlich hatte lachen müssen, daß ihm die Tränen die Backen herabgekugelt waren und er ganz blaurot angelaufen war, sein Gesicht zum Platzen und zum Fürchten; ein Lachkrampf also. Und sie schrieb es ihrem Bruder, der sich für diese »intensive Schilderung einer Stuttgarter Alltags-Szene« bei ihr bedankte und erzählte, wie er in München wohnte. Schackstraße sechs, im dritten Stock bei Baronesse von Crailsheim hieß also die Adresse, und die Baronesse war klein und herb, eine mit breiter Stirn und runzeligem Mund; hackenden Schritts lief sie über die grauen Eichenbohlenbretter ihres Flurs nach der Küche und hatte schrundige, zergerbte, hornhäutige Hände. Der Flur jedoch, wo oben eine Birne rötlich glomm, war verstellt von Schränken, die an Mausoleen denken ließen und vollgestopft mit Uniformen des Generalleutnants Baron von Crailsheim waren, ihres Vaters also, der im Zimmer der Baronin milden Gesichtes und silberfransige Epauletten auf den Schultern aus oval gerahmten Photographien herausschaute.

Tagsüber drang in diesen Flur ein graues Licht und kam aus Eugens Zimmer, das am andern Ende lag; eine Wand hatte in Messingleisten raupelig verglaste Scheiben; dazu eine Tür, die weich aufging und beim Zumachen leise klirrte und von der er meinte, daß sie nur hier derart altertümlich existiere und ihre Messingklinke von vielen Händen nachgiebig gemacht worden sei. Denn immer noch erschien ihm lediglich Benutztes und Gebrauchtes der Beachtung würdig. Erst wenn Schubladen ächzten und Schlüssel wackelig in weiten Schlüssellöchern hingen, gefielen sie ihrem Bruder. Der Schreibsekretär aber, dieser schräg gegens Fenster gerückte mit geschweiften Beinen und einer tiefräumigen Platte unter den Schubladen, paßte zu ihm, weil er davor vom Sessel umschmiegt wurde; denn hauptsächlich in seinen Sesseln erwies sich ein Zimmer als dem Leibe angemessen. Hier aber hatte er auch noch am niederen Tisch in der Zimmermitte einen zweiten Sessel, der moosgrün gepolstert war und dessen Fransen den Boden berührten: ein schmiegsames, bequemes Möbel, das sich anfühlte wie ein Tierfell, halb rauh und halb geschmeidig, dazu eine Waschkommode hinter einem Paravant mit Blümchenmuster, das Gold des Spiegelrahmens rissig und gerade noch blind glänzend, wie es sich geziemte; sein Glas aber so klar, als ob es ein Bach im Oktober sei.

Des SA-Dienstes ledig, wende er sich diesem Zimmer bei

Baronesse Crailsheim zu, besuche Wieland, der neben seinem Schreibtisch dunkelgrüne Samtstores mit eingewirkten
Brokatornamenten habe, auf einen Hof schaue und bei einer Schreibtischlampe sitze, deren jugendstilern hochgewölbter Schirm und ziselierter Fuß gewissermaßen seelisch
hochkarätig seien; ja, so ungefähr.

Von dem blonden Motorradmädchen aber, das in München wohnen sollte, dieser July Lion Geldmacher also,
schrieb er nichts. Die wäre für dich interessanter als die Möbel der Baronesse Crailsheim.

Du mußt dich um dich selber kümmern. Dein Bruder darf
dir jetzt gleichgültig sein.

Frau Bitter kam ins Haus; sie war groß und breit und dunkelhaarig, sagte: »Wie geht's euch denn?« und hörte der
Mutter beim Klavierspielen zu. Sie redete über ›den Eugen‹,
sagte, daß er arg versponnen sei und es später schwer haben
werde, erklärte laut und fast durchdringend, sie könne nur
noch Bücher ihres Mannes lesen, denn beispielsweise dieser
umständliche Stifter... Und sie verriet, daß ihr Stifters Bücher schweizerisch vorkamen, also arg solide. Margret
wollte fragen, ob die Bücher ihres Mannes unsolide seien,
schwieg aber, als die Frau über einen Besucher verlauten
ließ: »Einer, der zu den vielen gehört, die die Dichtungen
meines Mannes richtig einzuschätzen wissen.« Der war also
auf der Couch gesessen, hatte die Augen aufgesperrt und
immer wieder: »Frau Bitter – Ihr Mann!« gesagt.

Mit ihr ging Margret später dann am Weißenhof vorbei,
diesem behäbigen Gutshof, dessen breites Walmdach einer
Mütze glich, die sich das alte Haus in die Stirne gezogen
hatte. Davor sah sie hinaus. Die Weite war jetzt von der
Herbstluft bis zu den Löwensteiner Bergen aufgeklärt oder
durchleuchtet, als ob es etwas andres sei als Erde, Gras,
Bäume und Häuser; es war Licht, und das Licht zeigte sich
auf Blättern anders als auf Erde, vielleicht weil Blätter anders rauh waren als Erde. Das Licht wurde gebrochen, des-

146

halb kam dieser Glanz heraus. Eine mißlungene Verlobung war etwas Rauhes, das für Licht empfindlich machte... Frau Bitter fragte, ob sie nicht zu ihr als Helferin im Haushalt kommen wolle, als Haustochter also; bei ihnen werde sie dann viele Leute kennenlernen.

Doch darauf war sie jetzt nicht eingestellt. – »Ich muß es mir noch überlegen«, sagte sie und dachte: dann also doch Dienstmädchen werden... Eugen sagte oft, daß alles vorherbestimmt sei und nichts verändert werden könne; es komme doch nur von irgendwoher an ihn heran. Und wieder sah sie, wie weitab der Wasserturm dort draußen bei Waiblingen stand, dort drüben, wo der Kernen dem Hügel am Rande einer Bucht glich, die hier statt des Meeres Äcker hatte, alle umgepflügt und eben, eine Fläche vor der blauen Mauer in der Ferne, Remstalwärts und dann der Römerstraße Murrhardt zu bis an die Löwensteiner Berge. Deine Großväter haben all dies auch gesehen... Und sie gedachte der Großväter, von denen einer noch in Dürrmenz lebte, derselbe, der nach Serres, Pinache und Perouse, nach Lohmersheim gegangen war und seine Muster für Weißzeugwaren angeboten hatte. Viele hatten zum Großvater du gesagt, und einer hatte ihn ermahnt: »Sitz na, Gottlieb, wirst müd sei.« Das wurde heute noch oft wiederholt, der Vater sagte es, wenn er am Abend seine Stiefel auszog. Und so gehörte auch der Vater, obwohl er Studienrat geworden war, durch solche Worte immer noch zu denen, die vor ihm gelebt hatten, wie Margret Rapp auch zu ihnen gehörte, weil sie Dienstmädchen werden sollte. Eine weite Reise bis hierher, aus der Vergangenheit herüber; und ein eingeengtes Gefühl. Das kam ihr zu, nachdem ihre Verlobung in die Brüche gegangen war wie die Verlobung ihrer Mutter, damals vor beinahe dreißig Jahren. Wenn du dir vorstellst, daß du einmal sagen kannst: vor dreißig Jahren... schwindelt's dir; oder du kannst 's dir einfach nicht vorstellen.

Ganz einfach... Und sie hatte das Gefühl, als ob es etwas, das ›ganz einfach‹ sei, nicht gebe. Oder sie wurde Dienstmädchen bei Bitters, einem Schriftstellerehepaar, dann war es einfach; es lief so weiter, und sie dachte an die Milch, die Herr Metzger brachte, der, als eine rote Fahne mit Hakenkreuz überm Vorgarten hing, zu dieser Fahne verklärt aufgesehen und gesagt hatte: »'s ist a wahrer Segen.« Der Vater lachte heute noch darüber, und die Mutter sagte: »A bißle arg einfach... wegen dem blutigen Lappen«, womit sie das Wort des Herrn Metzger und die Fahne meinte; sie winkte mit der Hand neben dem Ohr. Frau Bitter aber sagte, wenn die Mutter Klavier spiele, dann klinge alles heiter, auch Beethoven... obwohl ›heiter‹ für die Mutter nicht ganz stimmte; es traf nicht zu, doch konnte man's Frau Bitter nicht erklären. Die redete halt so daher und bildete sich vielleicht ein, recht großzügig zu sein. Die Mutter aber fürchtete, Eugen werde jetzt, da er den Bitter kannte, auch Schriftsteller werden wollen, während so etwas doch eine unsichere Sache war; der sollte lieber zum Doktor Fleischhauer in das Schloßmuseum gehen, weil solch eine Bekanntschaft wichtig war für seinen späteren Beruf. Aber weshalb sollte Eugen denn an später denken, wenn er wußte, daß ihm nur ein Krieg bevorstand? Doch ihm klarmachen, daß Herr Bitter früher einmal wie der Vater Zeichenlehrer gewesen war und deshalb immer noch vom Staate Oldenburg eine Pension bezog, obwohl er doch nur kurze Zeit im Dienst gewesen und von einem Tage auf den andern in das Tessin weggelaufen war, weil er es nicht mehr ausgehalten hatte, das konnte sie freilich nicht.

Margret fragte die Eltern, ob sie es zuließen, daß sie zu den Bitters gehe, und der Vater sagte: »Ha, wenn du meinst, Margretle.«

Bitters wohnten in der modernen Siedlung, die ›Schwäbisch Marokko‹ genannt wurde und fünf Minuten von Margrets Elternhaus entfernt lag. Da konnte sie dann zu Haus schlafen, denn in Bitters flachem Häuschen war nur wenig Platz. Sonntags klopften Leute an die Wände, weil sie meinten, daß die nur aus Pappe seien; und einmal fragte einer: »Wie fühlen Sie sich denn in Ihrem Wohnmaschinele?« Bitter schrieb darüber eine Glosse, die vier Wochen später im ›Stuttgarter Neuen Tagblatt‹ stand. Die Großväter des Dichters waren Seeleute gewesen, auch sein Vater hatte als Matrose Dienst gemacht und war dann Steuereinnehmer geworden, der an Festtagen eine Uniform mit Majorsachselstücken anzog; das erzählte Bitter so, daß niemand herausbekam, ob es vielleicht anders gewesen sei. Er saß auf seinem Stuhle als ein kleiner Mann mit schwarzem Haar, der seine Pfeife in den Fingern drehte und großäugig schaute. Sein Großvater hatte gemalt, und im Gang hing das Bildnis eines Spitzerhundes, das der Enkel in einem Gedicht aufleben ließ; dort hieß es dann, der Großvater habe die Augen dieses Hundes ›pflaumenrund‹ gemalt. Das war gut beschrieben, weil die Augen dieses Hundes wie gewichst aussahen; denn Bitters Verse stimmten mit dem überein, was da war; darauf kam's ihm an, und damit machte er die Verse dauerhaft.

Freilich, von Gedichten verstand Margret Rapp so gut wie nichts, aber Menschen waren, seitdem ihre Verlobung mit Abele sich verflüchtigt hatte, für sie gewissermaßen eine Spezialität. Und sie schaute die an, die zu Bitters ins Wohnmaschinele kamen. Zum Beispiel einen namens Seeberg, von Beruf Margarine-Großkaufmann, einen Breiten und Gewichtigen, der glatte Anzüge aus feinem Stoff und jeden Tag ein frisches Hemd anhatte; seine Backen waren massig. Über französische Schriftsteller sagte er, die machten den Puff menschlich, womit er so etwas wie Liebe oder Wollust meinte. Der wußte über die Marktlage sehr genau Bescheid, ließ aber nur verlauten: »Also, ich weiß zum Beispiel, daß wir nur noch für vier Wochen Fett haben. Was dann der Hitler machen wird…« Denn Seeberg meinte, Hitler werde in Wirtschaftsschwierigkeiten oder -krisen kommen, und wenn das Volk nicht genügend zu essen habe [er sagte ›fressen‹], werde sich schon etwas ändern müssen. Doch wurde es trotzdem nicht anders, sondern dauerte. Seebergs Frau [seine zweite] war zwanzigjährig und hatte ein Baby, das der Vater, einem jüdischen Verwandten zuliebe, auf den Namen Sigmund hatte taufen lassen, doch schien der Onkel sich darüber nicht zu freuen, was Seeberg enttäuschte, der sich Thomas Manns Bücher deshalb gekauft hatte, weil Hitler Thomas Mann arg haßte. – »Morgens kann man mich nicht anschauen, aber abends bin ich schön«, sagte Frau Seeberg und führte deshalb nur am Abend ihren Sohn im Kinderwagen aus; zuvor jedoch mußte sie ihr Gesicht so sorgfältig bemalen, daß es wie eine Wachsbüste im Schaufenster des Künzelsauer Friseurs Schwab aussah. Sie lachte scheppernd, als sie von Margret erfuhr, ihr Bruder wünsche sich eine Rente auf Lebenszeit. – »Da fängt der also jetzt erst an und will gleich nichts mehr tun! Sehr lustig!«

Oder es kam ein blonder Pfarrer, der Gedichte machte und seine blauen Augen so weit aufschlug, daß es schien, als himmele er alles an, sogar als Bitter sagte: »Ich stamme von Schiffsleuten ab. Wir wollen Verantwortung tragen! Wenn ich mich an die Schreibmaschine setze, bin ich wie ein Kapitän!« Und er stand aufrecht da und schaute [wie ein Seemann] im Zimmer einmal dahin, einmal dorthin, wahrscheinlich, weil einer seiner Romane verfilmt wurde. Und was sie, Margret Rapp, betraf, so fragte im Konsumladen eine Verkäuferin die Mutter, ob ihre Tochter jetzt immer bei Bitters bleibe, was für die Mutter peinlich war.

Da hatte die also zwei Kinder, die sich treiben ließen: die Tochter wegen mißlungener Brautzeit, und der Sohn, weil er nicht loskam vom Gedanken an den Krieg, der hinter einer angelehnten Türe wartete.

War die Dienstmädchenzeit für sie nur ein Warteraum wie die Universität für ihren Bruder? Eigentlich möchtest du es hoffen… Und sie hörte Frau Bitter mit dem Feinkosthaus Böhm telephonieren und eine Abend-Platte bestellen, so gewaltig großzügig und für fünfzig Mark, wie's bei ihr gang und gäbe war. Denn diesmal kamen Kollegen des Bitter, also lauter Leute, von denen der und jener wie ein Zwergchen in der Sofaecke wartete, die Ohren spitzte und die Augen laufen ließ, um dann so unerwartet wie nur möglich ein Fremdwort wie ›Folklore‹ auszusprechen und sich den Teller mit Krabbensalat vollzuschöpfen. Andere Wörter hießen ›Realismus‹ oder ›Idylle‹, über die einer unter kurzer, flüchtig gehobener Nase die kritische Behauptung wagte, selbige ›Idylle‹ oder was man dafür halte, sei heute nicht mehr möglich; auch etwas wie ›Erbaulichkeit‹ wurde entweder abgestritten oder abserviert. Hier aber hörte Margret Rapp nicht genau zu, weil Frau Bitter die Gäste einlud, ihren Webstuhl anzuschauen; und so zwängte man sich denn über die enge Treppe in ein Zimmer, wo der Webstuhl bis unter die Decke reichte und mit Füßen und Händen bewegt wurde, als ob Frau Bitter eine Orgel schlüge. Einer, der wie Bitter Pfeife rauchte, hatte einen braunen Schnauzbart, den er Margret von der Seite und von rückwärts, also unterm Ohre nahebrachte. Sie griff danach und fuhr dem Mann zwischen die Lippen, daß er: »Halt! Mein Stiftzahn!« flüsterte; sie aber sagte, ihr sei's vorgekommen, als kitzele sie ein Restchen Seegras oder Frau Bitters rauhe Shetland-Wolle, aus der Herrn Bitters Anzug gemacht sei.

Sonderbar, daß du empfindlich bist… Aber seit jenem Brautzeit-Mißgeschick hatte sie eine Abneigung, obwohl Abele immer tadellos rasiert gewesen war.

Doch wie verhielt sich das mit ihrem Bruder? Von dem hast du schon lang nichts mehr gehört… Sie dachte an Weihnachten, als er hiergewesen und ihr vergnügt erschienen war, freilich immer noch abwesend und wie anderswo beschäftigt, wieder sozusagen in dem Hinterkopf. Der Vater hatte gesagt, er wisse nicht, was sein Sohn studiere. Und er hob die Schultern, legte, im Ledersessel sitzend, seine Zeitung aufs Büfett und fing an einzuschlafen oder nur zu duseln. Dumpfige Empfindungen im Elternhause, indes der Sohn in seine Stube hinaufging oder am Nachmittag die Stadt aufsuchte, wo er, korrekt gekleidet, im Café des Zeppelin-Hotels am Fenster saß und auf den Bahnhofsplatz hinabsah, diese von Leitungsdrähten wie mit einem Netz verhängte Fläche; an ihren Rändern standen die Baublöcke, bräunliche und graue Klötze, einer davon mit vierkantigen Säulen, eine lange Kolonnade, halb antiker Tempel und halb Burg mit Bergfried, wie er vom Bahnhofsturm sagte; doch was er damit meinte, verstand sie nur verwischt. Auch Worte wie ›Tyrannenzeit‹ und ›Soldatenkaiserepoche‹ konnte sie sich nicht zusammenreimen, wahrscheinlich, weil sie dachte, so etwas habe man doch früher im Geschichtsunterricht lernen müssen; und weil man *jetzt* lebendig war, paßte es nicht herein; denn Römerzeit und deutsche Zeit [heutzutage unterm Hitler] waren etwas anderes und hatten nichts miteinander zu tun. Er aber schüttelte den Kopf und sagte: »Nein, es ist dasselbe.« Sie sagte, auf dem Bahnhofsplatz schöben sich doch Straßenbahnen an Autos vorbei, der Polizist stehe auf seiner Metallkanzel und schwenke die Arme wie ein Bajaß, das habe es doch bei den Römern nicht gegeben. Darauf er: »Bajaß ist gut, weil's von Bajazzo kommt, aber trotzdem ist's dasselbe wie ungefähr damals. Da sind doch Barbaren römische Kaiser g'worden. Und es ist egal, ob hier im Haus der Vater immer noch die Spangen seiner Hausschuhe zuschnappen läßt und sich den Rücken am Kachelofen wärmt. Ja, der hat gut lachen, und die Pfeif dampft ihm im frischen G'sicht. Es sieht gemütlich aus. Der merkt halt nichts... Und es ist auch ganz wurst, was später kommt, mindestens jetzt, in diesem Augenblick.«

Der tat nur so, als ob es für ihn lustig sei, das merkte sie deutlich heraus; und jetzt war er in Heidelberg. Wie dieses Heidelberg denn sei, wollte sie in den Ferien von ihm wissen, nachdem Herr Bitter zu ihm gesagt hatte, er solle doch einen Roman unterm Pseudonym ›Major Tellheim‹ schreiben, doch wollte ihm das Pseudonym nicht recht gefallen. Er

zeigte ihr eine Aufnahme aus dem Fenster seiner Heidelberger Bude, wo er bei einer Frau von Killian gewohnt hatte,
und sie sagte: »Du hast, scheint's, eine Schwäche für adlige
Damen, weil du in München bei einer Baronin Crailsheim
g'wesen bist.« – »Ach so... Ja, das kann stimmen.« Und er
erzählte von der Bude in der Hauptstraße über einem Kino,
dessen Ventilator er zuweilen brummen hörte; denn diese
Bude mit einem Balkönchen, das nicht breiter als ein Kin-
derbett war und einen blechbelegten Boden hatte [an einer
Stelle war dieses Blech huppelig, und wenn er drauftrat,
bumste es], bot eine Aussicht, welche ihn an Künzelsau
erinnerte, also an Kindertage, Eindrücke von Anno dazumal; und sonderbar, daß jetzt schon diese Zeiten wie ein
Anno dazumal im Fernen lägen... »Aber ich will dir Heidelberg hinstellen, wie's für mich im Sommer neunzehn-
hundertfünfunddreißig dagewesen ist« ; übrigens auch schon
eine historische Epoche, sozusagen; man nenne das also
›jüngste Vergangenheit‹, obwohl Vergangenheit immer nur
vergangen sei und weder jung noch alt; es gebe nur Vergangenes. – »Aber jetzt sitzt du jedenfalls hier?« – »Schon
nicht mehr so wie vorhin, als du mich daran erinnert hast.«
Denn in Gedanken war er dort in Heidelberg, wo Dächer,
braun und moosig, sich im Morgen- und im Mittags- und im
Abendlicht veränderten. Also ein enger Hof, und ringsum
Dächer. Rechts drüben hatte ein Bildschnitzer sein Atelier,
einer, der Madonnen und elfenhafte Mädchen machte, ein
beneidenswert Grauhaariger mit einem elfjährigen Töch-
terle, einem schönen, das verwöhnt wurde, denn so etwas
merke man doch gleich. Am Sonntagvormittag kam der
Papa mit ihr vom Waldspaziergang heim, und sie hatte einen
Wiesenblumenstrauß dabei. Daneben aber wohnte eine
Hure [hu, wie schlimm], und bei der stünden die Studenten
manchmal Schlange. »So haben sie g'sagt, die Leut, die
drum herum wohnen; ich habe aber nichts davon gemerkt.
Die hat bloß manchmal finster zu mir 'raufguckt, also nicht
besonders animierend. Und mein Balkönchen soll übrigens

lebensgefährlich g'wesen sein; baufällig, weißt du.« Überm Dach aber, unter dem die Hure wohnte, war die Fassade der Jesuitenkirche da, eine rosafarbene und gemeißelte Wand vor einem Lindenbaum, der sich überm Nachbarsgarten heraufwölbte. Und all das sei halt bloß das Äußere und auch ein bißchen eng. »Du aber willst vom Innenleben etwas wissen, gelt?«

Wieland war auch in München – damals im November – aus der SA ausgetreten, und das nur nebenbei; oder nicht nebenbei, weil es halt die Hauptsache sei. Er war doch froh, wenn er sich nicht alleine gegen das andere stellen mußte; und dieses andere war immer noch der Hitler mit seinen Anhängern: »Ich kann da halt einfach nicht mit. Es ist mir widerlich, und es liegt an den Menschen. Primitive Bande... Aber lassen wir's beiseite«, sagte er [also ein bißchen affektiert war er halt immer noch] und erzählte vom kunsthistorischen Institut, in dem er all dies auch nicht hatte übersehen können, weil es sich ihm immer wieder entweder in den Weg stellte oder durchsickerte. Er bekam's zu spüren, aber wie? Zunächst nur, weil er sich fremd fühlte. Die andern saßen drüben vor der Bücherwand, und einer hatte dicke Brillengläser; später würde er kahlköpfig werden – »das siehst du an seiner Stirn« –, und weil der in der bleichen Backe eine Narbe hatte, veränderte ihn jedes Lächeln so unangenehm. Freilich, der konnte nichts dafür, aber halt trotzdem... Eugen bekam keinen festen Platz im Institut, doch war das weniger auffallend. Ein Professor, der Wieland gefiel, hatte sich einen schimmeligen Kinnbart stehen lassen [»Du kannst auch ›meliert‹ sagen«] und ein gewisses Augenglitzern [vielleicht dämonisch] angewöhnt; er rollte auch das R und redete wie memoriert, ein Gespreizter, der als Böser in einem blutrünstigen Theaterstück – also sagen wir: auf der Bühne des Saals im Künzelsauer Hotel ›Zum Rappen‹ – eine tolle Figur hätte hinschmeißen können; oder er erinnerte an einen Zwerg im Kaisermantel, der in einem Schrebergärtchen ganz gut ausgesehen hätte, nur war das zu harmlos gedacht; denn irgend etwas an ihm wirkte hinterhältig. Einmal sagte er, sein Schneider habe ihm geflüstert: »Ich hab noch gute Stoffe ohne Zellwolle aus der alten Zeit«, worauf er den Mann habe wissen lassen: »Wenn es verlangt wird, tragen wir Anzüge aus Papier!« Er rollte seine kleinen Augen und bekannte sich auf diese Weise zu ›unserem heißgeliebten Führer‹, ohne ihn zu nennen; zwar nicht ganz ungeschickt, aber auch feige oder abgefeimt.

Dagegen war die Unterhaltung mit dem anderen Professor dann ein Labsal. Im neuen Anzug aus feinem Tuch, einer noch guten Qualität von früher und aus jener Schmach-und-Schande-Zeit der verflossenen vierzehn Jahre, ging Eugen neben Wieland ins kunsthistorische Institut als ein tadellos rasierter Student, die Bügelfalten scharf, wie sich's geziemte, und meldete sich bei dem anderen Professor an, der August Grauerbach hieß.

Der war ein schmunzelnder und langer Herr, dem sich gebleichtes Haar auf dem Hinterkopf stachelig sträubte. Eine Zigarette in den Lippen – die grüne Schachtel ›Memphis‹ lag griffbereit auf dem Fenstergesims –, sah er ein Diapositiv an. Man setzte sich, redete und merkte es sich gegenseitig an. Vielleicht war's etwas Bürgerliches, man sah es an der Kleidung, oder weil die beiden jungen Leute nicht gerade laut und selbstgewiß auftraten; auch las der eine, jener Eugen Rapp, bald danach im Erfrischungsraume unterm Boden, den er und Wieland ›Café Sarg‹ benannten, in ›Herr und Hund‹ von Thomas Mann, als sich der Professor zu ihm setzte und ein abtastendes Gespräch begann. Eugen erzählte vom Besuch der Villa Poschingerstraße eins in München und bedauerte, Thomas Mann dort nicht mehr begegnet zu sein. – »Wär er dagewesen und hätt er mich hineingelassen, so wäre mir der Gaumen vor Aufregung ausgetrocknet und halt die Spucke weggeblieben.« Der Professor lächelte: »So schlimm wär's sicher nicht gewesen.«

Er erkannte also ihren Bruder, und es freute sie; da würde

155

der in Heidelberg von nun an ein bißchen florieren. – »Ach, weißt du, erfreulich ist es trotzdem nicht besonders«, sagte er zu ihr. Die Spannung zwischen Grauerbach und jenem Bärtigen übertrug sich auf die Studenten, weil der Bärtige den Grauerbach wegdrücken wollte, denn Grauerbachs Frau war Jüdin; und deshalb gab es solche, die zu Grauerbach gehörten [»Wir sind in der Minderzahl«] und jene, die der Bärtige mit dem rollenden R um sich versammelte; das war eine vitale Gruppe, denn alle Nazi waren ja enorm vital.

Margret verstand zwar nicht genau, was er mit ›vital‹ meinte, empfand es aber trotzdem; es war schon merklich. Und dann hörte sie wieder zu, ließ sich erzählen, wie die anderen Studenten waren, und erfuhr, daß Damen auch dazugehörten; besonders eine Blonde, Breite namens Spengler, die leider schon zu Anfang des Semesters ihre Doktorarbeit gemacht hatte und nun bei der Heidelberger Zeitung über Filme schrieb. – »Ja, sie hat so einen entwickelten Sinn fürs Deftige«, sagte Professor Grauerbach, und jetzt lachte auch Wieland mit, der ebenfalls dabeisaß. Dann gab es an der Heilig-Geist-Kirche Bretterbuden mit Auslagen, Läden wie aus moderigen Zeitentiefen und sanft belegt mit Patina, von denen der des dicken Mannes, der sich ›Buddha‹ nannte, nadelmalereigeschmückte Kissen anbot [das Heidelberger Schloß in bengalischer Beleuchtung unter hellen Raketenbögen], während nebenan der Herzer eine Bude mit alten Büchern offenhatte, wo es sich im Sommerwinde bequem stehen, schmökern und blättern ließ. Dort nahm Eugen ›Die Grammatik der Liebe‹ mit, es fanden sich die ›Bemühungen‹ Thomas Manns, und der Professor schaute ihm über die Schulter. An der Oberlippe hatte Grauerbach vom Zigarettenrauch einen gelben Flecken, und da und dort waren ihm Bartstoppeln weiß gesproßt. Den Hut aus der Stirne gerückt, stand er dabei und sagte: »Wollen Sie nicht mit mir in diese Bodega?« und ging vorgeneigt, ein ›langes Laster‹, dessen Zigarette im Mundwinkel klebte, in die Weinstube nicht weit vom Hotel ›Ritter‹, die grünweißrot drapiert war und Eisenstühlchen mit geschweiften Lehnen hatte. Dies erinnerte Grauerbach an Italien, das er gerne einmal wieder »con amore« bereist hätte »und nur so…«. Er streckte den Arm aus, als umfasse oder grüße er eine bewundernswerte Dame.

Dies lockerte auf, weil man sonst auf der Universität ›die Kränk' kriege‹ konnte, wie es in Heidelberg hieß. Doch außer dem Professor gab's auch sonst erfreuliche Figuren, wie beispielsweise jenes ›Automädel‹, das Norle genannt wurde und die Tochter eines Zahnarztes war; zwar eine Vergnügte, aber mit sich selber auch nicht ganz im reinen, weil sich ihr Vater hatte scheiden lassen und mit einer jüdischen Dame lebte. Den Schnurrbart englisch gestutzt, wurde Norles Vater beim Schloßkonzert unter abendlich beschienenen Ruinenmauern von einer blonden Frau begleitet, die ebensowenig anders war als andre Menschen. Der Doktor begrüßte die Herren Wieland und Rapp und sagte, die beiden hätten Mutterwitz. Es gehörte dazu, es schien das Jüdische heutzutage dazusein, damit sich einige zusammenfanden, wenige freilich, aber immerhin ein paar. Und Norle durfte mit dem Auto ihres Vaters fahren und hatte eine Blockflöte dabei. Eugen jedoch erinnerte sich an die träumerischen Worte seines Freundes: »Man gebe mir ein Auto, auf daß ich mit ihm fahre.« Nun wurde es ihm durch Norle zuteil.

Ein heißer Tag, und sie fuhren nach Speyer; sie badeten im Rhein. Wenn Eugen schwamm, legte sich sein langes Haar aufs Wasser. Ein älterer Student war mit von der Partie, einer, der Alberto genannt wurde, Albert hieß, in Barcelona als Bankbeamter gelebt hatte und wußte, wie es zuging; er ließ dies immer wieder merken, durchscheinen, oder er strahlte es aus; ein Schmächtiger und Mittelgroßer, das Haar gelichtet, einer, der die Spitze seines langen Zeigefingers öfters an die Nase legte und die jungen Leute halt gewähren ließ. Zu Eugen sagte er, vielleicht werde er wieder einmal versinken in die untern Schichten, aus denen er heraufgekommen sei, doch dies verstand dann Eugen nicht so ganz. Schuhmacher und Weber droben in Schlesien, arme Leute, die in Fabriken gingen, das war doch eigentlich keine untere Schicht. – »Insgeheim beneide ich die alle, weil sie nicht studieren müssen«, sagte er. Alberto aber wollte nach oben kommen, und warum? War denn vielleicht das Leben eines Regierungsrats oder eines Lehrers so vergnüglich? Du kennst's doch von daheim…, sagte er zu sich selbst.

Jetzt aber lagen sie bei Speyer, und der Rhein war breit. Alberto sagte, daß er keine Badehose dabeihabe. Wieland war im schwarzen Badeanzug [»ich bin ein bißchen haariger als du«], und so wurde das Haarige an ihm vom schwarzen Badeanzug bedeckt. Sie ließen sich im Gras bescheinen, Norle legte Alberto den Kopf in den Schoß, spielte auf der Blockflöte, und Wieland photographierte beide; es sah recht friedlich aus. Dann redeten sie über Norles Vater, der nur reiche Kunden hatte und ein berühmter Mann war. Der jüdischen Frau wegen mußte er sich entschließen, auszuwandern, er hatte aber auch noch eine Tochter und eine geschiedene Frau, eine verzwickte Lage, peinigend, wenn man's genau bedachte. Hätte doch die Tochter einen Mann gefunden, von dem sie leben konnte, dann wäre es für ihn einfach gewesen; aber so… mit Alberto, der bisher Stipendien erhalten hatte, aber nun nichts mehr bekam, weil er nirgends ›dabei‹ war, weder bei der SA noch bei der Partei, wie der Rapp und der Wieland. Und wie sich alle anderen zusammenfanden, denen der Hitler gefiel, so waren auch die beieinander, die sich fühlten, als ob sie Sand in ihren Kleidern hätten. Lauter Gewundene, Verrenkte, lauter krummgelegte Leiber, kaum beneidenswert, obwohl ihnen von außen wenig anzusehen war. Denn Herbert Wieland, Eugen Rapp und Norle [ihr Bruder hatte Photographien mitgebracht und zeigte sie], aber auch Alberto sahen heiter aus; nette junge Leute, welche brav studierten, nichts dagegen einzuwenden, nur waren sie halt, wie gesagt, ›nirgends dabei‹. Was hinter ihnen oder gar in ihnen war, merkten andere nur, wenn sie ihnen ähnlich waren; oder sie sahen eine angestrengte Falte, die sich glättete, verging. Und Eugen sagte, wenn Alberto auf der Straße gehe, senke er den Kopf und drücke sich dicht an den Mauern weiter: »Ich hab ihn mal gesehen, ohne daß er mich bemerkt hat.«

Eugen liebte schiefes, schräges, gefiltertes Licht, nicht jenes, das um Mittag gerade und direkt von oben kam. Sie war nahe daran, zu lachen, als sie das Gefühl hatte: schweig. Denn eine solche Vorliebe war mit allem verflochten und verfilzt, was sich einer vom Leibe halten wollte, also Roheit, die vital war. Eugen dachte oft an das Theaterstück ›Die Kreuzelschreiber‹, das er als Bub gesehen hatte; darin war einer hundsgemein behandelt worden, ein armer Kerl, aber der hatte zu sich selbst gesagt: »'s kann dir nix g'schehn!... Und das denk ich jetzt immer wieder.« Morgens und abends, im noch jungen und im alten, im unberührten und verklärenden Licht, war für ihn Gegenwärtiges erträglich, weil's dann noch nicht oder nicht mehr von Leben dampfte, zischte, brodelte, rauschte oder wie Sand rieb; das Abgemilderte war ihm gemäß. Er wollte herausfinden, herausriechen, was ihm gemäß sei, versuchte dieses ihm Gemäße aufzustöbern wie eine Maus, die sich durch Gänge zwängte, und sagte oft, schließlich seien sie ja alle auch nicht mehr als Mäuse... Zwar keine ermunternde oder selbstsichere Meinung, aber eine einsichtsvolle; obwohl Eugen, weil er jung war, schon auch ein bißchen unverfrorener hätte sein können. Der aber wurde innen älter gemacht, als er war, und das stand ihm nicht schlecht. Weil er vieles abwehren mußte, war er anders als diese Gleichaltrigen geworden, die nur gemischt waren, Mischmaschköpfe voller Läppischem und Rüdem.

Was er gut gelaunt, so sagte er, die Zeitstimmung habe sich eingetrübt, umzogen wie das Wetter. Er fragte nach der jüdischen Familie Marx, die am Saumweg wohnte. Der Mann war Bibliothekar und Professor an der Hochschule gewesen, einer, der immer im schwarzen Schoßrock ging und einen steifen runden Hut aufhatte, zu dem ein Regenschirm gehörte; aus der oberen Rocktasche sah sein weißes Taschentuch heraus. Nun fragte Eugen: »Wie geht's denn eigentlich dem Marx?« und sie erzählte, daß er im Konsumladen gesagt hatte: »Wissen Sie, ich bin nämlich Nichtarier... Und man sieht's mir wahrscheinlich auch an.« Ob Eugen sich noch an die Ruth erinnere, die Tochter, die so alt wie er sei? Sie wußte, daß ihm diese Frage peinlich war, weil er doch für Ruth Marx als Dreizehnjähriger und später gewissermaßen geschwärmt hatte. Wenn der Name genannt wurde, errötete ihr Bruder, und auch heute brannten ihm die Backen, was sie freute, weil's ihr bewies, daß er immer noch keine Freundin hatte. Der funktionierte sozusagen prompt... Doch schließlich hatte er ihr früher selbst erzählt, er habe Ruth Marx in der Straßenbahn die Zeitschrift ›Das Kränzchen‹ zu lesen gegeben, das für sie, die Schwester, bestimmt gewesen war. – »Die lernt Schneiderin und will mit ihren Eltern nach Amerika; dort ist ihr Bruder.« – »So, das ist schlau. An ihrer Stelle würd ich's auch so machen. Und eigentlich beneide ich die Ruth.« Jetzt war er bleich geworden, und sie bereute, daß sie sich zuvor an seinem Rotwerden diebisch gefreut hatte. Er sagte, man wisse ja, wie die meisten Leute über Juden dächten, aber über Professor Marx habe er nur gehört, daß er als Bibliothekar den ›Völkischen Beobachter‹ [»Vielleicht kennst du das Blatt?«] im Lesesaal nicht zugelassen habe. »Sonst konnten die nichts gegen ihn vorbringen.«

Daß er immer wieder von so etwas sprach, verstand sie nicht; er konnte doch nichts ändern. Und sie erinnerte sich, daß er vor dreiunddreißig gesagt hatte, die gingen einmal mit Pistolen zu den Juden und würden sie über den Haufen schießen. Dies aber war bis jetzt nur manchmal vorgekommen, und Sicheres wußte man nicht; es stand ja nicht im Polizeibericht; es wurde nur erzählt, so flüsternd manchmal. Also hat dein Bruder recht bekommen. Du aber möchtest einfach nicht, daß es geschehen sei; doch die Ka Zets zum Beispiel, die Gestapo... Du weißt, daß es die gibt.

»Vom Gerhard Schöllkopf hast du nichts gehört?« fragte sie ihn.

»Es steht doch in der Zeitung, daß er ein großer Dichter ist; der mit seinem Wortgetrommel... In der Friedrichstraße ist er einmal in ein Auto g'stiegen; er hat einen Ledermantel angehabt, einen senfgelben. Ich hab ihn angeguckt, aber die Entfernung ist zum Glück so groß gewesen, daß ich hab abbiegen können.«

Abbiegen und wegbleiben: schließlich blieb ihm nichts anderes übrig. Was er dachte oder sagte, wirkte sich auf den Vater aus, der zwar seine Beiträge an die Partei bezahlte, sonst aber nichts mehr tat; er wurde ja auch nicht befördert. Und außerdem hielt ihn die Mutter fest im Zaum und dachte wie der Eugen; weshalb im Hause immer eine dumpfe Luft war.

Ob er kein Mädchen fand, weil er über jede dachte: vielleicht ist die vom Hitler begeistert? Er kommt dir fast wie ein Gelähmter vor... Dabei war er elegant, ein sorgfältig Gekleideter, wenn er das Haus verließ, in seiner Stube aber beinahe zerlumpt oder zumindest schäbig. Seltsamer Gegensatz zwischen dem öffentlichen und dem häuslichen Eugen Rapp, so daß ihr's vorkam, als ob er doppelt sei.

Er verbarg etwas und beschäftigte sich mit einer Sache, die nicht ganz normal war. – »Das habe ich schon lang gemerkt. Und jetzt kennt er auch noch den Bitter«, sagte die Mutter. Also sorgten sich die Eltern um die Zukunft ihres Sohnes, und unberechtigt war solch eine Sorge freilich nicht. Besonders bei dem..., dachte Margret Rapp. Und die Mutter forderte ihren Sohn auf, einmal wieder zu dem Konservator Fleischhauer ins Neue Schloß zu gehen; da stellte sich die also vor, der Konservator werde ihren Buben auf das bürgerliche Gleis hinüberdrängen, denn Schriftstellerei war immer noch verdächtig und nicht das Richtige für einen

Schulmeisterssohn, weil der nicht bloß ein Seiltänzer und Lustigmacher werden durfte. – »Ich soll mich zu einem angesehenen Mann entwickeln und ausbilden lassen; das ist mir zu anstrengend«, sagte er und schmunzelte sich eins.

Dann fuhr er allein nach Gaienhofen. Der Vater genehmigte ihm vierzehn Tage Vakanz, und als er wieder zurückkam, war er rot gesprenkelt; sie dachte, daß er krank sei, aber dann war's nur ein abschilfernder Sonnenbrand. Er erzählte von seiner Bude bei der Frau Führbacher, wo ein Grenzpolizist im Hause wohnte; der hatte einen Buben, zu dem er immer wieder: »Also, no nix Weiches« sagte. Er war ein hochgewachsener und muskulöser Mann in grüner Uniform, einer, der lachte, als Eugen, den Kleppermantel am Arm, in den Wald ging, wo er dann auch, auf einem Bänkchen sitzend, mit einem Mädchen geredet hatte, das in Göttingen Buchhändlerin war: »Halt über Gedichte und so… Du weißt ja, daß der Hesse in Gaienhofen g'wohnt hat.« Der Grenzpolizist aber sagte, er sei auch ein toller Kerle g'wese, seinerzeit… »Aber von der Heirat an war Schluß. Endgültig!« Und er sah Eugen stark an. Solider Mann also, ehrenwert und gewissenhaft, einer, der ihn belehrte, daß dem Deutschen Reich Devisen verlorengingen, wenn er mehr als zehn Mark in die Schweiz mitnehme. Aber das wußte Eugen schon, es handelte sich dabei um eine strenge Verfügung, die sein Freund Wieland elegant umgehen konnte, weil er drüben Verwandte hatte, in Küßnacht die Villa Thomas Manns photographierte und von der Straße aus jemand darin Geige spielen hörte; vielleicht sei es Thomas Mann selbst gewesen. Im Gaienhofener Haus, wo früher Hermann Hesse gewohnt hatte, war jetzt ein Maler heimisch, der sagte, da kämen immer Leute, welche meinten, er habe ein Hesse-Museum hier und einen ausgestopften Steppenwolf in der Wohnstube. Ein hohes Bild seiner ersten Frau hing im Treppenhaus, und seine Tochter schätzte Eugen mit den Blicken ab, als sei sie ihrer Sache sicher; doch blieb es unbestimmt, wie beschaffen diese Sache war. Klein und wendig ging die Tochter auf den Gartenwegen, pflückte Blumen, hatte langes und offenes Haar, war barfuß und gebräunt. Am Badeplatz hatte einer namens Eggenschwyler [aus Lenzburg in der Schweiz] ein Fahrtenmesser am Gürtel stecken, und eine Schweizerin deutete darauf: »Oh, er ist bei der ›Nüe Front‹!« Und Eugen ließ sich sagen, was ›Nüe Front‹ sei; dasselbe wie die Hitlerjugend halt, bloß schweizerisch... »Weißt du, da war ich dann schon wieder abgekühlt; jetzt haben die so etwas also auch schon in der Schweiz... Die Bauernmädchen freilich, diese Gaienhofener Bauernmädchen... Mir kommt's vor, als hätte ich da auch eine hinausgelassen«, denn eine ließ ihr Leiterwägelchen neben der Mutter stehen und lief zum Brunnen, um die Arme unter den Strahl zu strecken. Eugen stellte sich neben sie – [»Ja waas... Also da staun ich!«], und es ergab sich eine Unterhaltung; sie sagte immer wieder »Ah!« und »Wundervoll!«, freilich nur des Wassers wegen, das ihr von den Ellenbogen tropfte; übrigens sei die schlank und sogar ohne Lächeln hübsch gewesen. Später, als er beim Essen in der Wirtschaft saß, kam sie herein, redete aufgeregt und schaute auf den Boden; sie sah beiseite und lief wieder weg. Und später saß noch eine dritte im blauen Kleid neben einem Wiesenweg auf einer Bank, als er vorbeiging. Sonderbar, daß die alleine und abseits vom Dorf... »Aber die hat halt auf einen andern g'wartet.«

Margret war immer noch bei dem Schriftsteller Bitter. Im nächsten Jahr machst du dich frei... Da ging sie als Haustochter von den Eltern weg. Es hatte keinen Zweck, immer nur dazuhocken und auf Ersatz für Abele zu warten, der ihr weggeschwommen war. Durch Frau Bitter erfuhr sie allerlei über ihren Bruder, der also Gedichte gemacht hatte, zuletzt eines, das ›Zigeunerin‹ oder so ähnlich hieß; er spielte sich darin ein bißchen auf und tat, als ob er eine Nacht lang mit einem braunäugigen und schwarzhaarigen Mädchen im Freien gelegen wäre; das gab's doch bei dem nicht. Trotzdem gefiel ihr an den Versen, daß sie einfach waren; schließlich kamen sie ihr sogar kräftig vor, und sie meinte, daß es darin knistere und knacke. »Legst die warme Hand in meine / Und ich pack den Raub. / Dornen ritzen flinke Beine, / Schlüpfen wir durchs Laub«, fing eine Strophe an, und also war er nicht einmal sentimental geworden, doch hatte ihm das wahrscheinlich Herr Bitter beigebracht, der an der Pfeife sog und dessen Oberlippe nach dem Mundwinkel zu gespannt war, als sei sie eine Messerklinge. – »Von seinen Gedichten kann ich zehn auswählen. Ich kenne in Hamburg einen, der sie vielleicht druckt. Aber sagen Sie vorerst noch nichts zu ihm.«

Immerhin hatte ihr Bruder also schon einen gewonnen, der ihm weiterhalf; und wünschen tat er sich ein schwarzhaariges Mädchen, eine, die fremdländisch aussah wie eine Zigeunerin, während heutzutage doch überall Blonde angepriesen wurden; und ihr fiel ein, daß sie selber eine Schwarze mit nicht ganz einwandfreiem Hinterkopfe war, falls sie Abele glauben wollte... Bis bald danach, als sie dunkel gebräunt war und ein gelbes quergestreiftes Kleid anhatte, einer, der im Bitterschen Haus eingeladen und von der Zeitung war, »Sie sehen ja wie eine Inderin in ihrem Sarong aus« zu ihr sagte.

Margret hörte es gerne, dachte ans Zigeunerin-Gedicht des Bruders und überlegte, weshalb er sich im vergangenen Jahr mit der weißblonden Motorradfahrerin so gut verstanden habe; das Politische spielte mit hinein [da war die Haarfarbe gleichgültig] und dann, daß dieses Mädchen abgewartet und zugeschaut hatte, ziemlich skeptisch; und daß sie weggegangen war als eine Unabhängige; das vielleicht auch. Jetzt wußte er nichts mehr von ihr, und das war günstig; die vergaß er nie.

Und sie stellte sich vor, wie er jetzt in Heidelberg lebe, was sie nur aus Andeutungen wußte, die sich in ihr zusammenschoben, aneinanderfügten. War's nicht so bei jedem Menschen, also auch bei ihr, die vom eigenen Leben nur andeutungsweise etwas wußte und nichts durchschauen konnte? Denn wer vermochte das eigentlich schon? Jeder bildete sich ein oder machte es sich vor, daß er etwas durchschaue, und sah nur Eindrücke und Augenblicke, die ihm andeutungsweise bewußt wurden. Und so war's auch bei ihrem Bruder. Sie überlegte, was er an Wieland finde, weil der, wenn er aus den Ferien zurückkam, seltsame Ansichten hören ließ, wie beispielsweise diese, daß der Hitler auch recht habe, weil uns die anderen ja keine Kolonien gönnten. So etwas befremdete dann Eugen, obwohl es doch nicht darauf ankam, was einer mal so herausschwätzte, das ihm anderswo zu Ohren gekommen war. Schließlich konnte Eugen froh sein, weil er einen gefunden hatte, mit dem er sich wenigstens allgemein verstand. Und allgemein war dieser Wieland also gegen Hitler, nur schwankte er zuweilen; ihr Bruder freilich schwankte nicht, der war aufrecht, allerdings recht starr und steif. Sah sie ihn unten in der Straße gehen, dann erschien er ihr wie eingemauert, während jener Wieland...

Der also regte und bewegte sich beim Reden; ihr Bruder aber kroch in sich hinein und war oft fast lethargisch; zwei Temperamente also. Wenn Wieland etwas wider den Strich ging, reckte er sich auf und machte den Nacken steif; seine Schultern strafften sich; er ging rasch und kaum vorgeneigt. Eugen aber, der sah aus, als ob er das Genick einzöge und den Schlag eines Holzscheites im Nacken erwarte, während Wieland die Hand triumphierend drehte, wenn's etwas zu lachen gab. Herr Bitter freilich [ein Vierzigjähriger, während Wieland und ihr Bruder junge Leute waren] bewegte sich langsam und schien abzuwarten. Wenn er etwas geschrieben hatte, holte er seine Frau herbei und las ihr alles vor: »Damit ich sehe, wie es wirkt!« Eugen aber, der versteckte alles, und daß er Bitter die Gedichte gezeigt hatte, war ein Wunder. Wahrscheinlich, weil Bitter nüchtern ist und es abschätzen kann... Nun ja, wenn man ein Leben lang Gedichte gemacht hatte.

Zurück nach Heidelberg, wenigstens in Gedanken. Du wirst im Haushalt festgehalten und dein Platz ist in der Küche als ›Haustochter‹ [sag lieber Dienstmädchen, das stimmt besser]. Und weshalb sollte eigentlich dies eine mindere Tätigkeit sein, als sich jeden Morgen gegen neun hinter den Schreibtisch klemmen, nachdem man wie Herr Bitter brütend am Frühstückstisch gesessen hatte? Beneidenswert schien jedenfalls Romanschreiben nicht zu sein, während das freie Leben an der Universität in Heidelberg… Aber ihr Bruder sah trotzdem eingezwängt aus. Schließlich war das Wehrgesetz erlassen worden, Hitler hatte das Rheinland besetzen lassen [dagegen hatten sich auch die Franzosen nicht gewehrt], und Eugen würde Soldat werden, wie es ihm der Vater vor zehn Jahren angekündigt hatte; und das war ganz nach dem Geschmack des Vaters.

Das freie Leben an der Universität… Eine Versammlung der Studentenschaft war in der Heidelberger Stadthalle angeordnet worden, und jeder mußte sich am Eingang einen Stempel auf den Ausweis drücken lassen. Scharfe Kontrolle… Es hatte sich herumgesprochen, daß beim Spargelessen eines Korps, dem nur Adlige angehörten, der und jener [also lediglich ein paar und lang nicht alle] demonstriert hatten, ›wie der Führer Spargel ißt‹; die hatten sich die Spargeln handvollweise aus den Schüsseln gezerrt, gerissen und gegriffen, wüst gefressen also, was in die Zeitungen gekommen war. Eugen hatte gegrinst und gewußt, daß noch etwas nachfolgen werde. Und es kam in der Versammlung, wo der Studentenführer schrie: »Wir werden diese schleimigen Gesellen, die sich bis heute außerhalb der Gemeinschaft gestellt haben, noch zu fassen kriegen!« Damit waren also auch er, Alberto und Wieland gemeint.

Es weglaufen lassen, so tun, als ob nix wär'… Wie das Gras sein, wenn der Wind kommt: das war das Richtige. Er duckte sich wie Gras; wenn der Wind vorbei war, richtete sich das Gras wieder auf: Adieu, Wind…, ich bin immer noch da; es hat mir gar nichts ausgemacht.

Auf Trottoirplatten schauen. Über die alte Heidelberger Brücke unterm Turm hinübergehen zu der Villa, wo im Vorgarten ein Springbrunnen klatscht. Dann rechter Hand unter Ahornen und Platanen am Flusse entlanggehen. Auf die Schloßruine schauen. Die Scheffelstraße biegt bei einem Gasthaus ab, dessen Wirtsgarten mit Ausflüglern dicht besetzt ist. Du beneidest die ausländischen Studenten, mit denen du in der Mensa zu Tische sitzt... Denn immer wählte er sich jene Reihe aus, wo Engländer und Amerikaner beieinandersaßen, lauter Leute, die sich bewegen konnten, als behindere sie nichts. Du aber und die andern, ihr lebt bloß geduckt... Es hieß vorsichtig sein; man sah nach rechts, nach links, nach rückwärts, sicherte sich ab und schwieg. Unter Engländern und Amerikanern brauchte er sich dieses ›Deutschen Blicks‹ nicht zu bedienen, weil ihn von denen keiner kannte; und vorsichtig waren die Ausländer auch, jedem politischen Gespräch wichen sie aus. Aber unter ihnen zu sitzen, war erfreulich, weil die Luft über ihren Köpfen sauber blieb; sie trübte sich nie bräunlich ein.

Auf den Wäldern hatte sich Dunst ausgebreitet. Er sah hinauf, drüben am anderen Ufer: lauter gestufte Schatten und zuweilen glänzend. Rauch wurde herabgedrückt, als wäre er ein durchschienener Wolkendunst, hängengeblieben zwischen niederen Kaminen. Sich vertiefen in den Rauch über den niederen Kaminen, sich abwenden und alleine gehen, die Scheffelstraße aufwärts, diesen schmalen Gang zwischen bemoosten Mauersteinen, und linker Hand die Gartenpforte wissen; über die Steintreppen zwischen den Terrassen vor der Villa aufwärtsschlendern... In der Villa schnappte hinter ihm die Türe zu, und er war im getäfelten Treppenhause mit Holzdecke, wo ab und an eine Tür zum verglasten Salon offenstand, samtbezogene Sessel und Stühle versammelt waren, deren Lehnen gedrechselte und vergoldete Stäbe hatten, wie er sie nur von jener Photographie kannte, auf der Reichskanzler Heinrich Brüning, den Kopf in die Hand gestützt, von rückwärts zu sehen war und ein Blumenstrauß sonnendurchleuchtet in einer gebauchten Vase stand. Denn schon zu Brünings Zeiten war alles dicht beisammengestanden, auch das Widersprechendste. Und ob Brüning noch in Deutschland war?

Hinter deiner Haut liegt ein Bezirk, der dir allein gehört; davor dehnt sich die Fremde... Er ging über die Treppe, die sich zur Seite wandte. Vor einem hohen Fenster stand eine Topfpalme, eine gefächerte und trockene Blattsilhouette, die ihn an der Schulter streifte und auf einem Blumentische stand, dessen Korbgitter ein geflochtenes Gespinst auf verschnörkeltem Fuße war, altgolden, patiniert, da und dort bräunlich, ein Gegenstand aus vergangener Zeit, wie überhaupt in dieser Villa nur noch Entschwundenes gegenwärtig war. So gehörte es hierher, wo er bei alten Leuten wohnte, in einem Zimmer, das geräumig und mit einem blauen Teppich ausgelegt war. Hohe Fenster ließen Hügel hereinschauen, mit Violettem untermischt, wenn Wolken lagerten und Regen die Aussicht bräunlich schraffierte. Das Licht ließ Dächer gleißen, mischte Nickelspuren zwischen die niedrigen Häuser auf dem andern Ufer, wo die Uferpromenade rot aufleuchtete, als ob ihr Steinbelag geschmolzen wäre. Ein klarer Morgen machte den Garten hell. Die Bäume hatten frische Blätter, ihre Äste bewegten sich, und der Fluß war grünlich. Nach rechts hinüber, in der Ferne, war die Rheinebene dunstig offen, und Eugen sah sie, wenn er am Tisch beim Fenster saß. Neben ihm wuchs ein hoher Spiegel mit Schnitzwerkbekrönung beinahe bis zur Decke auf, hinter ihm war am Bett gelbe Seide zwischen Messingstäben ausgespannt, eine hochpomforzionöse Liegestatt; das hast du vom Vater. Er war froh, bei alten Herrschaften zu wohnen. Vor der offenen Balkontür mischte sich das Rauschen des Nußbaumes mit dem des Stauwehres von unten, und Margret war's zumut, als ob sie's höre, während er es ihr beschrieb. Sie erinnerte sich, daß die Mutter gesagt hatte: »Der Eugen will nicht, daß wir ihn in Heidelberg besuchen«;

das mochte stimmen. Sapperlot, der war ja richtig elegant geworden.

»Der Vater möcht halt seinem Buben auch mal über den Kopf streichen, aber der ist so abweisend in der letzten Zeit. Hast du das nicht bemerkt?« fragte die Mutter, und Margret mußte ihr recht geben; denn Eugen kam ihr in diesen Tagen wie starr geworden vor. Beinah bedenklich…, dachte sie. Jetzt wär es ihr lieber gewesen, wenn ihr Bruder so schlampig wie früher dahergekommen wäre, weil sie dachte, der gehe jetzt nur deshalb so arg glattgebügelt und mit weißem Hemd herum, weil er Angst habe. Wahrscheinlich dachte der, er werde es niemals zu etwas bringen, weil er in der Luft hing, nichts verdiente und abhängig von seinem Vater war. Doch wie wollte er es ändern? Freilich, sie stellte sich nur vor, was ihr Bruder vielleicht dachte; aber du weißt es trotzdem ganz genau, mach dir nichts vor… Und sie sah in Gedanken Tagebücher vor sich liegen, die sie, wenn er in der Stadt war, zuweilen las [du schämst dich deshalb kaum]. Trotzdem kam es ihr vor, als kenne sie bis heut nur die Kulissen seines Lebens, wisse, daß ihm Altes lieber als Neues sei, und kannte sein Zimmer in der Heidelberger Villa, weil er es ihr genau beschrieben hatte. Photographien hat er dir auch gezeigt; die hat der Wieland g'macht… Wieland hatte Eugen auf dem Balkon aufgenommen, und Eugen lächelte auf den Photographien recht ironisch. Ein Bernsteinröhrchen mit rauchender Zigarette in den Fingern, das lange Haar mit Portugal-Haarwasser sauber gekämmt, saß er auf einem Stuhl und war aus Angst und Trotz sehr elegant.

Herr Bareis kam, lachte breit, zog den gelähmten Fuß nach und hatte sein Cello in brauner Leinenhülle bei sich, stellte es im Vorplatz auf die gelblichen Solnhofener Schieferplatten. Eugen gab ihm die Hand und stand dann auf der untern Treppenstufe, dunkelgrau gekleidet und mit Weste trotz der Sommerwärme, die grüngestreifte Krawatte korrekt geknüpft; und er machte eine Handbewegung, also ungefähr wie ein Ausländer oder ein junger Herr aus reichem Haus;

dabei war das hier nur ein Siedlungshaus mit altmodischen Möbeln, und das Benehmen ihres Bruders paßte nicht herein. Und wenn die Mutter später zu ihm sagte, wenn er sich derart produziere, denke man, daß sie's hier ganz fein hätten…, dann brauchte er sich nicht zu wundern. Der war doch manchmal richtig gnädig; eine undurchdringliche Schicht schob er zwischen sich und alle andern, obwohl diese Schicht aus Luft war. Nun gut, wenn er alleingelassen werden wollte, bitte schön… Und sie bemerkte, daß sie dieses ›Bitte schön‹ von Eugen angenommen hatte, obwohl es ihr befremdend, affektiert erschien; es paßte nicht nach Württemberg herein, und sie meinte, daß er's aus den Büchern habe. Nicht umsonst hing in seiner Stube das Porträt eines Männerkopfs mit Kinn- und Oberlippenbart, wie man ihn heutzutage nur bei alten Herren sah, welche um neunzehnhundert jung gewesen waren; übrigens das Porträt eines jüdischen Dichters aus Wien. Denn Wien… und Wien… Es kam ihr vor, als ob ihr Bruder in Gedanken immer in Wien lebe. Sonderbar und nicht hereingehörend in die Gegenwart, beinahe unpassend wie etwas Abgelebtes.

Ein Verschlossener, der Eugen. Sein Schreibtisch war immer abgeschlossen, nur vergaß er ab und an den Schlüssel mitzunehmen. Und seine Stube war so sauber… Täglich wischte er dort Staub. Seine Tagebücher waren steif gebundene Schulhefte mit marmorierten Glanzpapier-Einbänden; daß es so etwas heutzutage überhaupt noch gab; die waren doch auch in der Jugend ihrer Eltern nicht anders gemacht gewesen. Er schrieb mit Stahlfedern [Bremer Börsenfeder Größe F], und seine Schrift nannte sie für sich eine Hüpf-Schrift, weil die Wörter so weit auseinanderstanden, daß sie beim Lesen mit den Augen von einem Wort zum andern hüpfen mußte; ein kurioser Anblick. Und klein waren die Wörter, klein wie jene Schnecken, die im Künzelsauer Seminargarten unter der Mauer der Morsbacher Straße hinter Jasminbüschen zu finden gewesen waren, dort wo die Mutter manchmal gesessen war und Oki-Spitzen geknüpft hatte. Und Margret hörte wieder das Celluloidschiffchen knipsen, wenn der Faden durchgezogen wurde, verließ den Bezirk ihrer Kindheitserinnerung und vertiefte sich, am Schreibtisch der Dachstube sitzend, in die Geschehnisse des Heidelberger Sommers neunzehnhundertsechsunddreißig, als ihr Bruder mit jenem Wieland zwei Mädchen beobachtet hatte, Felizitas von Weber und Ursula von Nathusius, eine lange Blondhaarige mit kleinem Kopf, die sonderbarerweise vernachlässigt aussah [mit schlecht geschnittenen grauen Fingernägeln], aber zuweilen im knisternden Cocktail-Seidenkleide in die Universität ging; weil sie so kühl erschien, wurde sie von Eugen und Wieland ›Frigidaire‹ genannt, während die kleine und dunkle Felizitas als ›Kleopatra‹ eingestuft wurde, freilich nur ihrer Kleider wegen, auf denen sich Orange mit Karmin mischte. Beide lernten am Dolmetscher-Institut, und die lange Nathusius schien blasse Farben gern zu haben, also beispielsweise Himmelblau und Beige.

Im Café Schafheutle sprachen sie mit Alberto über diese Frigidaire, und Alberto, der schon eine Glatze hatte, legte den Zeigefinger an die Nase und sagte: »Du wartest zu lang. Ich sehe doch, wie elektrisiert das Mädchen ist. Trotzdem springst du nicht an. Was ist das eigentlich? Vielleicht brauchst du es einfach nicht, das was die andern haben müssen, ich meine jetzt: die Kommunikation mit einem andern Menschen.«

›Kommunikation‹: Alberto benutzte dieses Wort ebensooft wie Wieland; er hatte es von Professor Jaspers gehört, der wußte, daß es im Leben auf Kommunikation ankam; das war nicht abzuleugnen; weshalb also dieser Professor ein Lebensgesetz erkannt hatte und Eugen von seinen beiden Freunden angeregt wurde, sich doch auch einmal ›menschlich einzusetzen‹. Für den war so etwas aber arg schwierig, ach du liebe Zeit... Den Hund zum Jagen tragen müssen: eigentlich nicht ganz das Richtige... Der sackte immer wieder ab, die Tagebuchnotizen machten deutlich, daß er von den anderen nichts wissen wollte, weil ihn etwas lähmte; ein gelähmtes Zuwarten also, vielleicht nur, weil er die Musterung vor sich hatte. Es kam auch noch dazu, daß er vom Mord an Dollfuß schrieb, der schon zwei Jahre zurücklag. Österreich werde auch hinunterrutschen, das notierte er im Tagebuch mit scharf herausschneidender Hüpf-Schrift, und fügte hinzu: »Das sagt der Wieland, doch will ich's nicht glauben.« Er kaufte sich die ›Wiener Illustrierte‹ [ein altmodisches Blatt, aber es wurde noch gedruckt]. Und Schuschnigg war darin zu sehen, der von Eugen insgeheim verehrte Kurt von Schuschnigg, wie er im Steyrer-Anzug, Orden an der Seite, auf einem Podest in Innsbruck stand und bei einem Vorbeimarsch lächelnd winkte. Eugen deutete auf diese Orden: »Die hat er vom alten Kaiser.« Denn dieser alte und längst tote Kaiser, dessen Hofkutsche bei einem Reiterturnier in Wien vorbeigefahren worden war, schien für ihren Bruder ein bewundernswerter Mensch zu sein. Beim Reiterturnier hatte Schuschnigg deutschen Generälen die Hand gegeben, und Eugen meinte, das beweise, wie edelmütig Herr von Schuschnigg sei; denn Schuschnigg mußte doch die deutschen Generäle insgeheim verachten. Beim Hitler gab's diesen Edelmut nirgends mehr, aber beim Schuschnigg; oder Eugen bildete sich auch noch dieses ein, und es gab ihn nicht einmal mehr beim Schuschnigg... Doch, bei dem schon; aber was Schuschnigg wollte, das machte keinen Eindruck.

Alte Photographien von Wiener Palaisbauten, Wiener Straßen, Wiener Gassen... Nicht weit vom Ballhausplatz ging er [immer nur in seiner Phantasie] zu einer Parkanlage, wo das Denkmal der erstochenen Kaiserin aus einer weißen Marmorwand auftauchte, während Springbrunnen klatschten und die Kaiserin als eine Träumende erschien. Dies aber war doch längst vorbei; wie konnte man sich dessen noch entsinnen... Und sie schwieg und dachte: störe deinen Bruder nicht, du weißt, daß er hinunterfallen kann; denn dieser kam ihr wie mondsüchtig vor, ein Schlafwandler mit offenen Augen; der Blick ironisch geschärft, lediglich zuschauend, bis er wieder abwesend ausbleichte. Ja, so ungefähr. Wie hatte er doch vorgestern zu ihr gesagt? »Heutzutag mußt du so tun, als ob nix wär.«

Sie schob das Tagebuch beiseite und sah zu dem Bild auf, das überm Schreibtisch hing; er hatte es sich erst kürzlich einrahmen lassen, und es zeigte einen Fensterausblick: links ein langgestrecktes Haus, an der Seite der Pfeiler eines Gartentores, und davor Wiesen bis zu Hügeln, welche bläulich waren; Hügel bei Wien..., es war beinahe selbstverständlich, daß er eine Wiener Landschaft hier aufgehängt hatte, und sie erstreckte sich in ein Gebiet, das anderswo lag, also vielleicht auf der Innenseite. Nur weißt du nicht recht, was du damit sagen willst... Und sie blätterte im Tagebuch bis zum gestrigen Tag weiter, las, was er vor ein paar Stunden aufgeschrieben hatte, und fand eine Szene dargestellt, in der der Vater vorkam.

Da ging also ihr Bruder hinter den Säulen des Königsbaus und wartete vor einem Blumenladen. Er wußte nicht, was er tun sollte, als ihn ein Mann anstieß und »Verzeihung!« sagte; es war der Vater. »Er hat so nett geschmunzelt und mich zu einem Kaffee eingeladen«, stand auf dem Blatt, und ihr kam's vor, als ob sie ihren Bruder reden höre, übrigens so wie früher, denn in der letzten Zeit hatte er sich arg verändert; mißtrauisch und vorsichtig war der geworden, und der Vater sagte, er gehe wie ein Huhn herum, das nicht verlegen könne. Doch jetzt traf er seinen Sohn hinter der Kolonnade und sagte: »Also, ich meine, daß wir's feiern sollten. Weil wir einander doch getroffen haben. Gehst mit in den Hindenburgbau?« Der Vater hatte graue Breecheshosen an mit dicken Wollstrümpfen darüber; der Hindenburg-Haarschnitt, dieser ›Stiftenkopf‹, stand ihm strabelig wie gefrorener Säumist über der Stirn, und er schritt kräftig aus, während sein Sohn so ging, als wäre unter seinen Sohlen ein Zentimeter Luft. Und Margret schüttelte den Kopf über den mit Hüpf-Schrift bekritzelten Blättern, wo stand, er habe den Vater überredet, in den ersten Stock des Konzertrestaurants hinaufzugehen.

»Aber ich sollte dies bald zu bereuen haben«, hieß es, was sie verwunderte; denn ihrem Bruder traute sie nicht zu, daß er sich selber wie in einem Spiegel sehen konnte.

Kaum hatten sich Vater und Sohn gesetzt, als am Nebentisch ein Herr mit Schmißnarbe [er schrieb ›Schmißverzierung‹] Platz nahm. – »Da guck«, sagte der Vater, »das ist auch ein alter Reformer«, womit er das Reformrealgymnasium drunten am Stöckach meinte, wo der Vater als strahlend beliebter Lehrer und ihr Bruder als gebückter Schüler tätig gewesen waren.

Der mit der Schmißverzierung im gebräunten Gesicht hieß Braun. Zwar hatte er die Schule ein Jahr nach Eugen verlassen, amtierte aber jetzt schon als Assessor und Doktor der Rechtswissenschaft beim Stuttgarter Amtsgericht; und all dies hatte er bereits nach dreijährigem Studium erreicht; ein Erfolgreicher also, welcher lachend sagte, wenn man mit dreiundzwanzig oder vierundzwanzig nichts verdiene, dann sei das eben nix... Und wie gern stimmte nun der Vater Herrn Braun zu, der über einen Klassenkameraden sagte, dieser habe halt überhaupt keine Willenskraft; »und die Brücke zu seinen Eltern hat er völlig abgebrochen«. Halt ein Luftikus, der träumte... Der Vater war sich mit Braun einig, sah ihn über sein Bier von unten herauf an, bis sich Braun wiederum an den Nebentisch setzte, wo noch ein zweiter angekommen war, der, wie Eugen aufgeschrieben hatte, auch nach Amtsgericht ausgesehen habe. Eine Dame setzte sich zu ihnen, doch bezweifelte Margret, ob's eine solche gewesen sei, weil keiner der Amtsgerichtsassessoren von ihr Notiz genommen hatte. Eugen aber fragte seinen Vater über jenen aus, von dem er gesagt hatte, der habe die Brücke zu seinen Eltern abgebrochen, erfuhr, daß er »ganz freischaffender Künstler« und nie auf eine Akademie gegangen sei, worauf Eugen »fabelhaft!« sagte. – »Aber dem fehlt doch ein Studium, auf das er sich dann stützen kann«, wandte der Vater ein, und Eugen erwiderte, so etwas sei doch in einer Zeit wie heute ganz und gar gleichgültig, denn jeder, der so etwas wolle, müsse sich freimachen.

»Hm«, sagte der Vater, verzog den Mund und griff nach seinem Glas. Zum Nebentisch rief er: »Prosit, Herr Doktor!« hinüber, trank einen Schluck und atmete beklommen. Die Unterhaltung mit dem Sohne aber färbte sich politisch ein, und der Sohn sagte, die Lage wende sich eindeutig einem Kriege zu; was aber habe er, der junge Kerl, der nichts bedeute, denn davon, wenn er's mit Krummliegen und Ach und Krach zum Museumsbeamten bringe, um dann im Kriege seine Lunge stückchenweis herauszukotzen? So zeigte er sich seinem Vater nicht so lebensmutig wie der fröhliche Assessor mit dem Schmiß, von dem er schrieb, daß er für ihn Sympathie gehegt, und sich nach seinen Liebhabereien erkundigt habe, wobei herausgekommen sei, daß sich Assessor Doktor Braun als Photoamateur betätige.

Zu Hause sagte dann die Mutter: »Also, Eugen, das gibt's nirgends, daß der Vater von seinem Sohn nichts weiß! Er hat zu mir gesagt, was du bloß für Ansichten hättest! Und der Herr Braun, das sei doch auch ein junger Mann; aber was der für eine Lust habe ans Leben hin! So wie du bist, das ist doch nichts für einen jungen Kerle! Und's geht halt nicht, daß man bloß lang studiert, und dann hört's einfach auf... Ewig studieren kannst doch net! Du mußt deinem Vater einmal sagen, was du willst!«

So sah es also heute zwischen einem Vater und seinem Sohn aus. Auch nicht anders als vor hundert Jahren? Ja, vielleicht schon... Den Eugen beneidest du nicht... Wenn einer alles haßte, was in seiner Zeit so arg lebendig war, daß es vor Kraft beinahe platzte, wie beispielsweise auf dem Reichsparteitag, wo die blanken Spaten der Arbeitsdienstmänner auf Kommando in der Sonne gleißten... Imposant eigentlich, oder wie? Du hast es in der Wochenschau gesehen und kannst nicht recht verstehen, daß so etwas deinem

Bruder widerwärtig ist... Und sie las in dem Tagebuch, alles, was sich jetzt abspiele, habe sich auch früher abgespielt, damals hinter Commodus in Italien, also bei den Römern, als die alt geworden seien, obwohl auch damals haufenweise junge Leute gelebt hätten; aber die Brutalität, die Gewalttätigkeit, die sei neu heraufgekommen als ein Symptom des Alterns. Und das verstand sie nicht.

Was der alles zusammenkritzelte... Über seine Arbeit schrieb er fast wegwerfend oder nebenbei. Daß Professor Grauerbach ihm ein Doktorthema über Hausmadonnen im fränkischen Raum gegeben habe, aber das gehe nicht, weil es schon bearbeitet sei; weshalb er also jetzt die Illustrationen zu Goethes Werken sich vornehmen solle, glücklicherweise aber nur die zu Goethes Lebzeiten gemachten. Wenn er alle sammeln müßte, würd es ihm weit hinein grausen.

Also hätte ihr Bruder lieber etwas anderes getan. Halt in die Luft gucken und Gedichte schreiben; oder so eine Geschichte machen, die dann Novelle hieß, nur müßte sie vor dreißig Jahren in Wien spielen; oder vor hundert Jahren, als das Bild über seinem Schreibtisch gemalt worden war. Und sie dachte wiederum, daß Eugen kein beneidenswertes Leben führe, denn nur zurückschauen, sich wünschen, daß er früher lebe und heute also längst vermodert sei...

Sie schüttelte sich, stand am Fenster und schaute in den Baum des Nachbargartens, an dessen untersten Zweig der Bub von nebenan ein Seil geknüpft hatte; er zog sich daran hoch. Sein Vater kam in Heeresuniform nach Hause, rief ihm etwas zu und ging beschwingt über die Treppe. Als Zivilist war er nie so federnd dahergekommen; es schien, als ob er merken lassen wolle, wie elastisch er beim Militär geworden sei.

Eugen machten Uniformen nicht beschwingt, weil er noch jung war. Und sie erinnerte sich, was sie im Tagebuch mit dem grünlich marmorierten Deckel gelesen hatte; es kam ihr im Nachhinein lustig vor, allerdings auch affektiert; doch hatte er genau beschrieben, wie's gewesen war, damals am 15. Juni 1936, wo er in der Kegelbahn der Wirtschaft ›Harmonie‹ unter anderen gewartet hatte, von denen sich einer auf einen Tisch legte. Ein anderer ging auf und ab, während er selber saß und den Schutzmann betrachtete, einen Mann mit Schnurrbart und blitzender Pickelhaube, der Waffenrock dunkelblau. Messingknöpfe glänzten ihm überm Gesäß, er hatte seine Orden aus dem Weltkrieg angelegt und redete laut, daß es in der Kegelbahn widerhallte, deren Dielenbretter unter seinen Stiefeln knarrten; er sagte, daß man geröntgt werde und danach zum Herrn Oberstabsarzt hineinkomme, wo man sich auszuziehen habe und, nur mit der Turnhose bekleidet, hinter den anderen warte, bis man aufgerufen werde; sei's soweit, dann stelle man sich vor dem Oberstabsarzt auf, entledige sich seiner Hose, mache eine Kehrtwendung und beuge sich vor; jetzt heiße es, die Gesäßbacken auseinanderdrücken; wer das nicht fertigbringe, dem helfe er dann schon; und wehe, wenn ihm einer vorher uriniere! Nicht, daß er bei der Urinuntersuchung dastehe, drücke, und nichts komme heraus… Doch wie es sich auch sonst immer ereignete und wie's nicht nur bei einer Musterung geschah [das hast du auch schon oft gemerkt], spielte sich alles dann um ein paar Kleinigkeiten [Eugen schrieb: ›Nuancen‹] anders ab, weil man zuerst zur Urinuntersuchung kam, hinter einem Paravant in ein fleckiges Kelchglas pißte, ein Sanitäter sagte, es sei sonderbar, wie schamhaft sich hier manch einer gebärde, der, wenn er mit seinem Mädchen im Wald sei, seine Geschlechtsteile nicht oft genug zeigen könne, indes er hier rot werde und sich ziere.

Eugen war froh, daß er sich wie ein Automat verhalten hatte, ging zu einem andern, der in einer Ecke Zahlen flüsterte, die er wiederholen mußte. Dann hielt der Sanitäter Karten in die Höhe, auf denen Ziffern aus blauen, roten und gelben Punkten sich in einem Gewirr anderer Punkte zu verstecken schienen, und Eugen wurde aufgefordert, diese Zahlen zu entziffern, was ihm leider leichtfiel, denn er dachte: wenn du es nicht könntest, wärst du farbenblind und hättest die Chance, nicht zum Militär zu müssen. Dann ging er über einen rotgestreiften Läufer in den Saal, wo eine lange Tafel mit Herrschaften besetzt war. Rechts außen saß ein rosiger Major und rauchte eine Zigarre, daneben hatten Schreiber Aktenstapel vor sich aufgehäuft, und in der Mitte zuckte der Kommandeur des Wehrkreises hinter seiner scharfen Brille mit den Lidern. Männer vom Arbeitsdienst waren breitschulterig anwesend, ein Bürgermeister sah deplaciert aus, weil er im blauen Anzug war, während das Kraftfahrkorps der nationalsozialistischen Bewegung von einem Burschen in brauner Uniformjacke mit silberbesternten Kragenspiegeln vertreten wurde; der ließ dann alle Jünglinge, die einen Führerschein besaßen, an sein Tischchen treten, weshalb Eugen von ihm verschont blieb. Er stand hinter den Vormännern, sein Name wurde aufgerufen, nackt schritt er auf den Oberstabsarzt zu, der fragte, ob er sich schon einmal habe operieren lassen müssen; da deutete er an den Hals und erzählte die Geschichte seiner aufgeschnittenen Drüse, worauf der Oberstabsarzt sich mit dem Major am Fenster flüsternd unterhielt. Der Major wandte sich dem Schreiber zu, rief: »Rapp Eugen – zeitlich untauglich, zurückgestellt auf ein Jahr!« und sagte zu Eugen, er müsse sich also im nächsten Jahr nochmals stellen. Der Wachtmeister schob ihn vor den Kommandeur, der abwinkte und das Gesicht verzog, als Eugen sich vor ihm verbeugte. Hernach schlüpfte er in seine Kleider – wie gravitätisch hatte er dies alles doch im Tagebuch vermerkt. Er wurde zur Klinik gefahren, geröntgt und wieder zurücktransportiert in die Kegelbahn der Wirtschaft ›Harmonie‹, wo er bis gegen ein Uhr unter den anderen warten mußte, der Major hereintrat, der Wachtmeister »Achtung!« brüllte und der Major »Leute!« zu schreien anfing. »Leute! Ich habe euch hierherberufen, um euch zu mustern. Wenn auch nicht jeder dazu auserlesen wurde, seinem Vaterlande mit der Waffe in der Hand zu dienen, so braucht er deshalb nicht betrübt zu sein.« [Du wärst fröhlich, das auf jeden Fall.] »Er kann dies auch in seinem Beruf tun. Im übrigen: Leute! Von heute ab seid ihr Soldaten des Beurlaubtenstandes! Denkt daran, daß diese Musterung die erste ist, die nach Errichtung der Wehrhoheit hier abgehalten wird! Bis an die Grenzen unseres Reiches herrscht jetzt Wehrhoheit! Und darum gehen wir auseinander mit einem dreifachen Sieg Heil auf den Schöpfer unserer Wehrmacht, den Führer und Reichskanzler Adolf Hitler. Adolf Hitler – Sieg Heil! Sieg Heil! Sieg Heil! Weggetreten.«

Sie las es wieder im Tagebuch nach und sah, daß sie beinahe nichts vergessen hatte. Dabei kam es ihr vor, als ob ihr Bruder wünsche, daß sie's lese, nur um jemand neben sich zu haben, der etwas von ihm wußte.

Den ließ der Lauf der Zeit nicht los. Dir aber ist vieles wurst; und warum eigentlich? Weil du ein Mädchen bist; aber dümmer als dein Bruder bist du trotzdem nicht.

Nach der Musterung war er erleichtert in die Universität gegangen und hatte Wieland im Café ›Sarg‹, also unterm Boden im Erfrischungsraum getroffen. Wieland, der sich in den letzten Wochen von ihm abgewendet hatte, wahrscheinlich, weil ihm Eugen allzuoft [in Wien] abwesend oder als ein Abgekapselter erschienen war, indes er mit Alberto Knaus kommunizierte, was schließlich auch nicht mehr bedeuten konnte als schwätzen und beisammensitzen; doch ›kommunizieren‹ und ›Kommunikation‹ gehörten, wie gesagt, zur Existenzphilosophie, die vielleicht so etwas war wie eine Geheimwissenschaft.

Also, er trat in den ›Sarg‹, und Wieland fragte, wie es bei der Musterung gewesen sei; der schmunzelte, weil er's doch schon in Ulm mitgemacht hatte, wo er zu Hause war. Denn es kam darauf an [und Wieland war da schlauer als ihr Bruder], sich dort mustern zu lassen, wo die Eltern lebten, weil dann die Eltern... – »Was bist du geworden? Wie haben sie dich eingestuft?« – »Zeitlich untauglich. Zurückgestellt auf

ein Jahr.« Wielands Gesicht wurde unbewegt: »So?« – »Ja.«
– »Ach, weißt du, mir macht das nichts aus. Man hat meinem
Vater g'sagt: ›Ihr Sohn muß zehn Wochen lang zur Infante-
rie, aber wenn es ernst wird, kommt er zur Sanität‹«, bemerkte Wieland. – »Da bist du also zu beneiden, trotz deinem ›Tauglich eins‹… Weißt du, bei mir ist es gleichgültig,
ob ich in Stuttgart oder in Heidelberg gemustert werde,
denn mein Vater macht da nichts für mich. Der denkt halt:
›Meinem Eugen tut's bloß gut, wenn der mal tüchtig herge-
nommen wird…‹ Was kannst da machen? Nix.«

Gut, wenn er so dachte, aber bequem war's für ihn nicht.
Und sie erinnerte sich einer Stelle seines Tagebuches, wo er
geschrieben hatte, Wieland habe vom ›Geworfensein des
Menschen‹ gesprochen, und er habe geantwortet: »Wo ich
im Krieg sein werde [also vorne], kannst du das Geworfensein erfahren, und hinten darüber nachdenken.«

Der nahm also alles hin; es schien beinahe, als sei's ihm
gleichgültig, was mit ihm geschah. Und als sie fragte, ob ihm
denn tatsächlich alles wurscht sei, antwortete er: »Ich tu nur
so.« Was war der doch für ein verquerer Kerle, so verdruckt.
Trotzdem konnte er dann wieder sagen, daß er nur so tue,
als ob er verdruckt sei. Und mit dem Vater konnte er zufrieden sein, ha no! Der sagte nur zu ihm: »Wenn du so arg gegen den Hitler bist, dann mußt du doch auch was gegen ihn
tun.« Oder sein Bub tat ihm leid, weil der ein arger Pessimist
war. Von dem Mädchen auf der Reichenau, der mit den langen Fingernägeln und dem Motorrad, die eines Morgens
halt verschwunden war und weshalb eigentlich? Also, von
der hatte der Vater damals bloß gesagt: »Siehst, Mäusle,
jetzt ist unser Eugen nicht mehr so wie früher. Jetzt guckt
der auch auf d' Mädle«, obwohl die Blonde in den Männerhosen gewiß nicht nach seinem Geschmack gewesen war.
Der Vater hatte Angst, sein Bub mache es sich unnötig
schwer, und damit hatte er auch recht; denn weil's so aussah,
als ob der etwas ganz anderes werden wolle als Museumsbeamter – ach, du liebe Zeit… Mein Beileid hast du jetzt

180

schon. Mit den Menschen ist doch leicht auskommen: sie reden lassen und ihnen recht geben... Denken kannst du dir dann, was du willst.

Er ließ es nicht heraus, hielt's Maul, sagte es niemand, aber trotzdem drang es immer wieder durch; so etwas konnte niemand ganz verbergen, und warum bemühte er sich denn so arg darum? Weil's nicht hereinpaßte ins Elternhaus, und weil der Vater gesagt hatte, erst wenn einer auf dem Kultusministerium etwas sei, dann sei er was; es müsse aufwärtsgehen mit einer Familie, sein Bub müsse mehr als er erreichen; jetzt aber schriftstellere der und lasse nichts davon heraus, versperre es nicht nur im Schreibtisch, sondern auch noch in sich selber. So was Dummes... Kein Wort hatte der Vater g'sagt, als sein Bub aus der SA ausgetreten war, kein Wort... Da kannst du lange suchen, bis du einen solchen wiederfindest.

Es schien dann fast, als ob er wüßte, wie der Vater sei; denn über ihn stand nichts Gehässiges im Tagebuch. Er stritt sich kaum mit ihm, wahrscheinlich, weil er wußte, wen er an ihm hatte; denn dumm war er ja nicht. Im Lauf der Zeit war etwas zwischen die beiden geschoben worden und würde auch im Lauf der Zeit wieder verschwinden; vielleicht gehörte so etwas sogar zum Leben, und manche sagten, daß es ganz natürlich sei.

Da las sie also jetzt die Tagebuchnotizen ihres Bruders und lernte die Gefühle und Gedanken eines Burschen kennen, der ein g'späßiger Kerle war. Es kam ihr vor, als blättere sie angegilbte Briefe durch. Da ließ ein junger Mann Geschehnisse aufleben, die gerade erst vergangen waren und so lang frisch blieben, wie die Hefte mit den marmorierten Pappdeckeln existierten; also vielleicht über dreißig Jahre oder noch viel länger, denn wer konnte schon die Zeit auf lange Sicht durchschauen; jeder blieb mit seiner kurzen Sicht allein, aber es strahlte etwas aus und kam wieder zurück aus diesen Seiten, als werde nie etwas verschwinden und bliebe

dauerhaft. Du bist also vom Tagebuch deines Bruders ange-
tan, aber der ist, wie gesagt, bloß ein g'späßiger Kerl; halt
ein bißchen versperrt, verquer und trotzdem heiter. Sie
spürte es aus diesen Seiten mit der Hüpf-Schrift, las und
hatte einen Schlüssel, der in den versperrten Schreibtisch
paßte. Paß auf, daß du dich nicht verrätst, denn einmal
merkt er's doch.

Im Café Marquardt hatte Eugen eine Kellnerin betrachtet,
von der er schrieb, sie habe gestern vor ihm so auffallend
langsam Tassen weggeräumt, und ihr Gesicht komme ihm
römisch vor, denn er hatte es jetzt mit dunklen Frauen, denen mit gelblicher Haut; und dann die Szene, wie er im
überfüllten Café an der Kellnerin ›ganz dicht‹ vorbeigegangen war und wie sie ihm mit ›würdeähnlicher Zurückhal-
tung‹ guten Tag zugeflüstert hatte. Sonst kam nichts vor. Er
durfte seine Einsamkeit doch nicht gefährden, diese für ihn
ach so arg wichtige Einsamkeit, weil er eine Erzählung
schrieb, was ganz unnötig war, denn dieser Eugen sollte
Kunstgeschichte lernen, damit er später Museumsbeamter
wurde.

Margret lachte leise, blätterte um, las, wie er eine mit
weißseidener Halskrause und enger Kappe überm schwarzen Kostüm sah, und diese Dame schaute von der Tür des
Zeppelin-Hotels zu ihm herüber. »Ich ging an ihr vorbei,
aber es nützte nichts«, schrieb er, als bilde er sich ein, die
Dame hätte ihn an der Hand nehmen sollen. Ja, so bequem
wird es dir nicht gemacht... Und dann hieß es, der Göring
sei im Haus und treffe hier diesen Herzog von Windsor, den
Eugen dann durch eine enge Menschengasse vor den Glas-
türen des Hotels zu seinem Auto gehen sah, ein schmächtiger Mensch mit ängstlichem Gesicht; wobei ihm nur der
gelbe Kamelhaarmantel des Herzogs bemerkenswert erschien, weil es ihm vorkam, als ob dieser Herzog ein Trottel
sei, der auf den fetten Göring und den verquollenen Hitler
hereinfalle. Von Hitler hatte es geheißen, er habe als Gast
einer Sängerin in Stuttgart nur Salate und ein Schnittlauch-

brot gegessen, weil er Vegetarier sei; der hatte also Angst, zu dick zu werden. Im Café sah Eugen einen, der diesem Hitler glich [denn solche gab es viele], seine Zigarre mit einer Briefmarke flickte und dabei die Zunge zeigte, dieses ›unbeholfene Organ‹. Abends kam Doktor Eduard Martz aus Ludwigsburg, um mit den Eltern Trio zu spielen, und Eugen nahm sich vor, zu diesem alten Herrn und seiner umfangreichen Frau, die ›Tante Clärchen‹ genannt wurde, recht freundlich zu sein. Er wollte sich dabei der glättesten Vornehmheit befleißigen, und hoffentlich gehe das gut ab. Der Abend kam ihm dann ›so sympathisch stumpfsinnig‹ vor; er lehnte sich auf seinem Stuhl zurück und ließ es sich beim Essen wohlsein. Hernach beschwerte sich die Mutter, weil er hochmütig gewesen sei. Die hat doch recht gehabt, du Seckel... Und Margret las weiter im Text, wo stand, er habe sich bewußt verschlossen, weil er befürchtet habe, daß sie ihn fragen würden, wie's mit dem Studieren gehe und ob bei ihm jetzt bald der Doktor komme. »Ich muß mich schützen«, schrieb er, »die Erzählung ist noch nicht ganz fertig.« Und er besuchte den Schriftsteller Bitter, dem er von seiner Erzählung nichts erzählte, weil Bitters Meinungen über Erzählungen anders als die seinen waren, billigte aber trotzdem die konträren Ansichten des Bitter, der, wenn es um Thomas Mann ging, in sich hineinkroch und die Pfeife drehte, beim Namen ›Hamsun‹ aber schwarzfunkelnde Augen bekam und beide Arme hob. Und schließlich erzählte Bitter von einem Besuch bei Thomas Mann in München, sagte, er habe außer ihm niemand in der Villa bemerkt, und mit wie vielen Büchern der sich eingerammelt habe... So viele gute Bücher gebe es doch gar nicht. »Wir haben über Hamsun gesprochen, den hat er hochgeschätzt. Und weil er so etwas wie meine ›Siegellack‹-Geschichte nicht fertigbringt, hat er sie gelobt.« Eugen kannte diese ›Siegellack‹-Geschichte des Herrn Bitter, und sie gefiel ihm ebenfalls, weshalb das Gleichgewicht der Sympathie wiederhergestellt war. Auch im Politischen waren sich die Herren einig, doch ärgerte sich Bitter an der gespielt eleganten Art des jungen Rapp; er wünschte sich ihn feuriger, nicht so lethargisch abgekapselt, und Frau Bitter sagte wieder einmal, es störe sie an ihm, daß er so gar nicht jung sei; da verstünde sie sich wahrscheinlich mit einem französischen Studenten besser... Dann war er im ›Don Juan‹, ging in der Pause auf hellgrünen Teppichen, meinte, daß sein Kopf vom guten Essen bei der Mutter allzu dick geworden sei, bedauerte, daß neben ihm die Sitzreihe zur Hälfte leer war [Platz genug für Mädchen], und wunderte sich, daß ihm beim Hinausgehen eine Blonde die blitzende Flügeltüre hielt; die Dame wurde von einem graumelierten Herrn erwartet, dessen Auto vor den Steintreppen langgestreckt offenstand. In Stuttgart lohne sich nur das Anschauen der Kokotten, hatte Eugen aufgeschrieben, und dann kam der Satz: »Meine Beziehungen zur Außenwelt sind also dürftig.« Margret Rapp amüsierte es, wie er einen ihrer Bekannten aus dem Orchesterverein beschrieb, der Student und unehelicher Sohn einer Buchhalterin war, weshalb die Mutter zu ihr gesagt hatte: »Also, das geht nicht. Man heiratet keinen solchen.« Das war ihr zuwider gewesen, obwohl sie selber sich's auch nicht vorstellen konnte, eines Morgens neben dem mit seinen entzündeten Lidern aufzuwachen... Ihr Bruder aber hatte in sein Tagebuch gekritzelt, vor dem jungen Mann aus dem Bekanntenkreise seiner Schwester habe er sich einer klugen Höflichkeit befleißigt; übrigens sei in der linken Ecke seines Jackenrevers das Abzeichen eines Schützenklubs gesteckt, das über zwei gekreuzten Jagdgewehren eine mit goldenem Eichenlaub umwundene Jägerzielscheibe gehabt habe, während im Vorplatz das Jägerhütchen dieses Herrn gehangen habe und mit einem Edelweiß aus Kunstharz geziert gewesen sei.

Das hätte auch ein Graumelierter schreiben können; dem hätte es gut angestanden. Bei einem Dreiundzwanzigjährigen jedoch erschien's ihr nahezu unheimlich. Ihrem Bruder aber gefiel eine solche Pose, und sie stand ihm gar net schlecht. Ging er die Panoramastraße aufwärts, so gefiel ihm nicht weit von der Kronenstaffel ein Haus mit grünlichen Sandsteinpilastern, und bei der Jahreszahl 1893, die verschnörkelt auf die gelbliche Mauer einer Villa unterhalb eines Terrassengartens gemalt war, dachte er, damals habe in Wien... Es war zum Lachen. Am komischsten jedoch erschien ihr, daß sich auf der Kronenstaffel unterm Eibenbaume rechter Hand des öfteren ›frühlingsbetörte junge Menschen‹ voneinander lösten und halb belustigt und halb schamvoll lächelten; kürzlich sei ein Jüngling mit Kräuselhaar und tailliertem Mantel dort gelehnt, dessen Begleiterin... Und Eugen ging vorbei und wurde für die beiden rot, obwohl's doch an den anderen gewesen wäre, zu erröten. Am liebsten hätte er zu ihnen: ›Weitermachen... sich nicht stören lassen, bitte schön‹ und: ›Einer wie ich kann bloß neidisch sein‹ gesagt. Mit seinem Vater aber ging er abends in den Hindenburgbau, und der Vater sagte: »Du darfst lang studieren. So ist das Geld am besten angelegt«, nur konnte sich das von heute auf morgen ändern, und der Vater vergaß oder bereute, was er gesagt hatte. Margret lächerte das, obwohl sie's vom Vater verstand [so isch's no au wieder], weil der Vater seinen Sohn mißtrauisch ansah; der konnte sich halt nicht vorstellen, wo sein Bub hinauswollte, denn schließlich mußte sich der auch einmal sein Geld selber verdienen, sapperlot. ›Heidesack, Kerle, sei doch nicht so stärch!‹ hätte sie ihm gerne zugerufen, traute sich aber nicht, weil er abweisend blieb. Und wenn du's zu ihm sagst, rutscht dir vielleicht etwas von dem heraus, was du im Tagebuch gelesen hast; du muaßt 's Maul halte... Und als sie wiederum in seinem Schreibtisch stierte, fand sie einen Zettel, auf den er ein Gedicht gekritzelt hatte, das so anfing: »In ein gerolltes Weinblatt möcht ich kriechen.«

Typisch Eugen. Sich zurückziehen, so klein werden, daß er in ein Weinblatt paßte, das war sein Wunsch; und dir erscheint das nicht einmal verwunderlich; du weißt doch, wie es in ihm aussieht. Dem graust es halt. Und er erzählte ihr in seiner murmelnden Sprechweise, die er jetzt zuweilen an sich hatte: »In Weises Hofbuchhandlung…, also, dort ist ein junger Buchhändler gewesen, der hat Hellstern geheißen. Jetzt ist er nicht mehr dort. Weiß du, der hat sich das Leben genommen; halt weil er eine Jüdin geliebt hat. Wie es manchmal so geht.« Und ihr gefielen seine Augen nicht, die sich veränderten, während er dies sagte.

Sie blätterte im Tagebuch und schaute in die Heidelberger Tage wie durch ein Schlüsselloch hinein. Jetzt las sie genauer als zuvor, nicht mehr so hastig, weil sie wußte, wann er in die Stadt ging und wann er wieder zurückkehrte. Der ordnete sich alles so, daß es auf die Minute ablief.

Die Spitzen der Forsythienblüten in den Heidelberger Gärten waren vom Nachtfrost ausgebleicht. Ein langer Romanschriftsteller in rotbraunen Knickerbockerhosen hielt vor der gotischen Heilig-Geist-Kirche seine kantig gekrümmte Nase hoch und redete mit seinem Stiefbruder, dem Antiquar Herzer, der in einer an die Kirche gezimmerten Bretterbude auf rostigem Öfchen ein Linsengericht wärmte, während seine Frau mit rötlicher und zerraufter Frisur in der Sonne lehnte; ihre seidenglatten Strümpfe glänzten. Nebenan hob ein Dicker, der nadelmalereiverzierte Sammetkissen auf Brettertischen liegen hatte, sein himmelblaues Kunstseidenhemd, um seinen Nabel sehnzulassen, und sagte, als ihm Frau Herzer ihre grazile Hand draufklatschte: »Noch nie hat einer ungestraft Buddhas Bauch berührt.« Und Eugen sah die beiden Damen Frigidaire und Kleopatra über die Straße gehen. Seltsam, daß er von denen nun die Blonde mit dem kleinen Kopfe bevorzugte, eine Bohnenstange, deren schwarze Ohrringe wieder einmal steif neben dem Halse schwankten und fast an ihre Schultern rührten; dazu blaue Augen, von denen er meinte, daß sie manchmal dunkel würden und ins Violette wechselten. Das war Ursula von Nathusius.

Und Wieland kam. Eugen holte ihn am Bahnhof ab und

wunderte sich übers unbekümmerte Gesicht des Freundes, der einen langen und schmalen Kopf mit hoher Stirne hatte. Die Kurfürsten-Anlage hinter dem Hotel ›Europäischer Hof‹, das ›Europe‹ genannt wurde, ließ grünes Frühlings-Gespinst sehen, ein Blätternetz, von früher her vertraut. Und jetzt lachten sie beide.

Wieland nahm ein Zimmer in der Straße, die Im Klingenteich hieß, wo zwei junge blonde Wesen weiblichen Geschlechts um den Weg waren, von denen eine ein rotes Halstuch umgebunden hatte und die andere im rosa Sweater war, der sich weitmaschig spannte und auf den Schultern Haut durchschimmern ließ; übrigens beide sympathisch verschlampt. Eine drückte ihren bemalten Mund ins hellgraue Fell einer Katze. Eine ältliche Vermieterin, wohl ihre Mutter, war schmuddelig aufgetakelt. Negerspeere, eine Hellebarde und ein Schild hingen über einer Tür, bräunliche Matratzen waren in einem Mahagonibett an die Wand gelehnt, und alles zusammen sah aus, als wäre es ein modriges Quartier; aber Wieland fand sich damit ab und war nicht heikel.

»Jetzt sind wir also wieder in dieser altfeinen Musenstadt«, sagte er, und Eugen meinte: »Wir haben uns halt die falsche Zeit ausgesucht. Vor zehn Jahren wär's besser gewesen, wie?« – »Nun ja, vor zehn Jahren ... Da hätt ich dich gefragt, ob du auch ins Kolleg vom Gumbel gehst.« – »Ach so, weil der gesagt hat, die deutschen Soldaten seien auf dem Feld der Unehre gefallen ... Selbstverständlich geh ich hin, obwohl ... Also, ich meine: Ein bißchen weit ist der Gumbel damals schon gegangen.« – »Und was machen unsre Damen?« – »Ich habe sie bereits bemerkt. Sie sind im Café gesessen. Kleopatra schlägt immer noch mit ihren dunklen Augen einen Bogen, wenn man hinschaut; übrigens hat sie ein kleines rotes Auto ... Wie wär's denn damit? Ich meine: weil du so gern Auto fährst. Freilich, du bist in Stuttgart fest engagiert und ... Wie geht es eigentlich Fräulein Wendlinger?« – »Sie malt.« Er machte eine Handbewegung und schaute an den Himmel. »Sie ist noch sehr jung ... Und beim

Breuninger lernt sie Nähen; damit sie was für später hat. Ihr Vater will es halt; der ist doch Amtsgerichtsrat.« – »Ich bin früher hierhergekommen, um dir bei unseren Damen das Wasser abzugraben«, sagte Eugen, und für seine Schwester, die's im Tagebuche las, war es eine Saugaude [übrigens ein Wort, das von ›Gaudium‹ kam]. Fräulein Wendlinger freilich war ihr bisher noch nicht begegnet; sie tauchte hier zum ersten Male auf und war wohl das feste Verhältnis dieses Wieland, eine Tatsache, über die es nichts zu sagen gab. Deshalb stand nur ihr Name da.

Der Geruch alter Matratzen in Wielands Zimmer wurde nebenbei erwähnt und danach ein Zusammentreffen im Café geschildert. Es regnete, die beiden jungen Herren durften ihre Mäntel im Nebenzimmer bei der Theke in einem Garderobenschrank über Kleiderbügel hängen, weil sie hier zu den Stammgästen zählten. Sie setzten sich neben die Tür, wo Wieland an die Decke schaute und Eugen eine halbe Sekunde früher mit dem Ellenbogen anstieß, als er selbst die beiden hereinkommen sah; doch schauten diese dann geflissentlich beiseite und lasen in Zeitungen, als schirmten sie sich ab. Wunderbar... Jetzt bist du davon dispensiert, sie anzusprechen..., dachte er und ging mit seinem Freunde zum spanischen Albert, der auch Alberto genannt wurde und Bratkartoffeln mit Ei aß. Danach sagte Wieland: »Wie er da so ißt in seiner Klause, so gedrückt und wie beiseite: mir hat er leid getan.« Eugen aber schämte sich des Spotts, der ihm auf der Zunge gelegen war.

Wieland zeigte ihm eine neue Aufnahme des Fräulein Wendlinger: Ein Mädchengesicht lächelte im Halbprofil zwischen Haarwellen und Lichtern, die sich zu bewegen schienen. Und dann eine farbige Zeichnung, die Fräulein Wendlinger gemacht hatte und welche Wieland immer wieder wegnahm und zunächst nur flüchtig vorwies, weil sie in der Tat außergewöhnlich komisch war und die beiden Freunde als Tänzer zwischen Taxushecken im Stuttgarter Stadtgarten bei Nacht zeigte: Wieland, wie er geschmeidig ein Bein vors andere setzte und die Hand beiseite bog, indes Eugen als verbissen stampfender und in den Schultern verkrampfter Kanzlist dargestellt war, etwas übertrieben freilich, aber immerhin charakteristisch.

Eugen erinnerte sich, daß sie beide sich vor einem Jahr auf diese Weise im Stadtgarten produziert hatten, und es fiel ihm auch noch ein später Nachmittag ein, an dem er neben einem Kornfeld nicht weit vom Feuerbacher Weg, der unter Obstbäumen und neben einer Schlehenhecke gemächlich tiefer führte, Fräulein Wendlinger begegnet war. Er hatte mit ihr nur wenig geredet, wahrscheinlich, weil ihm des grünlichen Abends und der weiten Aussicht über Wälder bis zur fernen weißen Solitude wegen nicht nach Reden zumute gewesen war. Denn Schloß Solitude lag, wenn man genau hinschaute, in der Ferne und erhöht am Rand der Wälderrücken als weißlicher Flecken.

Im Tagebuch war all dies nebenbei erwähnt, doch konnte sie es sich vorstellen und meinte die Empfindungen des Bruders mitzufühlen, für den eine Erinnerung erst im Aufschreiben geklärt wurde, als werde Schlieriges von einer sauberen Substanz gereinigt und gefestigt, also dauerhaft.

Sie gingen die enge Hauptstraße aufwärts. Ein Trambahnwagen zwängte sich vorbei. Sie sahen in die Schaufenster einer Buchhandlung, wo von einem vergilbten Umschlag ein Herr mit Schnurr- und Spitzbart hersah. Eugen holte sich das Buch und blieb weiter oben vor einem Antiquariat stehen, das Bücher auf schrägen Brettern anbot. Und um die Ecke, am Universitätsplatz, war bei einem alten Mann in einem Schränkchen mit verglasten Türen alles zu finden, was Stefan George hatte drucken lassen, lauter teure Bände in dunkelblauem glattem Leinen und mit Goldpressung; einmal hatte der Inhaber ihm erzählt, hinten beim Insel-Schrank sei früher oft ein schmaler kleiner Herr gestanden: Rilke nämlich.

»Oh!« sagte eine Männerstimme, »Sie sind schon da?« Es war Professor Grauerbach im grauen Mantel, dessen Kragen im Nacken abstand, als ob er flüchtig hineingehängt worden wäre; und wieder hatte er den Hut über der Stirn zurückgeschoben, winkte mit langem Arm.

Eugen sagte, schon seit Montag sei er hier [inzwischen waren drei Tage vergangen], und Wieland sagte: »Aber ich kam gestern!« – »So… Ja, wir hatten helle Tage; und jetzt ist auch noch Frühling. Und wenn man da dann so schön jung ist…«

»Fühlen Sie sich alt? Ich beneide immer alte Leute«, sagte Eugen.

»Dann schaffen Sie auch Ihre Meisterwerke erst im Alter.«

»Trauen Sie mir solche zu? Was Sie da sagen…«

»Nun, wie oft ist nach einer guten Dissertation nichts mehr gekommen.«

»Ach so, Dissertationen meinen Sie.«

»Was denn sonst? Sie sind doch wohl Studenten jetzt… Übrigens: Wollen Sie am Samstagabend kommen? Ich bin allein. Erheitern Sie mir meine Einsamkeit ein bißchen. Oder haben Sie da schon was ausgemacht? Na schön, ich freue mich. Und wenn Sie vielleicht Fräulein Gaab« [so hieß Norle, das Automädel, also Nora Gaab, net schlecht]. »Ach so, Sie haben sie noch nicht gesehen…« Und er zwinkerte: »Dann machen wir einen Herrenabend, und Sie sagen vorerst einmal nichts. Ja, lassen wir's… Also, ganz zwanglos am Samstag.«

Winkend ging er auf dem Trottoir, das, vom Regen getrocknet, weißlich und grau geworden war. Grauerbach ging nach unten, wo jenseits der Hauptstraße eine Gasse durch die Altstadt zum Fluß führte und der Professor die Fähre erreichen konnte, auf der er sich für zwanzig Pfennig zu seinem Hause übersetzen ließ, dieser langgestreckten rötlichen Villa mit steilem Schieferdach in französischem Geschmack, einem Hause der Jahrhundertwende, dessen Zimmer in Enfilade aneinandergereiht waren; denn so wurde es im Tagebuch fast gravitätisch berichtet, obwohl diese Begegnung mit Professor Grauerbach alles andere als steif gewesen war; das spürte Margret Rapp aus den Sätzen heraus.

Lockeres mischte sich mit Gravitätischem [Eugen wirkte verkrampft und steif], doch so gehörte es zu Heidelberg. Der Geist des Orts verpflichtete dazu. Hier hatte man vor kurzem noch Männer in schwarzen Kniehosen, den hochgeschlossenen Tuchrock unterm Kinn von einer silbernen Kette gehalten, begegnen können; und die gehörten dann zum ›Kreis‹ um den Dichter Stefan George. Margret dachte, ein bißchen g'schuckt müßten die schon gewesen sein, während Eugen dieses G'schuckte oder Abgelebte zurückwünschte, weil es von denen mit Marschstiefeln weggestoßen worden war. »Fußtritte der Geschichte halt« stand im dicken Heft, und es war zu merken, wie ihr Bruder sich zusammennahm und gespannt machte, wie er sein Haar so lang wie nur möglich wachsen ließ [bis in den Nacken, was ihm nicht gut stand] und den Hochmütigen auch dann noch hervorkehrte, wenn es sich nicht paßte, wie beispielsweise vor Alberto, dem's hundsdreckig ging, weil er kaum noch Geld hatte und wie schon oft so auch jetzt zu ihm sagte: »Wenn ich wieder in die Sphäre zurücksinke, aus der ich aufgestiegen bin…« Täglich las er die ›Frankfurter Zeitung‹ und hoffte, daß es »dieser Ring-Verein in Berlin« [die Reichsregierung] nicht mehr lange machen werde; mehr als zu hoffen blieb dem auch nicht übrig, wie dem Professor Grauerbach mit seiner jüdischen Frau, wie Stefan Bitter, dem Schriftsteller, der in seinen Gedichten hauste und sagte, man müsse heutzutage Mauern bauen. »Auf daß dir's weit 'nei graust, auf daß es dich ankotze«, schrieb Eugen ins Tagebuch, wo sie jetzt zurückblätterte und unterm zwölften Februar die Notiz fand: »Ich hatte das Gefühl von innerer Erstorbenheit. Auf der Straße waren viele Uniformen. In einer Pechpfanne flackerte ein rotes Feuer. Gustloff-Kundgebung fand statt.«

Aber Grauerbach erzählte abends, wie Furtwängler sich

vor Isidora Duncan, dieser Tänzerin aus Amerika, derart gewunden habe, daß er um ein Haar in sich selber verwickelt worden sei; das erbaute Eugen wieder. Nur seinem Freunde Herbert Wieland gegenüber, jenem, der so gewandt reden konnte als ein beneidenswert Geschmeidiger, der sein Mundwerk gerne ausprobierte und wußte, wie er wirkte [»scheißekelhaft manchmal, weil arrogant«], dem fühlte Eugen sich zuweilen unterlegen. Margret kam's vor, als nütze es der andre aus. Zutrauen tust du's ihm, du kennst den affektierten Simpel... Und daß Eugen sich ihm anschloß: eigentlich recht sonderbar [oder bist du da bloß eifersüchtig?]. Aber die zwei verstanden sich halt im Politischen. Doch im Tagebuch war, wie gesagt, niemals ein abfälliges Wort über Wieland zu lesen, eher, daß er ihn bewundere: »Mit dem Professor wußt ich diesmal nicht so recht zu reden, aber Herbert konnte es ja gut.« Wieland spielte das aus und wußte, wie er sich zu präsentieren hatte [vorteilhaft] und flocht nebenbei ein, Professor Jaspers habe im Seminar gesagt, es sei ein elegantes Referat gewesen, das er bei ihm gehalten habe [recht geschickt]. So etwas hatte Eugen Rapp nicht vorzuweisen, weil er sich mit Erzählungen abmühte und in der Wiener Biedermeierzeit abwesend war. – »Für dich gilt also nur ein enger Ausschnitt aus der Literatur: Schnitzler und so...«, ließ dieser Wieland nebenbei einfließen und wies drauf hin, daß es dem Eugen halt ein bißchen fehle... Er meine: die Bindung an einen Mann wie den Professor Jaspers halt; denn Grauerbach sei doch eigentlich mehr ein liebenswerter Amateur... »Und wie sich kürzlich Jaspers mit Professor Zimmer – dur weißt doch: dem Indologen – im philosophischen Seminar unterhalten hat... Aber unterhalten kann man's eigentlich kaum nennen, weil der massive Zimmer alles Mögliche ganz toll hervorgesprudelt und der lange große Jaspers bloß von oben her genickt und ›Ja‹ gesagt hat; der findet diesen Zimmer halt ein bißchen köstlich...« Und Alberto warf im Café Schafheutle die Bemerkung hin, das Kolleg des Zimmer sei ein Fleischsalat, und dem helfe es auch nichts, wenn er die Tochter dieses Wiener Literaten Hofmannsthal zur Frau habe; oder dies sei sozusagen nicht verwunderlich, weil der Literat Hofmannsthal ja auch... »Halt Fleischsalat. Es ist doch bloß für reiche Leute, was der gemacht hat. Und Thomas Mann übrigens auch. Mir ist das alles viel zu bürgerlich«, sagte Alberto, und Eugen fuhr's heraus: »Du mit deinem Proletarierkomplex!«

Vergnüglich war es also in Heidelberg nicht; weshalb er ausgedehnt frühstückte, hernach am Tisch neben dem Spiegel mit der Feder hantierte, bis er gegen elf Uhr die Villa, sorgfältig hergerichtet, verließ und zu sich selber sagte: Du mußt dich verwöhnen, so intensiv dir's möglich ist, weil du noch früh genug zum Militär kommst... Er freute sich des silbernen und verschnörkelt gravierten Tabletts, auf dem ihm vom Dienstmädchen der Tee gebracht wurde, und hörte nachmittags neben seinem geräumigen Balkon den Nußbaum rauschen. Wenn er hierher zurückkam, zog er sich um, damit sein Anzug geschont blieb; er trug nur Rotsiegel-Krawatten, solche mit gedämpften Farben und übrigens die teuersten, die's gab. Saß er am Schreibtisch, dann lag hinter ihm sein weißes Hemd auf dem Messingbett, weil er zu Hause sogar das Hemd wechselte. Worüber Wieland sich mokierte und von einem Schreiber der Musterungskommission in Ulm erzählte, der ausgesehen habe wie ein ausgereifter Minderwertigkeitskomplex, weil seine Bügelfalten und sein Hemd und ›sonst überhaupt alles‹ so neu wie aus dem Konfektionshause gewesen seien. Aber mit Eugen verhielt sich's so, daß er vor anderen geschniegelt auftrat, weil die anderen ihm widerwärtig waren, das ›Bürgerliche‹ von vielen gehaßt wurde und die Uniformen herrschten; schließlich hätte das auch Wieland wissen müssen. Trotzdem schrieb er ins Tagebuch, der Wieland habe selbstverständlich recht; er müsse schreiben und sich abkehren, sonst halte er's nicht aus... Oder ließ er all dies nur zwischen den Wörtern merken, in diesen weiten Zwischenräumen der winzigen Kritzeleien, durch die er sich betrachten konnte und in denen er oft affektiert erschien? Doch mischte sich das Affektierte ab und an wieder mit Nüchternem; oder er verhöhnte sich [sentimental war er nur selten], und es mußte arg komisch gewesen sein, wie er an einem leeren Nachmittage einer Engländerin seinen silbernen Bleistift vor dem Schwarzen Brett auslieh, denselben Silberbleistift, den er zur Konfirmation bekommen hatte, wegging, hinter ihr auf einer Marmorplatte über kalten Heizkörpern eine Karte an die Mutter schrieb, von der Engländerin dachte, etwas in ihrem Gesicht sei schmerzhaft angespannt, um sofort festzustellen, daß er sich hüten müsse, seine Wünsche in andere hineinzusehen; denn schließlich war er selbst schmerzhaft gespannt und wünschte sich, jemand zu finden, der's auch sei, am liebsten eine Frau. Deine große blonde Ursula von Nathusius, die sich das Haar so selten wäscht, ist keineswegs schmerzhaft gespannt... Und jetzt hatte ihn die Engländerin um seinen silbernen Konfirmationsbleistift gebeten [so etwas gibt es schon in der großen Literatur, denk an den ›Zauberberg‹], und dieses war, wenn nicht gerade eine Weisung, so doch immerhin ein Hinweis auf diese Engländerin und daß du deine blonde Ursula links liegenlassen solltest. Du bist also gewarnt... Und die Engländerin brachte ihm seinen Silberbleistift wieder; sie bedankte sich, er schob den Stift in seine Jackentasche, sah die Dame über die Treppe aufwärts gehen, wartete. Vielleicht, daß sich etwas ereignete, das ihm weiterhalf, aber wohin? Zurück in dein Zimmer mit dem blauen Teppich und den Fenstern, vor denen die Stadt liegt... Da ging auch er über die Treppe, fand oben die Engländerin, die den Hausmeister nach einem Dozenten namens Burkhardt fragte, stand verschlossenen Gesichts nicht weit von ihr und hörte hinter sich auf dem Steinboden ihre Schritte klicken. Er starrte in den Hof, während sich der Hörsaal leerte, wo, wie er wußte, außer Wieland und dem spanischen Albert auch die blonde Ursula drin war. Also, umschauen tust du dich jetzt trotzdem... Und er bemerkte

Wieland, der nebenbei über die Schulter nickte, als er ihn sah. Ursula von Nathusius aber schritt über den Hof zu jenem alten Hause, in dessen Erdgeschoß der Zeitschriftensaal war. Eugen ging ihr als ein zwiespältig bewegter Jüngling nach, den's intensiv zur schwarzhaarigen Engländerin zog, obwohl er sich Ursula näherte, Handschellen an den Armen und ein Holzscheit im Genick hatte, glücklicherweise alles unsichtbar.

Sie saß dann im hintersten Lesezimmer und sah herüber. Ihre Freundin erschien, und beide lachten [selbstverständlich über dich]. Er nahm ein Heft vom Wandbrett, Ursula und er schauten sich an, und es ereignete sich nichts. Er las in der Zeitschrift ein Wort von Schopenhauer: »Jeder ist letzten Endes allein.« Weshalb er dann erleichtert unter einem klaren Himmel fortging, sich erinnerte, daß Wieland erzählt hatte [lang war es her, zwei Jahre, und in einem weiträumigen Münchener Hörsaal, wo Licht brannte, gingen vor den Fenstern schwarze Wachstuchrouleaus mit schmatzenden Geräuschen nieder], Fräulein Wendlinger lebe ganz in ihren Träumen; denn Wieland hatte einen Brief von ihr bekommen, freute sich des Briefes und schien stolz zu sein, weil er schon solche Briefe kriegte [die hatte er doch vor Eugen voraus]. Und während Eugen jetzt in Heidelberg über die alte Brücke ging, redete er sich ein, Briefe von Mädchen zu bekommen sei nur eine Last; wozu das Ganze, denke bloß daran, was alles an den Briefen hängt... Die Einsamkeit ist etwas Faszinierendes... In seinem Zimmer aber lag sie mehlsackschwer auf ihm.

Er sah alles genau, und Margret dachte wieder: armer Hund... ›Und es ereignete sich nichts‹: wie oft er diese Wörter schon geschrieben hatte! Sie hätte ihn schütteln mögen! Er wollte doch, daß sich in seinem Bezirk nichts ereigne, weil draußen so viel vorging.

Am Karfreitag, zehnten April sechsunddreißig, hatte er den Nachmittag auf dem Balkon verbracht und sich vom starken Wind umstürmen lassen, im altmodisch bequemen Korbflecht-Streckstuhl, dessen roter Lack abgewetzt war. Und froh, zurückdenken zu dürfen, während der Wind blies, die Ostertage für sich allein zu haben, sich zu erinnern, daß Wieland noch vor einem Jahre gesagt hatte, ihm erscheine der Alberto halt als eine periphere Existenz; befreundet sein wolle er nicht mit dem…, indes Alberto zu Eugen gesagt hatte, mit seinem Freunde, diesem vielgewandten Wieland, könne er nicht leicht ins reine kommen. Heute aber musterten die beiden ihn, Eugen Rapp, kritisch, und Wieland hatte von seinem Vater, einem Rechtsanwalt, für Alberto einen habhaften Batzen Geld loseisen können, weshalb Alberto dem Wieland verpflichtet war. Zu Eugen sagte Wieland, er benütze diesen Alberto nur als ein philosophisches und kunsthistorisches Nachschlagewerk, was von ihm rücksichtsvoll gemeint war, weil er damit sagen wollte, daß er immer noch zu Eugen stehe, denn ganz beiseite liegenlassen wollte er ihn nicht, konnte es doch sein, daß er ihn einmal brauchte oder an ihm froh war. Wie hatte doch Großvater Julius Krumm aus Gablenberg gesagt? »Du darfst niemals einen weglegen; bloß hinlehnen darfst du ihn…«, und Eugen dachte: also wie einen Regenschirm… Nun, und warum nicht? Die Empfindungen wechselten wie Luftveränderungen, es war praktisch, die Geschehnisse, dieses Veränderliche, entweder durch ein Gitter anzuschauen oder es zu filtern. Erst wenn etwas gefiltert war, erwies es sich als bekömmlich, und auch die Freundschaft gehörte dazu. Widerwärtiges mußte ausgeschieden werden, und manchmal reinigte es sich von selbst… Und als er sich eine schwarzumrandete Hornbrille gekauft hatte, schrieb er Wieland, die sei zu schmal für sein Gesicht und lasse seine Backen hervortreten, oder die Brille betone diese Backen über Gebühr. Und er zeichnete sein Konterfei aufs Briefblatt, ein birnenförmiges Gesicht, das nach unten breit, oben aber verengt von der neuen Brille war. Dies nannte Wieland eine ›gottesglatte Zeichnung‹. Sehr erfreulich… Und vorgestern, bevor derselbe Wieland nach Stuttgart zu Fräulein Wendlinger gefahren war und seinen Koffer gepackt hatte, zeigte er ihm die Photographie eines Männergesichts aus einer alten illustrierten Zeitung; das also war der, den Eugen bewunderte; auch nur ein Schriftsteller, allerdings einer aus Wien, der Arthur Schnitzler hieß. Du erinnerst dich: ein paar Seiten vorher ist der Name schon mal dagestanden... Und Margret Rapp las die Beschreibung des Porträts und dachte: der schreibt, als hätt er ihn gekannt... Er hätte ihn noch kennenlernen können; erst vor fünf Jahren war Schnitzler in Wien gestorben, ein Mann, zergrübelten Gesichts, mit einem faltenrissigen Alterskopf, wie Eugen schrieb, der alte Leute gerne hatte. Und wenn solch einer auch noch schreiben konnte, wie er selber gern geschrieben hätte..., sapperlot; dann ward seine Begeisterung geradezu enorm.

Margret mochte es nicht, wenn sich ihr Bruder selber herabsetzte; dieses Ironische im Tagebuch: »Dann also verfügte ich mich in das Lerngebäude« [womit die Universität gemeint war], ging ihr wider den Strich; auch wenn er schrieb, daß er sich schützen und krummlegen müsse, war's ihr ekelhaft, weil nichts Herzhaftes dabei herauskam; sogar, daß er ihr leid tat, auch das half ihr so gut wie nichts; der hatte so etwas Verdrucktes angenommen, denn Melancholisches wirkte auf Margret Rapp verdruckt.

Im Seminar sagte er zu einem namens Münch: »Sehen Sie den dort drüben mit der scharfen Brille und der Narbe in der Backe? Der denkt von mir: um den Rapp brauche ich mich nicht zu kümmern, später wird der ja sowieso Emigrant.« Bei Münch wußte er, daß er's riskieren konnte, so zu reden. Und mit Wieland sah er Goebbels, den sie ›Monsieur Gebell‹ nannten, wie der französische Botschafter diesen Minister bezeichnet hatte. Goebbels saß gelben Gesichts im Auto, das eine Schleife um die Heilig-Geist-Kirche fuhr, damit die Leute drauf zulaufen und es armehebend und jubelnd umkreisen konnten. Wieland und Eugen standen neben des Antiquars Herzer Bretterbude, hatten die Hände in den Taschen und sagten: »Ach, der Goebbels…« [›Monsieur Gebell‹ wagten die also nicht zu sagen.] Und nachher sagte Wieland: »Also, wir sind ganz gemütlich dagestanden…, und eigentlich hat's uns gelächert, was?« – »Ha, i weiß net… Du, ehrlich g'sagt: gelächert hat's mich nicht.« Und im Weitergehen erinnerte Eugen daran, was Grauerbach über den Goebbels erzählt hatte: Daß der bei einem jüdischen Professor, dem Freiherrn von Waldberg, hier in der altfeinen Musenstadt doktoriert und seinem Lehrer aus Holland geschrieben habe, er sei bei einer Zeitung angestellt und hoffe, sich eine Lebensstellung zu erringen.

Aber mutig waren diese zwei Studentenbuben, weil sie mit den Händen in den Hosentaschen… Sapperlot! Und Eugen schrieb wieder ins Tagebuch: du mußt so tun, als ob nix wär.

Wieland berichtete über Ursula, genannt Frigidaire, und sagte: »Entschuldige, bitte, und wenn du mich auch tötest: Aber sie hat tolle X-Beine. Durch einen Kunstgriff ihrer Schneiderin wird es verdeckt. Ihr Rock ist nämlich an den Knien raffiniert gerafft. Ein Mangel ihres Leibes wird auf diese Weise geschmackvoll kaschiert. Du siehst's, wenn du dicht hinter ihr über eine Treppe aufwärts gehst. Da mußt du mal aufpassen. Schau dir's an. Ich jedenfalls laß' mir da nix Gerades mehr für ein X vormachen.«

Übrigens sei die heute im Philosophiekolleg dicht neben ihm gesessen, dichter gehe es eigentlich kaum noch; und er habe auch mit ihr gesprochen; dazu aber sei es so gekommen: Bekanntlich pflege er seine Mappe auf den Boden unter der langen Bank zu stellen. Und während also gestern abend Frigidaire neben ihm saß, griff er nach der Mappe und wollte sie nach oben ziehen, doch ging es mühsam, grad, als habe sich die Mappe festgeklemmt. Und, in der Tat, die Füße des Fräuleins Frigidaire waren darin verstrickt, weshalb er an sie das Wort richten mußte. »Verzeihung«, habe er deshalb zu ihr gesagt. So sei's also zu diesem freilich recht einseitigen Gespräch gekommen; aber immerhin…

Alberto sagte [der war fast fünfzehn Jahre älter], es sei typisch jugendlich, wenn sie so umeinander herumschwebten, der Eugen und die Frigidaire. Worauf Eugen schwieg und schließlich hervorbrachte: »Warum denn nicht? Oder pressiert's vielleicht? Die ist doch für mich viel zu hoch gewachsen.« Wieland grinste. Eugen dachte, das sei eine... »Also, ich meine: die ist doch von oben her... Halt Frigidaire. Das sagt schließlich alles.« Doch Alberto schüttelte den Kopf, ließ es nicht gelten, zweifelte und meinte, unten und im Grunde seien alle Mädchen gleich. – »Das schon..., aber nicht jede paßt zu jedem«, sagte Eugen und dachte: jetzt hast du mal einen lichten Moment..., obwohl lichte Momente auch nur Altbekanntes oder Triviales offenbaren. Es nützte auch so gut wie nichts, weil weder er noch Frigidaire noch Wieland noch Alberto oder sonst irgendein Zeitgenosse wußte, wie es sich wirklich verhielt.

Alberto schwieg eine Weile, legte einen Zeigefinger an die Nase und sagte dann: »Ich weiß noch etwas, das dich vielleicht interessiert.« – »Dafür bin ich ein dankbarer Abnehmer.« – »Aber diese Sache ist nicht leicht zu nehmen, verstehst du? Norles Mutter – du weißt, daß sie in Baden-Baden lebt und geschieden ist – hat ihrem Rechtsanwalt gesagt, in Heidelberg planten Eugen Rapp und Albert Knaus mit den Professoren Grauerbach und Jaspers einen Aufstand. Was meinst du dazu?«
  Vielleicht war es verständlich, daß ihn jetzt die Angst heimsuchte, nur durfte er's sich nicht anmerken lassen. Es wird dir also heiß; du spürst im Bauch das Schiffschaukelgefühl; und überhaupt: Vorsicht mit Damen, bitte schön... Da hatte nun also das gute Norle vor der Mama den Mund nicht halten können und ihr erzählen müssen, was sie hier geredet hatten. – »Was ich denke, fragst du? Daß es eine Sauerei ist und wir grob werden müssen, richtig klobig. Hinhauen müssen wir, als ob wir starke Kerle wären, denn, stellt euch vor, wenn das bei der Studentenschaft bekannt wird... Schließlich sind wir alle nirgendwo dabei und deshalb irgendwie

suspekt.« Und er zündete sich eine frische Zigarette an [dein Fingerzittern sieht hoffentlich niemand] und erinnerte dann seine Freunde [wobei er auf die Seite schaute], daß alles – »also, ich meine, wenn wir da einmal von uns absehen« – dann auch wieder recht merkwürdig sei, wenn man sich beispielsweise Jaspers auf dem Universitätsplatz hinterm Maschinengewehr liegend vorstelle, während Grauerbach ihm den Munitionsgurt halte. Und sie lachten gedämpft, und Eugen sagte: »Freilich, etwas dagegen tun müssen wir schon; da hast du recht... Schreib dem Weib also, daß...« Und Wieland warf ein: »Ich hab schon mit dem väterlichen Rechtsanwalt gedroht«, worauf Alberto erzählte, daß der gegnerische Rechtsanwalt beide Arme hochgeworfen und ausgerufen habe: »Nur das nicht! Nur jetzt keinen Rechtsanwalt!« denn dieser Mann wisse, wie er seine Mandantin einzuschätzen habe. – »Trotzdem setzten wir etwas auf, das sie unterschreiben muß. Ich meine, wir schicken ihr in dreifacher Ausfertigung – so heißt das doch – folgenden Revers: ›Ich nehme die gegen Herrn Albert Knaus, Herbert Wieland und Eugen Rapp ausgesprochenen Behauptungen mit dem Ausdruck des Bedauerns zurück‹ und hoffen, daß sie's unterschreibt.« Mulmige Geschichte; sozusagen eine einschneidende Angelegenheit; und nicht besonders lustig; Weiterungen waren zu befürchten, Weiterungen... Aber auch hier: so tun, als ob nix wär... Verstanden? Und Eugen war verwundert, als es sich dann schnell erledigt hatte, denn schon drei Tage später brachte Wieland den Revers mit Frau Gaabs sorgfältig gemalter Unterschrift in das Café Schafheutle mit, so daß sie sich eins grinsen konnten. – »Wenn ich bloß meine Musterung auch so im Handumdrehn abbiegen könnt, dann wär's mir wohler«, sagte Eugen und hatte im Bauch ein unbequemes Gefühl, allerdings nicht mehr dieser Frau Gaab in Baden-Baden wegen, denn die war bereits abgetan. Oder es wirkte nach, ganz abgeklungen war die Sache wahrscheinlich noch nicht, und ändern konnte es sich immer wieder.

Nachts ging er am Fluß, dessen Wasser von Lichtern auf der andern Seite golden schraffiert wurde. Morgen war bekanntlich Mittwoch, und da mußte er im verdunkelten Seminarraum sitzen. Grauerbach wird dich aufrufen, und du wirst nichts wissen... Er stellte sich Wieland vor, wie der neben ihm grinsen würde, weil er ihm etwas zuflüsterte, das zwar richtig war, nur hätte er es jetzt laut sagen müssen; bloß privat dem Wieland zugewispert, nützte es so gut wie nichts. Und ihm fiel ein, daß im Erfrischungsraume, diesem Sarge unterm Boden, einer, den er den Herrn Schrecklich nannte, ein Breiter mit rot unterlaufenen Backen, zu ihm gesagt hatte: »Machen Sie ein Referat für Grauerbach, dann sind Sie nachher so!« Der streckte den Arm hoch, war stabil und massiv, wie es heutzutage gang und gäbe war, während Eugen Rapp nur dieser schwarze, von Lichtern am anderen Ufer schraffierte Fluß anschaute, neben dem er ging.

Also war es unterhaltsam, was ihr Bruder notiert hatte. Zuweilen schlich sich, auch wenn er über Wieland schrieb, ein Gefühl in seine Sätze, das Margret kritisch vorkam [du kannst auch ekelhaft sagen], denn zwischen diesen beiden hatte sich ein Abstand oder ein Luftraum breitgemacht. Wieland war es unsympathisch, daß Eugen Kölnisches Wasser in seine Hemden spritzte, und eine neue, rot gestreifte Krawatte gefiel ihm nicht an ihm, weil die nach schwerem Atlas aussah und vom dunklen Grau seines Anzuges abstach; auf einem Spaziergang zum Philosophenweg hinauf und vom Philosophenweg herunter sagte er es ihm. Eugen antwortete: »Dann stört's dich also«, und beide sprachen über Frauen, zunächst über Norle, bei der Alberto oft zum Essen war. Eugen sagte, die würden also gut zusammenpassen, nur könne man's, von außen her gesehen, nicht recht glauben, weil Norle doch aus allen Poren atme, auch um den Hintern herum füllig sei [»man beachte die Geigenform ihrer Hüften«], während Alberto: »Also, ich weiß net recht...

Der hat doch keine Badehose. Das richtige Pendant zum Norle ist er nicht.«

Wieland stimmte Eugen bei. Sie kamen auf ›ihre Damen‹ zu sprechen, diese lange, kühle blonde Frigidaire und die kleine Kleopatra, fast rußig schwarz und gelblich, nur war das alles mit der Zeit allmählich abgestanden; und zwischendurch hatte man's ›eigentlich‹ fast satt. Trotzdem sagte Wieland: »Es wird so sein, daß sie sich dir ganz gibt... Auf deinem Balkon wird nachmittags die Schreibmaschine klappern; die kühle Blonde schreibt dir alle deine Manuskripte ab. Und mich, mich haßt sie dann. Ich aber gehe, ausgezehrt von Neid, in Heidelberg herum und arbeite Erstaunliches, indes du nichts oder nur wenig fertigbringst. Beim Essen aber müßt ihr mich dann haben, es hilft euch alles nichts. Und ich bin so impertinent, zu fragen: ›Du arbeitest doch gegenwärtig viel? Wie viele Seiten hast du früher tagsüber geschrieben?‹« Und wieder bekräftigte er, daß ›man‹ nur Eugen liebe, ihn aber hasse, weshalb er so gramverzehrt sei.

Also konnte es mit dem befremdenden Gefühl zwischen den beiden nicht weit her sein. Sie trafen sich ja immer wieder und saßen einmal mit Professor Grauerbach auf der Terrasse des Restaurants ›Philosophenhöhe‹, wo Eugen vom Stiefbruder des Antiquars Herzer, diesem Schriftsteller, berichtete, dem er hinter der Heilig-Geist-Kirche begegnet sei: »Also elegant war der und groß und so mit langgezogenem und kantigem Gesicht.« Der Professor sagte: »Sein Vater ist Hausmeister gewesen, aber Sie haben recht: man sieht's ihm nicht mehr an. Und wenn er über Frauen schreibt, kommt einem das Wort ›sapperlot‹ oder gar ›Donnerwetter‹ auf die Lippen. Wie aber heißt ›Donnerwetter‹ auf schwäbisch? Heidesack? Also: Heidesack... Aber was ich dann bei dem so an Frauen gesehen habe: nun ja, eigentlich mehr den Typ ›Lehrerin‹.«

Eugen sagte, er habe auch gedacht, der müsse Frauen à la Greta Garbo haben, und Grauerbach flocht ein, da übertreibe er mal wieder kräftig.

Wieland und Alberto freuten sich darüber. Jetzt hatte Eugen eine ausgewischt oder ans Bein bekommen, und die zwei anderen verständigten sich durch Blicke. Doch schon erzählte der Professor, neulich habe er zu Frau Zimmer gesagt, daß da ein junger Herr bei ihm gewesen sei, der die Werke ihres Vaters recht gut kenne. »Ach, schicken Sie uns doch mal den«, habe die Frau bemerkt, worauf er eingeflochten habe, dann müsse er ihr auch den anderen Herrn schicken.

Dies ermunterte Eugen Rapp; er freute sich, weil eine solche Frau ihn kennenlernen wollte, doch setzte Wieland beim Nachhausegehen dieser Freude sofort einen Dämpfer auf, indem er sagte, wer von ihnen beiden jetzt damit gemeint sei, daß er »die Werke ihres Vaters recht gut kenne«, wisse man nach diesem Gespräch nicht: »Da gehen wir halt nach der Vorlesung einmal zum Zimmer… Der Alberto ist ja heute in der Unterhaltung ausgefallen; wahrscheinlich ist er uns ein bißchen neidisch. Aber so einer macht sich ganz gut als Ferment, nicht wahr?«

Da hielt also Wieland jeden, der im Gespräch beiseite gedrängt wurde, für ein belebendes ›Ferment‹, weil er selbst, der ausgiebig reden konnte, sich neben einem Schweiger angenehm heraushob oder von ihm abstach. Sonderbar.

Danach eine Zufallsbegegnung im Café Schafheutle. Eugen sah Hedwig Glenk wieder, die mit ihrer Schwester und deren Mann auf der Durchreise schlank und munter hier hereinkam und sich zufällig zu ihm setzte; sie lachten. Doch als er ihr vom Professor erzählte, der eine jüdische Frau habe und den er gut kenne, fragte sie: »Die Verbindung hast du doch hoffentlich aufgegeben?« Er antwortete mit: »Nein.« Und der Mann ihrer Schwester sagte, Thomas Mann sei Geistesjude.

Wie es enger wurde, schrumpfte…, recht bedauerlich. Er sagte: »Schade.« Jetzt streckte sich Beklommenheit über den Tisch, doch dünkte es ihn, daß dies nötig sei; unbequem freilich auch. Ob's ihm einmal gelang, die blonde Ursula zu testen, jene ›Frigidaire‹? Wieland sagte, die sei gestern, begleitet von einem Herrn mit grüner Tellermütze, an seinem Haus vorbeigegangen; was nicht unbedingt negativ zu deuten war, weil doch hier noch Korps existierten, deren Mitglieder bei einem Essen im Hotel zum ›Ritter‹ demonstriert hatten, wie wohl der Führer Spargel äße... Der mit der grünen Tellermütze konnte auch dazugehören und in Ordnung sein... Und später erfuhr er dann von einer Feier in der Stadthalle, wo Trinksprüche auf den Kaiser... Und, der's erzählte, lachte mit breitem Gebiß, im Kinn eine Grube wie ein Bohrloch, ein massig Ausgewogener namens Würz, der aus Westfalen stammte und mit dem brüchigen Rischbieter befreundet war, diesem Abraham-a-Santa-Clara-Forscher, denn Rischbieter [er machte über Abraham a Santa Clara eine Doktorarbeit] pflegte in krächzendem Tremolo zu reden und hatte oben bei der Schloßruine in einer korridorenweiten Villa ein Dachzimmer, von dem er schmal und steil auf das kaminrauchende Dächerwerk der Altstadt schauen und den Fluß schimmern sehen konnte; hier wohnte er also mit seiner Geige und den Abraham-a-Santa-Clara-Schwarten im Regal, zwar liebenswürdig und empfindlich, aber trocken; einer mit Papier unter der Haut und einem vielfach goldgeflickten und -geklammerten Gebiß. Daß er sonntags einen schwarzen Schwenker trug, war allerdings zu loben, nur machte es ihn eben noch gestrenger, als er sowieso schon aussah. Doch jedenfalls, wenn du an Uniformen denkst, wird dir Herr Rischbieter im Cutaway sympathisch und du hast ihn gern.

Und dann also die Frigidaire, die noch zu testen war. Ob's ihm gelingen würde?

Nachts, es hatte zu regnen aufgehört, kam er mit Wieland vom Neckar herauf. In der Hauptstraße war ein Motorradfahrer mit einem Hanomag-Automobil, dieser stabilen Straßenwanze, karamboliert. Ein Polizist traf ein, hörte sich die schreienden Männer an und sagte: »Ich glaub, euch muß ich alle zwei verwarnen.« Man lachte, und ein Herr, dem das Monokel im Lid hing, deutete auf Wieland: »Da… der da: Man kennt die Typen aus dem ›Stürmer‹! Hähä!« Seines Aussehens wegen hielt der also Herrn Wieland für einen Juden, und Eugen flüsterte: »Da kannst du dich ja bloß geschmeichelt fühlen.« Trotzdem war es ein heikler Vorfall, wenn Wieland dem Monokelmenschen jüdisch vorkam, das verstand er schon. – »Dem jagen wir jetzt einen Schrecken ein, auch wenn er ein Monokel trägt«, sagte er, und sie suchten den fetten Geiferer, der sich leider verflüchtigt hatte. Eugen hätte ihm gern das Monokel weggezupft. Da hoffte man also auf monarchistische Monokelträger, und dann las so einer den ›Stürmer‹.

Doch wie ging es mit Frigidaire? Du wirst auch noch merken, daß sie anders ist… Trotzdem schrieb er ins Tagebuch, daß er ›entbrannt‹ sei, notierte wenig später: »Die Damen sind uns jetzt sichtlich entglitten; wahrscheinlich haben sie das ewige Betrachtetwerden satt«, und beschrieb einen, den sie Doktor Wachstuch nannten, und der beim Amtsgericht Assessor war. Er versuchte, im Tagebuch das zu kleine Hütchen dieses Mannes, das schräg oben saß, den bekümmerten Mund und die wie eingesaugten Backen mit Worten herauszubringen; erzählte, dieser Doktor sage so salopp: »Ein Zimmer mit Fließwasser haben Sie?« und manchmal komme ihm Resignation ins Handgelenk, oder er schlage vor, aufs Schloß zu gehen, weil das im Vormittagslicht unter jung belaubten Bäumen sehr hübsch sei… Und wieder die schauspielerische Handbewegung dieses Doktors Wachstuch, der darauf zu warten schien, daß man sie bemerke. Noch einmal Frigidaire im hellgrauen Kostüm mit roter Bluse, die lang und vorgeneigt um gotisch verwinkeltes Gemäuer stapfte. Nachrichten über Vorbereitungen für eine Seminararbeit, Unbehagen, weil er nicht zu Hause sitzen und ›mit der Feder hantieren‹ durfte, um ins alte Wien zu kommen, am Hochstrahlbrunnen nicht weit vom Schwarzenberg-Palais vorbei, wo das verschnörkelte gußeiserne Bedürfnishäuschen kurios aussah. Denn nur das entschwundene Wien war noch erträglich, und die Photographien, welche er für Wien zu Rate zog, eröffneten Aspekte des Vergangenen, eine bräunliche Szenerie, dem Regenlichte in den Heidelberger Gassen ähnlich. Darauf also verzichten und statt dessen Lithographien von Delacroix mit Zeichnungen Peter Cornelius' [alle zu Goethes ›Faust‹] vergleichen müssen, das war bitter. Dann wieder ein Lob auf ›ein Leben, in kühler Isolation hingebracht‹, von dem behauptet wurde, daß es bekömmlicher als ein ereignisreiches sei, weshalb man alleinbleiben müsse, damit man sich niemals ›entstürze‹. Alles nahezu pedantisch oder auch bedenklich und gelähmt von Angst.

Im Angesicht der Landschaft und des Gartens saß er gern an seinem Schreibtisch und gewann nur mühsam seine Ruhe wieder. Und alles schrieb er auf; mit dreiundsiebzig hätte der genauso schreiben können... Oder die Sätze über den ersten Mai, als ein Lautsprecher vom Dache eines roten Autos gekräht hatte, um das Volk zur Freude zu ermuntern, weil doch der Tag der Freude war mit einer Führerrede... Und schon wieder Beklommenheit. Und Hochmut, Arroganz um die Verletzlichkeit herumgebaut, unentschlossenes Wetter, das sich unter die Haut zwängte, dazu auch Frigidaire, die eine Zigarette schräg nach oben im Mund hielt, spöttisch lächelte und sein Gefühl ins Kalte drehte: in der Tat, eine peinsame Zeit... Weshalb das Mädchen, diese Frigidaire, Ursula von Nathusius mit Namen, sich in eine unsympathisch überlegene Person verwandelte, aber wahrscheinlich, wie er selbst, auch nur Angst hatte vor einer Berührung, vor Kontakt, Kommunikation und so weiter; typisch jugendlich, würde Alberto sagen, doch Eugen wäre jedem gern gereift erschienen; denn allein die Reife... Außerdem der ›Löwe‹, dieser Lange mit der blonden Mähne, der, wo man immer hinsah, stand, hockte, lehnte oder lümmelte und nach Frigidaire glotzte... »Da sollten

wir ihm aber doch schon zuvorkommen! Es erwacht der
Mann in uns! Auf daß wir ihn verhauen und geknebelt in den
Neckar werfen!« sagte Wieland und hatte seinen Spaß da-
bei.

Aber es geschah, ereignete sich und spielte sich ab; es sik-
kerte die Zeit; Verstecken galt nicht mehr. In rotkarierter
Bluse und schwarzem Rock ging Ursula von Nathusius über
den Universitätsplatz, und auf ihren Fersen schob der Löwe
sich hinter ihr drein; er war so lang wie sie, und er war blond.
  Kaum glaublich, doch geschah es trotzdem, und Eugen
sprach Frigidaire an.
  Sie ging im himmelblauen Kleide durch die Tür des Vestibüls und in den Hof der Universität, eine hochgewachsene
Studentin der französischen Dolmetscherkunst, Ursula von
Nathusius mit Namen, genannt Frigidaire. Eugen Rapp
folgte ihr, sah ihr Köpfchen auf dem langen Leibe, sah eine
Postkarte in ihren Fingern und wie sie diese in den Kasten
warf; erinnerte sich jenes sechseckigen Tischchens, an dem
er Tee zu trinken pflegte, dachte an den Teppich, der, draußen in der Villa, so blau war wie Ursulas Kleid, ging zu den
Bänken vor der Rasenfläche, wo er sich auf eine Mauer
setzte und, seine schwarze Mappe neben sich, von heißer
Sonne blenden ließ.
  Da kam sie auf ihn zu, deutete neben ihn und fragte, ob sie
hier sitzen dürfe. – »O ja, sehr gerne!« Rede nicht so hastig
und beflissen, Esel… Neben ihm lehnte Ursula und las in
der ›Temps‹. Es kam darauf an, die Lage zu erfassen, und
so nahm er denn ein gelblich gebundenes Buch mit Goldaufdruck aus seiner Mappe, suchte den Aufsatz mit dem
französischen Zitat: ›On ne naît plus, la mort sait devancer
la vie‹ und sagte so, als merke er's zum erstenmal: »Ach, Sie
können Französisch?« Und indem sie von der Zeitung auf-
sah, antwortete sie mit: »Gewiß.«
  Er zeigte ihr den Satz im Buch. Vorsichtig fing sie an zu
übersetzen, obwohl es leicht herauszubringen war, kam zum

Wort ›devancer‹, murmelte: ›Devancer… devancer… Aber ich kann es Ihnen suchen. Wir lesen keine Dichter, leider. Wir lernen Wörter für die Wirtschaft, für den späteren Beruf. Das ist mein Fach.« Und wieder las sie in der Zeitung, und er sagte, also das sei über diesen Abessinienkonflikt: »Da steht wohl mehr drin als in deutschen Blättern?« – »Nein. Weil die Zeitung nämlich schon einen Tag älter ist.« Worauf ihm ihr Lachen scheppernd in den Ohren klang und er bemerkte, deutsche Zeitungen lese er so gut wie nie. Jetzt hätte sie einhaken sollen, doch schwieg sie wieder und blätterte schwungvoll um, wobei eine Statistik sichtbar wurde. – »Was ist denn das?« – »Von den französischen Wahlen.« – »Da haben also diese Linksparteien… ziemlich zugenommen…«, sagte er und hatte ihre Augen dicht vor sich. In der schrägen heißen Sonne rutschten ihm die Wörter weg, denn er schob's auf die Sonne, über die er bis jetzt froh gewesen war, hatte sie ihn doch gezwungen, die Lider schmal zu machen und der Zuschauer nicht zu achten. – »Die Kommunisten kommen trotzdem nicht in Frankreich hoch?« – »Nein. Es würde nicht zu den Franzosen passen.« – »Wie geht es eigentlich dem Léon Blum?« – »Ach… gut.« – »Ich finde, daß er recht gut aussieht?«

Sie lachte, er meinte Zustimmung herauszuhören. Auf ihrer Armbanduhr war's eine Minute vor Viertel elf. Er sah, daß sie flaumig gepudert war und derbe, großporige Haut hatte; ihr Lippenrot war blaß verschmiert. Und er wartete aufs Läuten, das schließlich schrill zu hören war und Frigidaire wegzuziehen schien, die ihre Zeitung sorgfältig zusammenfaltete und ging, ohne sich umzudrehen, während er noch eine Weile sitzenblieb. Hernach traf er den Doktor Wachstuch, der, bei den Säulen auf dem Boden hockend, sagte, Herr Rapp habe da mit einer Dolmetscherin gesprochen, und die schaue ganz hübsch aus: »Was ich von ferne so gesehen habe.« Und indem sie weitergingen und Rapp ihm zustimmte, bat ihn der Doktor, ehe er sich in das Amtsgericht verfügte, um eine Zigarette.

Später las die Dame, an einer Säule lehnend, wieder in der französischen Zeitung. Eugen ging zu ihr, fragte, ob ihr das Wort eingefallen sei, und erfuhr: »Nein.« Er griff nach Zigaretten, hielt ihr die Schachtel hin; sie schüttelte den Kopf. Er merkte, daß er unter vielen Leuten war, sah zwei Damen wie geschliffen lächeln und wurde rot; ging weg, setzte sich unterm Vordach aufs Fenstergesims, las und traf Wieland, zu dem er »Also du, ich hab sie angehauen«, sagte, seinen Gürtel hochzog und über die Schulter nach ihr schaute, die jetzt eifrig mit Studenten redete und manchmal grinsend zu ihm hersah. Und er überlegte, ob sein Gesichtskreis erweitert werde, wenn er viele Menschen kennenlernte, oder ob nicht trotzdem alles so wie bisher blieb.

Zu Wieland sagte er: »Oh, die war aber heute morgen eisig…« Und Wieland sagte: »Also, nachgelaufen sind wir ja noch niemand! Hol' dir jetzt deine Zigaretten«; denn sie hatten ausgemacht, daß er ihm eine Schachtel Zigaretten schenken werde, wenn er Frigidaire anspräche.

Mühsam mußte er nach einem Menschen suchen, der ihm ähnlich war… Wieland kostete der Spaß nur eine Schachtel Zigaretten; der schaute zu; für den schien es ein Gaudium zu sein, eine Saugaude sozusagen; oder wollte der Eugen loswerden, halt an irgendeine? Jedenfalls kam es Eugen so vor, als treibe ihn deshalb sein Freund derart nachdrücklich an; oder es hing mit Philosophie zusammen, weil Professor Jaspers immer wieder sagte, lediglich in kommunikativem Ineinanderschmelzen kläre sich die Existenz; oder so ähnlich. Und Wieland empfahl ihm, dies auszuprobieren, legte es ihm nahe oder versuchte, es zu fördern. Immerhin ein schwieriger Versuch und fast etwas wie ein Prozeß im Amtsgericht; Krankheitsprozeß also, oder nicht? Für Eugen war jeder andere Mensch arg weit weg. Man konnte doch nur noch Floskeln austauschen, mehr gelang nicht mehr. Und daß du deinen Liebesdialog politisch eingefärbt hast, um herauszubringen, was sie über die Gegenwart denkt: ziemlich charakteristisch und recht mühsam; beflügelt oder angeregt ist dabei weder dein Gefühl gewesen noch dein Geist. Als ob du dich durch Steine hättest zwängen müssen.

Wieland, klug und überlegen, wie er sich immer gezeigt hatte [der hat's leicht], schüttelte im Café den Kopf und sagte: »Die Frigidaire..., kein sympathisches Mädchen«, und Alberto meinte: »Die typische Adlige: so von oben her... Und, wie gesagt: Du hast zu lange gewartet. Es ist immer das beste, wenn man dort bleibt, wo man hingehört; ich meine: von zu Hause aus.« – »Dann empfiehlst du mir also eine Pfarrerstochter oder eine Lehrerstochter? Au net schlecht.«

Immer wieder zeigte er sich spöttisch überlegen, und Margret dachte, daß es nicht zu ihrem Bruder passe. Alberto hatte recht, ihrem Gefühl nach stimmte es, was der dem Eugen riet. Was wollte er denn schon mit einer Adligen? Und sie blätterte die Seiten des Tagebuches durch, suchte Stellen, wo Gespräche notiert waren, und stellte fest, daß zunächst alles, was sich ereignet hatte, grüblerisch umgewälzt und hin und her gewendet wurde und er die Absicht hatte, seiner Frigidaire ›hinauszugeben‹ und zu sagen, es sei in Ordnung, wenn sie zu ihm eisig sei, warum auch nicht... Dann kam wieder der Doktor Wachstuch vor, jener Amtsgerichtsassessor, der Eugen fragte, ob ihm sein neuer Hut gut stehe; es handelte sich um das viel zu kleine Hütchen, das keck oben saß. Zwischendurch ermahnte Eugen sich: Passe genau auf dich und die Dame auf, studiere alles; sei auch eisig.

Der und eisig..., das brachte doch ihr Bruder nicht zustande. Also komisch war es jedenfalls. Einmal lachten Ursula von Nathusius und Felizitas von Weber, daß es in der Plöck schallte, wie eine alte und enge Gasse hieß, und das Gelächter war auf ihn gemünzt, weil er mit Wieland auf dem anderen Trottoir ging. – »Ich kann mitfühlen, wenn die jetzt so lachen«, sagte er; im übrigen sei es egal, weil sowieso bald ein Krieg komme. Und auf einem Spaziergang unten am

Fluß, der teerglatt schwankte, sah er ein Pferd sein Geschirr über das Pflaster schleifen, daß es klapperte und klirrte. Im Schlaf aber lief ihm ein rotes Tier, halb Eichhörnchen, halb Fuchs, vom Nacken bis zur Schulter, streifte ihn mit rauhem Fell und biß seinen Unterarm durch, wobei es knirschte. Wieland, dem er es erzählte, sagte, das sei eine archaische Traumerinnerung, während er nur an seine Eitelkeit dachte, die von Frigidaire verletzt worden sei: »So ist es doch, wenn du es nüchtern siehst. Und du denkst ebenso.«

Ob er Wieland durchschaut hatte? Du kannst nur weitermachen, deine Seminararbeit schreiben [Cornelius und Delacroix]. Und er grüßte Frigidaire nicht, auch als sie sich auf dem Platz vor der Universität nach ihm umschaute. Du hast einen scharfen Hieb bekommen, sieh dich vor... Abends dann Musik im Schloßhof, wo eine rote Fassade von Fackeln beleuchtet war und Eugen sich vorstellte, daß er im hellen Mantel eine malerische Figur mache. Ob das ernst gemeint war? Der Torbogen roch moosig, als er unter ihm hindurchging und von der Dame freundlich gegrüßt wurde; denn immer ging es so vorbei: man grüßte, redete ein bißchen – »On ne naît plus, la mort sait devancer la vie«, was sie noch wörtlich im Kopf hatte und schnell übersetzte, als hätte sie es auswendig gelernt – und verlor sich wieder in einer anderen Richtung, blieb stehen oder schaute weg. Es schien sich nichts anderes zu ergeben, und so paßte es hierher. Und, in der Tat, er sah mit der Zeit schärfer, merkte, daß das Mädchen, obwohl es ihn um Haupteslänge überragte, so wie er halt jung war; weshalb sie ab und an auch in pompösen Toiletten, die ihr von den Schultern oder im Nacken wegzurutschen schienen, in die Universität kam und sonntags beim Hotel ›Ritter‹ gegen halb ein Uhr unter einem weißen Florentinerhut vorüberschwebte, als trüge sie einen Aeroplan. Als sie aber einmal zu ihm sagte, daß sie beim Schloß ein Zimmer habe, von dem sie auf die Stadt hinunterschauen könne, weshalb sie abends nie aus dem Haus gehe, im übrigen jedoch das Schloß jeden Tag überschwemmt werde von ›Kraft-durch-Freude‹-Leuten, war er froh und sagte, daß er es verstehen könne.

Sie blieb also auch gern zu Haus. Darin waren sie einander ähnlich. Aber sonst? Er fand so gut wie nichts. Oder bedeutete es irgend etwas, daß sie beim Wort ›Kraft-durch-Freude‹-Leute den Mund verzogen hatte? War dies mehr als eine hochmütige Gebärde? Typisch für eine Adlige, obwohl du selber auch die Nase vor den ›Kraft-durch-Freude‹-Leuten hochziehst. Also dies bedeutete jedenfalls nichts. Und allmählich bleichte sein Interesse aus; es schwand, verwischte sich, und bald war nur noch diese Kritzelspur in seinem Tagebuche davon übrig, hinterlassene Vogeltritte der Erinnerung; denn einen Vogel hast du jedenfalls gehabt.

Als der Frühling sein Licht nuancierte, wurde die Ebene nach dem Rhein grünlich verwischt. Eugen ging neben dem Fluß, wo Koffergrammophonmusik aus Booten wehte und das Schattenbild eines Dorfs auf der andern Seite zackig grau war; über der Kirche hatte eine Wolke Ränder wie eine schwebende Eischale, hohes Gras wurde vom Winde schräggelegt und glänzte, eine Konkurrenz zum Wasser. Er ging mit Wieland, ein Boot schwenkte sein Segel, und Wieland fragte, was er sich jetzt wünsche; er solle es doch sagen. Da übertrieb er dann [»Ich bin es euch gewissermaßen schuldig, und du wirst dich später mit Alberto über mich mokieren, obwohl du immer mitmachst und es dir gefällt«], ließ Wünsche im Wind wedeln und sagte, daß sie beide also später im Mittelmeer kreuzten, auf zwei vom Gelde ihrer Frauen bezahlten Segeljachten stünden [»besser als Motorjachten auf jeden Fall«], weiße Hosen und dunkelblaue Jakken mit Goldknöpfen auf dem Leib und nichts Schweißtreibendes zu tun hätten, eine Faust in die Hüfte gestemmt. »Inzwischen bekriegt sich Europa«, fügte Eugen Rapp hinzu, der schließlich beim Umkehren und als sie am Hotel ›Europäischer Hof‹ vorüberkamen, den Hotel-Traum wachsen ließ, in dem er sich hellgrau gekleidet sah [»Anzüge sind für mich arg wichtig, aber schließlich ist die Kleidung ja der Haut am nächsten«] und einen Malakka-Stock am Arme hängen hatte. Er war aus dem Orient-Expreß ausgestiegen und ging im Zwielicht langsam dem Hotel entgegen, nicht allein freilich, sondern ›mit der Freundin‹, die dunkles, nahezu schwarzes Haar mit einem gewissen kastanienbraunen Glanz hatte; irgendwelche Zwistigkeiten ereigneten sich einfach nicht... Die ›Freundin‹ war gebräunt, ihre Finger mager und die Haut überm Handrücken, so, als schiene sie zu weit zu sein. [»Also schon eine angealterte Person? Merkwürdig...«] Und dann war wichtig, daß sie eher schlampig ging. »Also keine Gestraffte... Ihr Puder riecht nach Lindenblüten oder Heu, aber es gibt keinen Puder der nach Lindenblüten oder Heu riecht; nun, das macht nichts.«

»Und wovon lebst du?«

»Ach, weißt du; es hat sich so gegeben. Das Geld hat sich allmählich von selbst eingestellt... Und weil es auch von selber wieder wegschwimmt, und weil in Wirklichkeit alles sowieso ganz scheußlich wird, deshalb male ich mir das jetzt aus.«

»›Und wenn man dann so schön jung ist...‹, hat der Grauerbach gesagt.«

»Wenn du mal soweit bist, ich meine jetzt: mit grauem Haar, denkst du das auch«, sagte Eugen, worauf Wieland sagte: »So weit kommt's bei mir nie: mit grauem Haar... Bei mir nämlich: mit Glatze.«

Sein Wäschekorb kam und knarrte, als er ihn aufmachte; der war innen mit Leinen bespannt. Es roch nach frischen Hemden, und zwischen den Hemden fand er einen Kuchen, ja sogar ein Glas mit Honig, von der Mutter in Guttapercha eingewickelt, jener brüchigen Guttapercha, die damals in Künzelsau für Halswickel benützt worden war. Erinnerungsgefühle, Gefühle, daheim zu sein und zu wissen, wohin er gehörte, die ordneten sich in die andern Tage hier in Heidelberg, wo er neckaraufwärts sein Elternhaus wußte. Einmal am Neckar entlangwandern und mit dem Rucksack, oder noch besser: mit einem Ränzel in die Birkenwaldstraße einbiegen, wär freundlich gewesen, eine Ermunterung. Auf deine Eltern läßt du immer noch nichts kommen..., obwohl sich zwischen denen und dir allerlei verändert hat, weil sie was merken und es herausspüren, daß du irgendwo anders hinauswillst als ins Büro eines Museums... Er sagte nicht, was er vorhatte, denn sie wären nur entsetzt gewesen. Du weißt auch, daß es jetzt unmöglich ist; später aber... Hoffentlich später also, denn locker läßt du nicht... Jetzt mußte er sich tarnen und absichern, Mauern bauen; nichts herauslassen. Vielleicht überlebst du den Hitler doch noch als Student und als Soldat; denn Soldat wirst du jedenfalls. Was später sein wird, später... Aber dieses Später geht dich jetzt nichts an. Dich hindurchwinden und ein Gesicht machen, über das jeder etwas andres denken kann.

Mit Wieland ging er nach der Vorlesung Professor Zimmer nach, einem Stämmigen, Kleinen und Aufrechten. Und sie verbeugten sich, stellten sich vor, murmelten, Grauerbach habe sie geschickt, worauf Zimmer die Arme ausstreckte und rief: »Da sind Sie ja, Sie prächtigen beiden!« Und er deutete an, daß er gesehen habe, wie sie sich freuten, wenn er im Kolleg irgend etwas sage, das mit der Gegenwart zusammenhing. »Wir machen etwas aus. Ich sag es Ihnen noch, und es wird jemand da sein!« Er zog die Brauen hoch.

Auf den Jemand waren sie neugierig und überlegten, wer's sein könne. Zimmers Schwiegervater [dieser Dichter] konnte es nicht sein, weil der seit sieben Jahren tot war; aber vielleicht seine Schwiegermutter? Obwohl sich die als Jüdin und mit solch einem berühmten Namen nie mehr nach Deutschland aufmachte, auch wenn dort immer noch Bücher mit Briefen und nachgelassenen Versen ihres Mannes herauskommen durften. Und Wieland sagte, wahrscheinlich ließen sie es des Auslandes wegen zu und weil doch heuer in Berlin Olympiade sei: »Also dort darf nichts von antijüdisch und so weiter sichtbar werden. Das ist geheime Weisung.« Trotzdem habe Hitler dem Amerikaner Owens, einem Kurzstreckenläufer, seiner dunkeln Haut wegen, bei der Siegerehrung nicht die Hand gegeben. – »Aber findest du es nicht auch sonderbar, daß dort die Deutschen viele Goldmedaillen kriegen?« fragte Eugen, und Wieland sagte, das scheine also in der Luft zu liegen. – »Ja, so wird's wohl sein. Mehr kann man nicht sagen. Vielleicht, daß die anderen gebannt oder gelähmt vom Hitler sind. Also, es heißt, sogar im Stabhochsprung seien die Deutschen ausgezeichnet.« Und Eugen erinnerte sich des Deutschen Turnfestes, das vor drei Jahren in Stuttgart abgehalten worden war; die Eltern hatten damals einen Berliner Turner bei sich aufgenommen, einen Arbeiter, der als Mitglied einer Riege am Barren das Seine getan hatte. »Weißt du, ein ehrenwerter Mann, aber politisch hast du nichts aus ihm herausgebracht; der hat sich auch gefürchtet. Es kann doch gar nicht anders sein, als daß er mindestens Sozi g'wesen ist.« – »Vielleicht hat er sich wegen deinem Vater net getraut?« flocht Wieland ein. – »Ach was, mein Vater läßt doch jeden gelten; sogar seinen mißratenen Sohn.«

Wieland guckte geschwind her, hob die Schultern, drehte eine Hand beiseite und erinnerte daran, daß man noch Blumen kaufen müsse, weil sie morgen abend beim Professor Zimmer seien: »Ein Geblüm ist vonnöten; ohne das geht's nicht.« Und sie beratschlagten, wieviel Geld dafür aufzuwenden sei, kamen überein, daß ungefähr drei Mark genügten, denn jetzt im Sommer würde das keine Affäre sein. Aber wozu Blumen, Zimmer erwarte keine Blumen, und wenn sie wie Verliebte durch die Stadt gingen, so sehe das halt komisch aus. Wieland aber ließ nicht locker. Verliebte hin oder her, die Leute in den Straßen waren sowieso bloß neidisch, und es kam darauf an, was man für einen Eindruck machte, ob einen wohlerzogenen oder einen ungehobelten. Und Wieland hatte recht.

Bald danach standen sie im feuchtwarmen Duft einer Blumenhandlung, wo sie sich für rote und weiße Nelken entschieden, alle langstielig und frisch; fast reute sie's, daß sie den Strauß nicht selbst behalten durften. Doch weil der Samstag schon in Schlappschuhen daherkam [die Uhren standen auf halb drei] und da und dort bereits Kinder Trottoirs kehrten, nahmen sie ihre Blumen ins Café Schafheutle mit, wo eine dunkelhaarige Dolmetscherin [aus Berlin und in den Hüften breit] »Ach schön, daß Sie mir Blumen bringen! Das ist hübsch!« ausrief und englische Lehrbücher von der Bank unterm Fenster nahm, damit sie sitzen konnten. Im Lauf des Gesprächs meinte sie, es sei gewissermaßen ein modernes Leiden, Empfindungen durch Ironie steril zum machen. »Das kommt nur von der Angst, man könne sich verlieren.«

Ein zutreffendes Wort und keine üble Dame, die Scharf hieß und vom Berliner Eishockeystadion zu berichten wußte, das sie im vergangenen Winter oft mit ihrer Mutter besucht hatte; dort waren sie vorne gesessen, und der Stürmer einer Mannschaft kam, wenn er ein Tor geschossen hatte, zu ihnen an die Rampe und ließ sich bewundern; hernach beneideten alle Bekannten Mutter und Tochter, weil sie mit einem Meister des Eishockeyspiels befreundet waren; denn so ein Kerl, der sei schon wer. Übrigens hatte Fräulein Scharf Wieland und Rapp zuweilen im Hotel ›Europäischer Hof‹ gesehen, oder bilde sie sich das nur ein? Dort erledige sie beim Charlie an der Bar ihre Korrespondenz, zuweilen in Begleitung eines Feuilletonisten, den sie ›ErKaGe‹ nannte, und dem die beiden sicherlich schon oft begegnet seien, einem Angegrauten mit randlosen Brillengläsern; jawohl, demselben, der frischen Gesichts und traurig schauend, weil er Bescheid wisse [»man merkt das jedem an«], durch die Hauptstraße trotte und zur Hälfte jüdisch sei, indes sie nur ein Viertel… Leider halte sich ErKaGe für unwiderstehlich und meine, mit ihr und ihm werde es noch einmal schön.

Daß sie so offenherzig war, störte ein bißchen, machte aber fast nichts aus, weil sich die Herren Rapp und Wieland neben ihr wie in Schlappschuhen fühlten; weshalb auch sonst nichts war und nichts aufkommen konnte, eine Beziehung, sozusagen wasserdicht, weil kein Gefühl durchdrang; mit der war's leicht. Und sie begleiteten das Fräulein Scharf durch eine absteigende Gasse über die alte Brücke bis zum Zollhaus, wo Eugen eine weiße Nelke aus dem Strauße ziehen und ihr schenken wollte, als sie zu Wieland sagte: »Eigentlich könnten Sie mich jetzt begleiten bis zu diesem roten Haus; dort wohne ich.« Und sie ging mit Wieland, ihren hellen Mantel umgehängt, auf die andere Straßenseite. Eugen folgte ihnen mit dem Strauße nach und sah auf den dunstigen Fluß, der im weißen Lichte wie mattiert erschien. Vor der Tür ihres Hauses erhielt Fräulein Scharf dann eine weiße Nelke.

Hernach gingen Wieland und Rapp bis zur Gartenwirtschaft bei der Scheffelstraße, und Wieland fragte, ob er in der letzten Zeit wieder einmal etwas bemerkt habe: »Sag's. Es ist doch immer instruktiv. Du siehst ja manches schärfer.« Und er setzte sich auf die Sandsteinbrüstung.

»Das nächste Mal geh ich dann rechts ab; nach Hause. Du aber gehst mit Fräulein Scharf nach links. Denn bloß so als Anhängsel...«

»Aber das hat doch die nicht so gemeint! Du sagst das immer schon nach kurzer Zeit. Aber Tatsachen, bitte schön! Tatsachen!« Er lachte, faltete die Hände um das Knie, legte den Kopf zurück.

»Also, Wiedersehn, heut abend!« Sie winkten einander zu. Jetzt war die Uferstraße leer, und das Wehr des backsteinroten Kraftwerks rauschte. Eugen ging in seine Villa, stellte die Blumen auf den Balkon, holte sein Tagebuch, dazu Feder und Tinte, und begann zu kritzeln, während er den Duft der Blumen roch und zwischendurch in das Tal schaute, das eine bläuliche Haut aus Luft zu haben schien.

Und dann der Abend beim Professor Zimmer.

Eugen holte Wieland im Haus des Automädels Norle ab, nachdem er sich im Automaten-Restaurant ein mit Hering und Zwiebeln belegtes Brötchen aus einem Fach genommen hatte, hauchte Wieland ins Gesicht und fragte, ob man es nicht rieche. – »So gut wie kaum. Außer, du willst da ganz nahe…«

In der Straße war noch spätes Licht. Die beiden jungen Herren erleichterten sich im Gespräch von lästigen Gedanken, und Eugen sagte, er werde niemals ein Examen machen [hier hätte seine Schwester am liebsten drei rote Ausrufezeichen an den Rand gemalt]. Heute sei's ihm schon kein bißchen um den Zimmer zu tun, weil er dort sicherlich nur stumm danebensitzen werde, indes der Zimmer loslege mit seinen Mythen und so weiter; er, Wieland aber, werde dabei elegant mitreden können, das sehe er jetzt schon voraus… Trotzdem gingen sie zu Zimmer, wie es sich gehörte, und Wieland schwenkte die Blumen in der Villenstraße, wo schräges Licht in Büsche gemischt wurde und die Häuser abwesend erschienen, ein paar Minuten nach halb neun.

In einem zinnoberroten Trainingsanzug spritzte dann der breite Zimmer seinen Garten. Er konnt ihnen die Hand nicht geben, weil sie naß und erdig war. So gingen sie also mit ihm an tropfenden Büschen vorbei, wichen dem Strahl seines Gartenschlauches aus, stellten sich hinter ihn, während er redete, die Arme schwenkte und über Erdbeerbeeten Wasser säte. Eine Wiese senkte sich, zwischen Giebeln schwätzten Schwalben, der Mond hing schmal, und der Himmel wurde klar. In einer Dachluke hockte eine Katze. Frau Zimmer sagte, für die Kinder sei's ein Märchen. Das war also die Christiane, eine Frau mit breiter Stirn und dichtem schwarzem Haar; Eugen wollte aus ihr ihren Vater heraussehen, diesen Herrn von Hofmannsthal.

Frau Langbehn kam dazu, und die war eine Überraschung; sapperlot, wie appetitlich, frisch. Und jung, das auch noch.

218

Die konnte doch höchstens zehn Jahre älter sein als er, obwohl sie die Witwe eines Philosophieprofessors war. Wer sie
ansah, dachte, ihr Mann müsse recht großzügig gelebt haben, weil diese Witwe eine Helle in einer leichten Bluse war,
die glatte, gleichsam magnetische Haut hatte; eine La-
chende, die sagte, Zimmer sei im Garten als einer, der Weis-
heit säe, auf und ab gegangen, rechts und links seine Adep-
ten. Jetzt war er oben, um zu duschen. Frau Zimmer sagte
zu Frau Langbehn: »Das wird halt so ein netter Flirt von dir
gewesen sein«, denn irgendwie ging's jetzt um einen jungen
Mann in Köln. Frau Langbehn schob die Lippen vor und zog
den Rock über die Knie, weil sich ein bißchen rosa Seide gezeigt hatte; doch rosa Seide auf der Haut war gut.

Zimmer erschien in einer weißen Leinenjacke; er hatte ge-
badet, sein Haar tropfte noch. Die Witwe saß auf einer Gar-
tenstufe, während es Nacht wurde und die Erde roch. Immer
noch machte das Licht die Witwe hell. So sollten Witwen
sein. Die also war eine mit Flair, und als sie auf der Treppe
saß, die zur Terrasse hinaufführte, standen die jungen Herren vor ihr und hatten Zigaretten angezündet. Du gehörst
dazu, ohne zu wissen, wie du hergekommen bist... Und
Frau Zimmer erzählte von Wien, von Rodaun und ›vom
Pappi‹; sie freute sich, als Eugen sagte, das Rodauner
Schlößchen sei doch für ein Fräulein Fuchs im achtzehnten
Jahrhundert gebaut worden, in der Rosenkavalierzeit also;
und die Badgasse in Rodaun hätten sie in Johann-Stelzer-
Gasse umbenannt. Gelt, Nummer fünf sei die Adresse doch
gewesen? Wobei er sich des Schwäbischen ein bißchen
schämte, aber das war hier nicht angebracht. Frau Zimmer
hatte in Günzburg einen Vorfahren und schrieb sich Wielands Adresse auf; der konnte vielleicht mal in Ulm nach-
schauen und etwas über ihn herausbringen. Zimmer saß
breit da [der braucht nichts zu verdrängen], aber vielleicht
schwärmte ihn die Witwe Langbehn zu arg an. Ein Fräulein
kam hinzu, das berufstätig war [beschämend für die jungen
Männer, die noch nichts verdienten, und wann der Eugen

was verdienen würde, ach du liebe Zeit]; sie schrieb Zimmers Manuskripte auf der Schreibmaschine ab; oder er diktierte ihr dieselben, bloß schien es fast, als ob sie gar nicht dasei, weil sie so wenig sagte. Auch Eugen versteckte sich im Schweigen [Was willst du unter solchen Leuten?] und sah die Sekretärin an. Wieland aber konnte mit seinem gewandten Mundwerk und leichten Handgelenk auf sich selbst aufmerksam machen. Der hätte zur Witwe Langbehn gepaßt, die dann in Zimmers Arbeitsstube Palitexte einmal nahe beim Wieland, dann nahe beim Eugen und noch näher beim Zimmer ansah. Und Zimmer zog aus seinen Bücher- und Manuskriptablagerungen Kolleghefte hervor, die er mit bunten Bildchen beklebt hatte. – »Das tu ich, um nicht infatil zu werden«, und weil die Wissenschaft so grau ist«, sagte er und tippte an ein Nippesfigürchen, das er in Paris mitgenommen hatte; es fing zu schaukeln an und war ein Pärchen beim Zeugungsakt. Dröhnend lachte Zimmer, ließ das Spielzeug immer wieder schaukeln und erzählte von indischen Figürchen, die ebenso aussähen, nur sei auf denen Buddha in der ewigen Beiwohnung dargestellt. – »Ich hab mir einen Vers darauf gemacht, und der geht so: ›Die ewigen Symbole / Wissen wohl zu leben. / Tut es nicht die Kunst, / Tut es der Kitsch daneben.‹«

Der hielt seine Seele blank und wußte, wie er's machen mußte, doch war das keine Kunst für einen Indologen, weil der doch nebenbei auch Liebespraktiken erforschen mußte; nicht nur der Witwe Langbehn, sondern auch der Wissenschaft zuliebe und weil es zum Leben gehörte. Eugen meinte, schon herausgeschmeckt zu haben, wie der Zimmer war, der sie dann durchs Haus führte. Auf einem Schreibmaschinenstuhl lag ein blaugestreifter Bademantel, und Zimmer sagte, den habe er dort hingeworfen, weil er im Bad geplanscht und gepatscht habe, was für ihn immer eine dicke Freude sei. Den Schreibsekretär aber kannte Eugen, weil er mit Frau Zimmers ›Pappi‹ in einer Zeitschrift abgebildet gewesen war; auf seiner Platte wurde Aktäon, der einen

Hirschkopf hatte, von Artemis verfolgt, und alles war ein Bild aus farbigen Hölzern; es gehörte dazu wie der Bademantel auf dem Schreibmaschinenstuhl, der aussah, als wäre er aus einem Büro hier hereingekommen. Eine blumenbemalte Vase war Altwiener Porzellan; Frau Zimmers Pappi hatte sie von einem Freund geschenkt bekommen, den er den ›Bären‹ genannt hatte. Zimmer sagte, der ›Bär‹ schreibe seine Manuskripte mit einem dicken Blaustift, und wenn er das so schnell wie bisher tue, brauche er hundertfünfzig Jahre, bis er fertig sei.

Das berufstätige Fräulein hatte sich erhoben [die mußte morgen früh heraus]; die Herren Wieland und Rapp schlossen sich an. Frau Zimmer gab Wieland einen Brief, damit er ihn noch in den Kasten werfe. Das war nun schon die zweite Auszeichnung, die dem heut abend zuteil wurde, obwohl Eugen über Frau Zimmers Pappi besser Bescheid gewußt hatte; weshalb also wieder einmal die Ungerechtigkeit einen Triumph zu buchen hatte.

Das berufstätige Fräulein stolperte auf der Gartentreppe, und etwas klapperte im Dunkeln. Eugen meinte, er habe seinen Schlüsselbund verloren, bückte sich, griff zu und hielt den Schuh des Fräuleins in der Hand; doch sogleich legte er ihn wieder auf die Stufe, und sie stieg hinein.

Daß ihm da also der Schuh dieses Mädchens [noch warm] in die Hand gespielt worden war, hätte er als Zeichen und Wink nehmen können, wäre er nur dazu aufgelegt gewesen; und er sagte zu Wieland: »Der Zimmer ist dort, wo man es erst richtig merkt, wie's wirklich ist. Ob wir das auch mal merken? So einer, ich meine: neben dieser Witwe Langbehn...« – »Da kann man nichts sagen. Der Zimmer freut sich an der Witwe, das natürlich schon; aber es ist so, wie es sonst auch ist; bekümmern tut es ihn jedenfalls nicht. Und da, guck her...«

Er zeigte ihm den Brief. ›Frau Gerty von Hofmannsthal, Wien, Mozartgasse‹, stand darauf.

Auch jener Assessor am Amtsgericht, den Eugen für sich Doktor Wachstuch nannte, kannte sich in Wien gut aus, weil seine Frau Wienerin war und mit dem Kinde, einem Buben, bei den Schwiegereltern lebte. – »Also, bei denen darf er sich, scheint's, nicht mehr blicken lassen, bis er etwas geworden ist«, sagte Wieland, der es vom spanischen Albert wußte. So war die Kunde zu Eugen gedrungen, dem dieser wienerische Doktor interessant war, weil er von ihm alles mögliche über Wien erfahren konnte, das für ihn immer noch unerreichbar blieb, ein Gebilde aus Empfindungen und Orten wie bräunliche Photographien, die mit Luft und Menschenhauch belebt sein wollten; es kamen auch noch die Träume hinzu. Und er paßte auf, wenn irgendwo das Lied zu hören war: »Wien, Wien, nur du allein, / Du sollst die Stadt meiner Träume sein.«

Er hörte es am Nachmittag, als er im samtgepolsterten Stuhl saß, der unten Fransen hatte und so bequem und grünlich war wie der bei Baronin Crailsheim dort in München [Schackstraße sechs, dritter Stock rechts]; vielleicht waren die beiden Stühle vor fünfzig Jahren, als es sich zu leben gelohnt hatte, in demselben Laden gekauft worden. Der anschmiegsame Sessel also war Eugen gemäß, er rauchte ›Manoli privat‹, trank eine Tasse Tee und hörte, indes Wind brummte und Tropfen ans Fenster geworfen wurden, jenem Liede zu, das drüben, am anderen Ufer, wo ein Platz von Kastanien umstanden war, eine Schiffschaukelorgel spielte. Andere Melodien wechselten damit ab und waren ihm aus Tübinger Tanzstundenabenden bekannt, doch die Erinnerungen brachten Unliebsames mit, weshalb es bekömmlicher war, sich vorzustellen, wie damals in Wien Hofmannsthal mit seinen Freunden Andrian und Schnitzler in einem Fiaker zum Volksgarten gefahren waren und der Kaiser in der Mitteloge des Burgtheaters erschien, oder Julius Krumm, Eugens Großvater, dieser gelernte Feinmechaniker, Büchsenmacher und Wirt zum Goldenen Hasen in Gablenberg, sich am Geiger Sarasate erfreut hatte. Und weshalb sie verschwunden war, die alte Ordnung mit dem Kaiser und dem König, das wollte er noch immer nicht verstehen. Doch konnte ihn sogar der Hitler nicht dran hindern, auf einem Polstersessel sitzend, jene anderen Tage hervorzuholen, als noch keine Zeitung dicke Überschriften gehabt hatte, auch keine solchen, die rot unterstrichen waren. Und wieder überlegte er, wem es bis heut gelungen sei, in einer andern Zeit als der zu leben, in welche er hineingeboren worden war.

Er fand so gut wie niemand. Die Phantasie jedoch machte es möglich, wenigstens hinter der Stirne entlegene Gegenden und Augenblicke herzuholen. Auch seine Geschichte mit Frigidaire [Ursula von Nathusius] hätte sich vor fünfzig Jahren ebenso abspielen können; eine nur die Empfindung anrührende Ereigniskette also, die spöttisch betrachtet werden durfte, weil sie nicht mehr als ein veränderliches Wetter war: Man grüßte sich, Wörter wurden gesagt, ein Lächeln beigemengt, und wie Blätterbewegungen war's vorbei. Im Augenblick gehörte es dazu, und die Erinnerung machte es fest, als ob in der Hauptstraße, droben am Schloß unterm grünlichen Torbogen, oder dort, wo Büsche über einen steilen und gepflasterten Weg hingen, und schließlich in der Kurfürsten-Anlage das Licht vergangener Momente angehalten würde und so für immer bliebe; dazu das Gefühl, abwesenden Sinnes auf einem Trottoir zu gehen, bis er bemerkte, daß ihm Ursula entgegenkam. Es war, als sei er in Geröll geraten [zum Glück also nur in der Einbildung], und es erschien ihm schwierig, aufrecht an ihr vorbeizukommen, die zur Kante schaute, wo Trottoir und Häusermauern aneinanderstießen. Er grüßte, und sie dankte. Du hast es überstanden, dachte er, wandte sich um, ging zu ihr zurück, sagte, er müsse sich vorstellen, und nannte seinen Namen. Sie gab ihm die linke Hand, und er konnte wieder weitergehen, denn mehr ereignete sich nicht. Es war doch Nacht, da kam es so genau nicht darauf an... Und er ging zum Schloß hinauf, wo dann die Haffner-Serenade gespielt wurde, deren

Hörnertöne glänzten. Er hörte die Hörner und eine Oboe, welche Späße machte wie ein wohlgelaunter alter Herr. In einer Ecke saß die dunkle Freundin jener hellen Frigidaire, von der Wieland behauptet hatte, die sei für Eugen halt ein Traumschiff. Die Dunkle aber, die Felizitas von Weber hieß, ließ im Konzert die Lippen zucken, als könne sie kaum an sich halten.

Andern Tages trank er mit Wieland im Stadtgarten ein kleines helles Bier, während ein Gewitter drohte und in die Bäume der Anlage schon der Wind die ersten Tropfen blies. Dabei erfuhr er, daß Frigidaire jeden Abend, begleitet vom ›Löwen‹, das Philosophiekolleg zwischen fünf und sechs besuche und eine dunkle, an den Schultern aufgestutzte Seidenbluse trage. Löwe und Frigidaire, beide gleich hochgewachsen, seien schöne Menschen, und Frigidaire sitze, die Ohrringe sanft pendeln lassend, dicht unterm Professor, schaue empor, als ob sie alles wüßte, und sei von ferne eine recht gute Gestalt; aber halt nur aus der Ferne, denn sie ›fernele‹ entschieden, weshalb Wieland meinte, daß ihr gegenüber nur interesseloses Wohlgefallen angemessen sei. Eugen erwiderte: »Du wirst lachen, wenn ich sage, daß ich sogar für interesseloses Wohlgefallen keine Andacht mehr aufbringen kann, weil ich zwar manchmal durch ihren Gesichtskreis gehe, aber meistens andere anschaue oder einen Theaterzettel und die groben Bekanntmachungen der Studentenschaft am Schwarzen Brett studiere.« Wieland billigte es und trank sein kleines helles Bier aus, um mit Eugen wegzugehen.

Bei dröhnenden Musikkapellenklängen marschierten Soldaten durch die Stadt [du wirst auch bald dazugehören], und ein Mädchen im blauen Trainingsanzug saß auf einem Motorrad; sie hatte Turnschuhe an, die nackte Knöchel sehen ließen, als wäre sie jene July Lion Geldmacher, die er auf der Reichenau kennengelernt hatte; und wieder waren Bodenseeluft und die Schuhe der July Lion Geldmacher da, die unter einer Weide am Strand weggeworfen lagen und überweht wurden vom Sand, der seitlich hineinrann. Eugen gedachte des rieselnden Sandes in den Schuhen der July Lion, als wäre dies eine beachtenswürdige Erinnerung, und betrachtete das Mädchen im Trainingsanzug und mit nackten Knöcheln auf dem Motorrad; die war eine Ungebundene wie Lion [oder eine Sportstudentin, die zum Training fuhr]. Und vielleicht blieb auch später mal Ursula von Nathusius in ihm als ein solches Erinnerungsbild wirksam, obwohl eine mit pendelnden Ohrringen dazu weniger geeignet war.

Wachstuch, der wienerische Doktor, sagte wenig später, das kleine rote Auto der Felizitas von Weber habe elfhundert Mark gekostet; er wisse das seit langem. Fräulein von Weber aber sei gehemmt [»ein Großvater war hessischer Hofbeamter, daher der Adel«] und habe, soweit er das beurteilen könne, ihre Liebesfähigkeit noch nicht recht ausgebildet; denn, nicht wahr, er gehe da bei einer Frau sofort aufs Ganze: Kennenlernen und gleich mit nach Hause nehmen, das sei richtig. Auch Ursula von Nathusius sei er vorgestellt worden, und ob Herr Rapp die kenne? Nun ja, aber die sei doch seltsam ungepflegt. Sitze sie ihm gegenüber und lese Zeitung, dann mache sie beim Umblättern die Finger naß; und auch sonst: ihr fettiges Haar... »Aber, sagen Sie: Kennen Sie die wirklich?« – »Ja.« – »Woher?« – »Im Hof hat es sich mal gegeben.« – »So? Ich spreche nicht gern Mädchen an. Aber, nicht wahr: Manchmal geht's nicht anders... Sie gefällt mir also auch nicht, die Nathusius«, sagte der wienerische Doktor, und Eugen gab ihm mit bewegter Stimme recht: »Geh ich da die Anlage hinunter, treffe sie, und sie gibt mir die linke Hand... Also, da denk ich: die ist schlecht erzogen oder eine arg eingebildete Kuh... Adlig und so etwas wie die linke Hand hinstrecken: für mich paßt es nicht zusammen. Aber vielleicht hab ich da gewisse Illusionen. Über Adlige und so.«

Der andere nahm es fröhlich auf. Und was ihn selber anging, so kam es Eugen vor, als wär es ein günstiges Zeichen, daß er jetzt derart über Frigidaire reden könne [und auch noch mit einem wie dem Doktor Wachstuch]. Denn es hatte sich verändert. Das auf jeden Fall.

Eugen dachte an Professor Zimmer. Der hat dich ermuntert; vielleicht, daß der dir einmal etwas sagen wird, das dir das Rückgrat steift... Aber, was die andern meinten, half doch nichts; du mußt es selber finden, und du weißt auch, wie du bist und was du willst; also alles weiterlaufen lassen, denn mit der Zeit kam schon das Richtige heraus. Und er entsann sich, daß Grauerbach erzählt hatte, Frau Zimmer sei erfreut gewesen, weil er sogar die Adresse ihres Vaters gewußt habe. Denn der massive Zimmer verstand sich gut mit Grauerbach, wahrscheinlich, weil hinter den beiden, ihrer jüdischen Frauen wegen, etwas Unberechenbares wartete; und daß Grauerbach eines Tags entlassen werden würde, wußte jedermann im Seminar, doch kümmerte sich Eugen nicht darum; er dachte entweder an den Mann in Anzengrubers ›Kreuzelschreibern‹, der gerufen hatte: »'s kann dir nix g'schehn!« oder an seinen eigenen Spruch: »Immer so tun, als ob nix wär.«

Manchmal sah er den Professor Zimmer neben einer Medizinstudentin und merkte ihr aus der Ferne und im Hörsaal über sieben Bankreihen hinweg Deftiges an. Zimmer aber mochte denken, daß so eine für diesen Eugen Rapp die Richtige sei. Und wieder kam's ihm ins Gedächtnis, wie er Zimmer und seine Frau bei einem Schloßkonzert der ›Mozart-Wochen‹ in der ersten Reihe hatte sitzen sehen. Du gehst so vor dich hin, und unerwartet sitzt der Zimmer da... Weshalb er schnell auf sein Programmblatt geschaut und getan hatte, als ob er abwesend wäre, bis Zimmer vor ihm stand und sagte: »Kommen Sie doch Sonntag abends zu uns auf einen Schoppen! Und bringen Sie auch ihren Freund mit.«

So hatte es sich damals eingefädelt, und er wußte es wieder

genau, beschrieb es nachträglich im Tagebuch und korrigierte seine früheren Notizen; vielmehr ließ er die früheren Notizen stehen und stellte sie nachträglich richtig, weil doch alles so festgelegt werden mußte, wie es sich ereignet hatte; denn er wollte dahinterkommen, wie es wirklich sei, und nebenbei sich selber kennenlernen; oder es kam darauf an, zuerst den Eugen Rapp zu sehen und danach die andern; denn so ein bißchen Selbstbespiegelung gehörte auch dazu.

Es entsprach ihm; er sah sich von ferne an; und der ›kühle Grußverkehr‹ mit Frigidaire war ihm gemäß. Er registrierte Eifersuchtsgefühle, die ihn streiften, wenn sein Freund lieber mit Alberto und dem Automädel Gaab, die Norle genannt wurde, zusammensitzen wollte als mit ihm; dann nannte er sich arrogant und affektiert, obwohl es wenig nützte. Doch wenn er wußte, wie es sich mit ihm verhielt, war er auch gegen anderes geschützt, das sich ihm bei einem Privatdozenten zeigte. Vor neunzehnhundertdreiunddreißig hatte dieser Mann langes, bis zu den Schultern hängendes Haar, englische Anzüge und einen Stock mit Silberknauf getragen, indes er jetzt glatzköpfig war und über das Schrifttum der deutschen Bewegung Seminarübungen abhielt.

Donnerstag abends war Eugen mit Wieland bei ihm eingeladen. Man saß im Biedermeierzimmer. Ein Mädchen streckte den Arm hoch und sagte, als sie mit einer Amerikanerin hereinkam, laut »Heil Hitler«. Einem Schweizer hing das Haar wie Schnittlauch in die Stirne, indes ein dritter sich als fortschrittlich gesinnter Jüngling auswies und verkündete, daß alles, was mit Christentum zusammenhinge, ganz und gar unnordisch sei, die überstaatlichen Mächte Krieg und Wirtschaft in der Hand hätten und die neue Jugenderziehung im Kameradschaftsgeist zwar Ansätze aufweise, aber noch lange nicht ›das Letzte‹ erreicht habe; hier sei noch viel im vaterländischen Geiste zu schaffen.

Der Privatdozent neigte sich vor, faltete die Hände und stimmte beflissen bei. Wieland und Rapp schauten ihn treu an, lächelten und lächelten einander zu. Die Gastgeberin setzte sich zwischen sie und sagte, es sei notwendig, daß »unsere jungen Leute« gesellschaftliche Kultur zu schätzen wüßten, und erwies sich damit als wenig gesinnungstüchtig. Ihr Mann sank in sich hinein, und als Wieland sagte, heute gebe es keine Symbole mehr, dafür aber Abzeichen, dehnte sich eine Schweigepause. Der Privatdozent öffnete ein Fenster.

Du kannst dich auf Wieland verlassen... Also, verstehen tun wir uns... Sie erleichterten sich beim Nachhausegehen, indem sie sagten: »Um einen Privatdozenten am Arsche bittend« und feststellten, daß sie die Nase schon voll gehabt hätten, als das blöde Luder mit dem deutschen Gruß in das Zimmer hereingebrochen sei. Übrigens interessant, wenn man es jetzt anschaute, hinterher, im Nachhinein, von ferne, und weil dieser Abend überstanden war: »Wie sich da die Spannungen ausgewirkt haben, gelt? Die appetitanregende Privatdozentenfrau mit ihren gebräunten Armen, die steht gegensätzlich zum Gemahl, und schließlich hat er von ihr doch das Geld. Ob wohl das Meublement noch aus des Privatdozenten Dandytagen stammt? Also, das ist auf der Höhe, sapperlot«, sagte Eugen und erinnerte sich gewisser ziselierter Beschläge aus Messing, gedachte eines Silberleuchterpaares neben einer Uhr mit dünnen Zeigern auf einem Emailziffernblatt, die klingelnd geschlagen hatte, und wußte das Porträt eines Mädchens im Reifrockkleide, das vor eingedunkelten Gartenwegen ein Blumenkörbchen im Arme gehabt hatte, gebührend zu würdigen. »Daneben ist doch diese treudeutsche Gesinnung ein schriller Mißton, ich kann mir nicht helfen... Aber wahrscheinlich muß der Privatdozent dieselbe herauskehren, herausstülpen, damit man's deutlich merkt; der meint doch, bloß so komme er heutzutag vorwärts; und was die Karriere anlangt, hat er vielleicht recht... Aber nebendraußen steht er trotzdem, weil's ihm niemand glaubt. Geschieht ihm recht. Soll er doch so sein, wie er ist, zum Teufel.«

»Ich weiß schon, daß du es von dir ganz genau weißt«, sagte Wieland, und Eugen kam es vor, als ob der traurig sei.

Auch das Elegante gehörte zum dicht gewobenen Gespinst, das schützte, und die Veränderung von Luft und Licht über der alten Stadt mußte beachtet, notiert werden; sie war im Tagebuche da, und ihm erschien's, als lebe sie erst richtig auf, wenn er sie schreibend hervorrufe.

Jemand spielte bei offenem Fenster einen Walzer, und er hörte es auf dem Balkon. Draußen lagerte die schwüle Sonne. Von einem Kuchenstück roch's nach Erdbeeren, und er trank starken Kaffee; schwelende Wärme wurde hergeweht. Der Wald war mit Licht bestaubt, eine Birke regte sich im Garten, und der Wind trieb Samenflocken her. Eugen setzte olivgrüne Celluloidschalen vor seine Brillengläser, damit er von der Sonne nicht geblendet wurde. Die Luft fühlte sich an, als wäre sie versengt. Und später, als er unten am Fluß ging, glänzte das Gras, und Salbei regte sich. Wolken vergingen in der Weite, die Ebene wurde mit der Ferne eins, und andre Wolken bauten, aus dem Dunst emporgewachsen, verschwimmende Konturen auf. Immer wieder liefen silberige Strähnen durch das Gras, verloren sich, und der Mohn schwankte. Beim Antiquar Herzer war ein Eichenholzrähmchen an die Bretterwand der Auslage gelehnt und ließ hinter Glas ein vergilbtes Papierblatt sehen, auf dem geschrieben stand: »Herzlichen Dank für die guten Kirschen – Adolf Hitler, Heidelberg, 27. April 1927.« Ein Führer-Autograph also, für das Antiquar Herzer fünfunddreißig Mark verlangte.

Abends traf er Doktor Wachstuch, der sagte: »Ich erzähl doch nur von Wien, weil's Ihnen imponiert; halt aus Angeberei.« Eugen war's sympathisch, daß der mit seinen Schwächen kokettierte, betrübt beiseite schaute, die Ellenbogen auf die Brüstung der Terrasse des Schloßhotels stützte, eine Zigarettenschachtel und ein zur Hälfte geleertes Bierglas vor sich hatte, während sich die Lichtpünktchen der kleinen Stadt in seinen Brillengläsern spiegelten. Die Seminararbeit jedoch, das Referat für Grauerbach über Cornelius und Delacroix, erwies sich als ein schwieriges und zähes Stück, weil er gewohnt war, entweder vormittags ins Tagebuch zu schreiben oder an einer Erzählung fortzukritzeln, kurzum, mit der Feder zu hantieren und abwesend zu sein. Jetzt aber drängte jenes Referat, und er mußte am Vormittage seiner Wissenschaft obliegen, was ihm als vergeudete Zeit erschien, bis es dann endlich soweit war und er Wieland zum Kaffee einladen konnte, um ihm sein Erzeugnis vorzulesen. Wieland sagte, es komme ihm gut vor, doch sei er nicht zuständig. »Wenn du wissen willst, wie's ist, mußt du Alberto fragen. Der ist dafür Experte.«

»Ach so ... Nein, das ist mir wie Spitzgras. Du, was meinst, sollen wir heut abend noch ein Bier trinken?«

Wieland wich elegant aus, erwähnte, daß er heute vielleicht noch von Norle angerufen werde, weil Roxane angekommen sei, die ihre Museumspraxis in Mannheim absolviere. – »Ich weiß schon, daß du die nicht magst; gelt, wegen ihrer Pfauenstimme? Aber geschliffen formulieren kann sie. Und wenn du kunsthistorisch etwas lernen willst ... Ich mache dich nur darauf aufmerksam. Einmalige Gelegenheit.« Und er fügte hinzu, daß Alberto jetzt beim Norle wohne, sogar draußen schlafe, aber gefährlich sei's für beide Teile nicht.

Eugen sagte: »Wenn's ihm nur gefällt. Und du machst es heut abend auch, wie dir's gefällt: Herauskommen zu mir oder wegbleiben nach Belieben. Ich versteh' schon. Ich versteh' schon, daß es für dich mit der Roxane amüsant ist.«

»Dann sind wir also beide freie Menschen, heut abend?«

»Freie Menschen«, bestätigte Eugen; und sie verabschiedeten sich mit Händedruck, wobei ihm Wieland nochmals alles Gute wünschte für sein Referat, das sich bald danach als ein Mißerfolg erwies. Grauerbach nannte es ein stilisiertes Essay, noch jugendlich chaotisch und in der Grundthese irrig, weil Cornelius und Delacroix derselben Generation angehört hätten und nicht durch Zeitentiefen voneinander getrennt gewesen seien, wie es Herr Rapp dargestellt habe; auch müsse eine solche Arbeit auf einer stichhaltigen Formanalyse aufgebaut sein, die sich aus einer detaillierten Beschreibung zu entfalten habe; beispielsweise, daß bei Delacroix gewisse Bildelemente vergrößert erschienen, was auch für Goya charakteristisch sei; dies wäre zu untersuchen gewesen, und es hätte sich gelohnt.

Eugen schärfte es sich ein, nur nützte es jetzt nichts mehr. Er dachte: mit der Wissenschaft wirst du es niemals schaffen. Und mit der Schreiberei? Ein wolkenkratzerhohes Fragezeichen war dahinter aufgerichtet, als schwebe es draußen überm Fluß und reiche bis zum Schloß hinauf, während vor dem Balkon die Wolkenbilder wechselten, in der Villa jenseits der glitzernden Birke ein Mädchen Wäsche bügelte, und der Wind ihm das Gesicht berührte. Eugen fiel ein, was Alberto gesagt hatte, also dies: »Du spielst nur mit den Menschen.« Eigentlich zum Lachen, doch Alberto meinte Eugens Beziehung zu Frigidaire, sein kühles Grußverhältnis; aber wie hätte er es denn anfangen sollen, daß sich daraus mehr entwickeln konnte, wenn das Mädchen es nicht anders haben wollte? Vielleicht spielte beim Alberto aber auch noch andres mit hinein, denn der war doch ein Ausgeschlossener, der nicht einsehen wollte, daß es dem Studienratssohn Eugen Rapp ebenso schlecht wie ihm ging, obwohl sein Vater regelmäßig Geld schickte und er ein Bürgersöhnchen war; indes Alberto...

Aber da stieg unten Grauerbach über die Gartenstufen aufwärts, erkannte Eugen und winkte ihm zu, der im schäbigen Hausanzug oben stand und sich beeilte, wenigstens noch Kragen und Krawatte anzuziehen. Kaum war er damit fertig, als es klopfte und der Professor eintrat.

Sie gingen auf den Balkon hinaus. Grauerbach setzte sich in den rotlackierten Lehnstuhl, sagte, eine Gesundheitszigarette aus Celluloid und Bernstein in den Lippen, die Kritik nach einem Referate glücke ihm nicht immer, und wenn er behauptet habe, daß Herr Rapp ein stilisiertes Essay geschrieben habe – »Also, nicht wahr, das ist…« Und er wischte es mit der Hand fort, schüttelte den Kopf und fügte rasch hinzu: »Bitte, fassen Sie es nicht als übertriebene Empfindsamkeit auf, wenn ich Ihnen das jetzt sage.«

So etwas… Also, das gab's doch nicht. Der Lehrer kam zum Schüler und entschuldigte sich, um ihm Mut zu machen; ein Mann, der wußte, daß Eugen sich nichts zutraute und deshalb abwesend blieb, eingesponnen ins Wien der Jahrhundertwende und der Biedermeierzeit. Schließlich stand auf seinem Schreibtisch eine Photographie Hofmannsthals und dahinter eine Rose, die sich regte und ihre Blütenblätter fallen ließ; und dies ereignete sich, nachdem Grauerbach längst fortgegangen war, und Eugen schrieb ins Tagebuch, es habe dabei so geraschelt, als ob ein Vogel sein Gefieder rühre. Denn so gehörte es sich jetzt für ihn.

Du fürchtest dich, denn was soll werden? Das Geräusch der Rose, welche auseinanderfiel, der vom Wind aufgeblätterte Nußbaum, die Lichtveränderungen über alten Dächern lohnten das Anschauen, denn alles andere war minderwertig. Und er ging wieder am Fluß, war froh, daß es heiß und windig war, ließ sich vom Wasser blenden und kritzelte Verse auf ein Programmblatt der Heidelberger ›Mozart-Wochen‹. Danach müßtest du nekrophil veranlagt sein, während du deine Frigidaire doch nur von ferne anschaust, dachte er, als er die Verse in der Villa abschrieb und das Ganze ihn ein bißchen lächerte. Vielleicht war's nicht geheuer, was er gemacht hatte, denn: »Du löstest nie für mich die dunkeln Haare, / Du schmücktest wegen mir kein Handgelenk« begann eine Strophe und hörte auf: »Von mir hat dich der frühe Tod befreit«, um von den ersten Zeilen ganz zu schweigen, denn diese gingen so: »Nun liegt an deinem Hals der Nelken Schwere, / Der Rosen kühl betautes Blutgewicht, / Und Sonne glänzt als starre Silberähre / Auf deinem bleich verfallenen Gesicht.« Arg schön.

Er sah Ursula von Nathusius im Universitätshof und schrieb ins Tagebuch, sie sei königlich hingegossen auf einer Bank gelehnt, indes ›der Löwe‹ hinter ihr vor einer Säule unterm Vordache des Vestibüls auf seiner dünnen Mappe hockte und den Kiefer vorschob. Später stand dieser ›Löwe‹ lommelig eingeknickt am Randstein und rauchte eine Zigarette, denn ihn beachtete Eugen wie Frigidaire, während ihn Fräulein Scharf [aus Berlin] wissen ließ, daß sie gerne mit jungen Offizieren und anderen bewaffneten Figuren tanze. »Ich spiele gern mit Ehrendolchen«, sagte sie und machte das Herausziehen und Wieder-in-die-Scheide-Stecken einer solchen Waffe nach. Worauf Eugen, den Kopf schüttelnd, bemerkte: »Mit was für Leuten Sie sich amüsieren…« Er wunderte sich, weil er wußte, daß Fräulein Scharf mindestens zu einem Viertel jüdisch war, oder dieses eine Viertel zugab, weil dieses eine Viertel ungefährlich und von den Machthabern gerade noch gestattet worden war, während es bei halbjüdischen Damen schon bedenklicher gewesen wäre. Und Eugen dachte, ein Viertel jüdischen Bluts halte also Fräulein Scharf nicht davon ab, an der Bar mit Ehrendolchen zu spielen [dir graust es schon als sogenannter reiner Arier davor], weshalb er es sich nicht verkneifen konnte, darauf hinzuweisen, daß ihr »Ich spiele gern mit Ehrendolchen« als Anfang eines Gedichtes im ›Simplizissimus‹ verwertbar sei. Und er malte ihr das Bild aus, das ein Simplizissimus-Künstler dazu entwerfen würde, also einer, der die Sex-Appeal-Masche heraushabe, das Milieu der Barbesucher kenne und, impressionistisch-schmissig, eine mit verrutschter Bluse und entblößtem Knie an der Theke sitzend darstelle, wie sie rechtshändig einen Drink kippe, linkshändig aber nach dem Ehrendolch ihres Begleiters greife, der in SA-Uniform nordisch strammgebügelt bei ihr sitze; und wie sie da den Ehrendolch am Knauf umschmeichle: »Also von Ihnen kann ich's mir vorstellen, sapperlot und kruzitürken, kreizdeifel noch einmal!«

Sie lachte, und es kam ihm vor, als wüßte sie nicht recht,

wie er es meine, und vielleicht spürte sie sogar seinen Ekel heraus. Der kannst du alles sagen, weil sie dir gleichgültig ist, indes mit Frigidaire [Ursula von Nathusius], einer Adelsdame, das Gespräch bereits nach dem ersten Wort versackte, wahrscheinlich weil Frigidaire meinte, daß er entbrannt sei und sie ihn deshalb mit Hochmut von sich weghalten müsse, denn, man wisse ja nie... Weil schließlich jeden Mann die Liebesraserei befallen und ihn dazu verleiten konnte, sich über sein Mädchen gierig herzumachen; denn so stand's manchmal in Romanen, und früher hatte man es in der Zeitung lesen können; jetzt aber gab es, wenigstens auf jenem, zum täglichen Bedarfe bedruckten Papier keine sexuellen Verbrechen mehr, dafür aber politische. – »Zwecks Abschreckung gibt es politische Verbrechen oder solche wegen Rasseschande«, sagte er zur Scharf, und sie brummte ein dunkeltönendes: »Ach so...« Mit der kannst du offenherzig sprechen und bist sicher, daß sie nie mit deutschem Gruß daher kommt... Das war viel wert und auch hoch anzurechnen, nur stimmte halt die Atmosphäre nicht... Denn du, ein schwäbischer Schulmeisterbub, und sie, eine Geldquelle aus Berlin: Es geht halt nicht zusammen... Eine, die gerne mit Ehrendolchen spielte – also, ich weiß nicht recht... Und er erinnerte sich, wie sie vor kurzem nebenbei [das wär jetzt also etwas für Wachstuch gewesen, den wienerischen Doktor] und sozusagen selbstverständlich gemeint hatte: »Kommen Sie doch mit hinauf.« Er stand vor dem rotgetünchten Haus hinter der alten Brücke, ging hinter ihr über die Treppe und sah, daß sich in ihrem Zimmer ein Kleiderschrank am dicksten breitmachte und das wichtigste Möbel war. Auf einem Wandbrettchen standen vier Schnapsgläser, ein Stehrahmen war mit Photographien bespickt, und diese schauten sie zusammen an; aber was darauf abgebildet war, das konnte er sich nachher kaum noch denken, meinte aber Fräulein Scharf zu Pferde betrachtet zu haben, allerdings nur auf einer flaumigen Amateuraufnahme [das konnte Wieland besser machen]. Die probierte ihn wahrscheinlich aus [mal sehen, ob er 'rangeht], denn Angst hatte die keine und hochmütig war sie auch nicht [anders als die Frigidaire]. Trotzdem fehlte Eugen halt der Appetit auf sie [da konnte man nichts machen], und dann war es auch nur unverbindlich gemeint. Du aber wünschst dir das Verbindliche, denn ohne das war es zu wenig und regte nicht besonders an [gewissermaßen]. Also mußte noch etwas anderes dazukommen, etwas wie Sehnsucht halt; damit du dir etwas vorstellen kannst, das es nicht gibt... Und es verwunderte ihn, daß er immer wieder etwas wünschte, das nur in der Einbildung dawar, bei Fräulein Scharf aber nirgendwo auftauchte, auch wenn das Gespräch sich dahin oder dorthin drehte. Geld haben, reiten, in der Bar sitzen und mit Ehrendolchen spielen, gehörte zum guten Ton. Und er war froh, herausgebracht zu haben, daß er sich mehr wünschte und etwas finden wollte, das eventuell dahinterstand; denn immer stand oder lag etwas dahinter, und bei Fräulein Scharf waren es Ehrendolche.

Im Theater gab es ein Gastspiel der indischen Tänzerin Menaka, und er ging mit Wieland hin. In goldenen Kleidern tanzte Menaka vor einem blauen Vorhang, die Fingerspitzen rot gefärbt; sie bog ihr braunes Handgelenk zu den Akzenten der Musik, schmiegte sich an die Knie und wurde starr vor Sprödigkeit; sie eilte, flog, eine Gejagte, bedrängt von der Musik, die nun ein einziger, gedehnt hinausgeblasener Ton war, ein Dröhnen, das von Kunst gemildert wurde, zeremoniell und streng blieb, wahrscheinlich, weil Gott Shiva alles zerstampfen mußte; und außerdem war alles, was Menaka tanzte, nicht so schön gemeint, wie Eugen es gefiel, denn Wieland sagte, jede Biegung ihrer Hand sei doch eine Beschwörung. Ach so, dann erscheint dir wieder einmal alles zu poetisch. Und Wieland belehrte ihn, daß man es nicht so nehmen dürfe, sozusagen als Genuß. – »Wie nimmst dann du's? Bist du denn gläubiger Buddhist? Wie soll ich es denn anders nehmen, als daß es mir gefällt?« fragte er ihn.

Es kam zum Glück Herr Münch herbei, denn Wieland reckte schon den Hals und straffte seine Schultern. Münch sagte, daß ihm Eugens Referat über Cornelius und Delacroix gefallen habe, und Eugen dachte, da werde Münch wohl der einzige sein. Man tastete sich gegenseitig ab, bis es herauskam, daß Münch Musik gern hatte, die in den Zeitungen als dekadent bezeichnet oder angeprangert wurde, zum Beispiel die von Weill; eine Bemerkung, heutzutage kühn, denn der jüdische Weill… Eugen stimmte mit Wieland Herrn Münch kräftig bei, der freilich vorsichtig sein mußte [du kannst's verstehen]. Und es ergab sich im Gespräch während der Pause, daß Münch den Professor Grauerbach erwähnte und daran erinnerte, es sei ungewiß oder unsicher, ob der noch lange bleibe. Eugen sagte ja, aber er könne sich bloß mit dem Grauerbach verständigen, mit dem anderen Professor nicht; und das Gespräch versackte. Weshalb man froh war, als es läutete und Menaka wieder tanzte, diesmal verwandelt. Jetzt drang Wildes hervor, eine Kehrseite, aber trotzdem keine fratzenhafte, denn immer noch blieb es verdeckt. So gebührte es sich für die Inder, die wieder wegreisen durften, während einer wie Eugen fürs Militär gemustert worden war. Du Wehrpflichtiger, der nicht über die Grenze darf… Und Geld hast du auch keins.

Als sie aus dem Theater hinausgingen, begegneten sie ›ihren Damen‹. Eugen grüßte, Ursula dankte, und Wieland sagte auf der Straße, es habe komisch ausgesehen: Zu beiden Seiten ernstes Grüßen zwischen Eugen und Frigidaire, in der Mitte aber feines Schmunzeln zwischen Kleopatra und ihm, denn für den Augenblick des Grüßens seien sie zu viert nebeneinander aufgereiht gewesen.

Dann wieder Fräulein Scharf, die von Wieland ›Die Person‹ genannt wurde und im Café von ›einem Flirt‹ erzählte, der nicht einmal schön sei, viel zu schmale Schultern, eine zu lange Oberlippe und ›Kriegszähne‹ habe. Eugen fragte, was sie damit meine, und sie sagte: »Ach, so Zähne, wissen Sie…, wo oben kleine Löcher drin sind.« Alle diese Mängel hatte sie ihrer Mutter bereits brieflich mitgeteilt, denn auf der Rückfahrt aus Italien kam die hier durch. »Und wenn ich ihr den Jungen zeige, möchte ich nicht hören, was sie an ihm auszusetzen hat. So nehme ich im Brief die Kritik meiner Mutter vorweg. Denn ich sehe alle Fehler meines Partners immer, bevor ich in die Liebe falle, während meine Mutter das erst hintennach bemerkt.« – »Daß Sie aber das Gute und das Nette trotzdem an jedem Ihrer Jungen sehen, das ist fast erstaunlich.« – »Oh, wenn man das sehen wollte, was er *nicht* hat! Mancher hat wenigstens eine schöne Hand, und mein jetziger hat hübsche, wie gedrechselte Beine. Da sehe ich von den Kriegszähnen ab… Und Frauen wissen sowieso besser als Männer über ihre leiblichen Mängel Bescheid, die Homosexuellen freilich ausgenommen; oh, die sind erstaunlich genau informiert; aber die anderen…« Und sie machte eine abschätzige Geste, fragte, ob man sich wegwerfen dürfe, und Eugen meinte, es komme halt darauf an, was man sich unter ›wegwerfen‹ vorstelle; er möchte da lieber abraten, aber wenn sie durchaus wolle: »Hindern kann ich Sie jedenfalls nicht.«

Fräulein Scharf sagte [und schon wurde sie ungeduldig], wegen irgend etwas werfe man sich doch eigentlich immer weg, und überlegen, ob sich's lohne – uh, wie sei das spießig! »Überhaupt sehen Ihre Bücher so unberührt aus, wissen Sie das eigentlich? Die machen auf mich einen jungfräulichen Eindruck.« Und sie betonte, daß bei ihr alles gebraucht aussehen müsse. Nun, sie traf das Richtige. Du bist ja immer noch so hübsch jungfräulich, dachte er und glaubte sich zu erinnern, daß Fräulein Scharf nach Pfingsten ziemlich gebraucht ausgesehen habe und die Sonnenbräune ihrer Bakken verblaßt gewesen sei. Er sagte ihr's; sie winkte ab: »Na ja… Kein Wunder. Ich habe über Pfingsten nichts andres getan als Bier und Schnaps trinken. Beim Nachhausegehen sind die Straßenlaternen gerade ausgegangen.«

Eugen horchte auf, fragte sich, wie die Person zu solchen Wörtern komme, bis er merkte, daß er sich die Einzelheiten beim Schreiben selber zurechtgelegt hatte, weshalb er ins Tagebuch kritzelte: »Letzteres sagte sie zwar nicht, aber ich schreibe es für mich hierher.«

So sind die Leut, die du hier kennst... Und er gedachte seines Freundes, fügte hinzu, daß der jetzt oft zum spanischen Albert und zum Automädel gehe, weil er bei denen Wissenschaftsdinge einheimsen könne, was bei ihm, Eugen Rapp, unmöglich sei. Denn er, Eugen Rapp, wolle sich zum eleganten Solitaire ausbilden; das Wort ›Solitaire‹ aber hatte er im Kolleg Professor Grauerbachs gehört, als dieser über Spitzweg sprach.

Die Eleganz und das Lautlose; und daß er für sich bleiben wollte... Beim Konzert im Schloßhof bat ihn eine Nebensitzerin um Feuer für ihre Zigarette, und er hielt ihr seine hin; da saugte die also sein Feuer ein. Im Gras der Altane standen die Pulte der Musiker, Lichter gingen an, und der Abendhimmel war ausbleichend hell. Hinter einer Balustrade lagerten blaue Hügel, die Ebene aber wurde vom Nebel verwischt und hatte Goldspuren. Dazu die Musik einer vergangenen Zeit.

An der Uferpromenade trank er ein Viertel Wein. Dann kam Fräulein Scharf mit zwei Herren, die im Hintergrund der Wirtschaft Flaschenbier bestellten und belegte Brote aßen. Am nächsten Tag war Alberto [der spanische Albert] ungehalten, weil Eugen ihm ein versprochenes Buch noch nicht gebracht hatte [schließlich konnte der sich dieses Buch auch bei ihm holen]. Doch Alberto sagte, wenn er stets von neuem gebeten sein wolle, dann werde er ihm nächstens seinen Wunsch auf einer Grammophonplatte vorspielen. – »Das würde teuer für dich werden«, sagte Eugen und dachte: der hat doch recht, wenn er sich jetzt beklagt... Wieland und Alberto kauften Käse und Wurst fürs Abendessen und fragten Eugen, ob er nicht mitkommen wolle. Er lehnte ab [du bist doch verärgert, weil dich Alberto angefahren hat] und bereute es bereits; um sich anders zu besinnen, dafür war es freilich schon zu spät... Und Wieland sagte, daß er morgen zu ihm kommen und ihn photographieren werde. Da wirst du also noch einmal beschämt... Und er meinte zu bemerken, daß ihn die beiden rücksichtsvoll behandelten, und er fragte sich, weshalb. Grauerbach, dem er hernach begegnete, lud ihn zu einem Schorle in das ›Jägerstüble‹ ein, wo über Thomas Mann gesprochen wurde, dem Grauerbach vor zwanzig Jahren in Brüssel begegnet war; ja, in einem Stabe, weit hinter der Front, und Thomas Mann habe verlegen ausgesehen, als hätte er sich unter all den Generälen nicht recht wohlgefühlt.

Du nimmst es gierig auf; jede Nachricht von solchen, die Glück haben, ist dir willkommen... Und am nächsten Tage photographierte Wieland ihn auf dem Balkon. Eugen stützte einen Ellenbogen in die Hand, hielt das Bernsteinröhrchen mit der Zigarette und sagte, als die Aufnahmen entwickelt worden waren, das also sei seine stille Kaffeehauspose. Auf einem andern Bild [von der Seite mit hochgezogenen Schultern] erschien er sich als affektierter Simpel, dem das Haar in den Nacken hing, und auf einem dritten hatte er geblähte Nüstern, als habe es beim Knipsen schlecht gerochen; trotzdem gefiel ihm dieses Bild. Wieland war ›a feiner Kerle‹, allerdings nicht nur, weil er so gut photographieren konnte, sondern auch, weil er vor Pfingsten gesagt hatte, ach, du liebe Zeit, wieviel Geld werde er jetzt wieder brauchen, wenn er zu zweit [mit Fräulein Wendlinger] in die Ferien fahre; da habe es Eugen, der allein hierbleibe, jedenfalls viel besser. »Denk bloß an die vielen Nachmittagskaffeeportionen, die ich bezahlen muß, um von anderem zu schweigen. Du wirst so viel sparen, daß du dir später einmal einen Wagen kaufen kannst.« – »Darauf bin ich nicht scharf«, erwiderte er ihm, und Wieland änderte seine Zukunftsvision dahin ab, daß dann also für Eugen eine Achtzehnhundertneunzig-Villa herausspringe, exquisit mit Biedermeiermöbeln ausgestattet.

Das ließe sich schon eher hören, obwohl sein Traum halt

immer noch der Weinbergturm zwischen Hagnau und Meersburg sei: »Für mich würd der genügen; denn aufs Zu-zweit-sein bin ich nicht besonders scharf... Find du mal heutzutage eine, die gegen den Hitler und fürs alte Wien ist«, sagte er. Und Wieland gab zu, dies werde allerdings schwer gehen.

Bald danach ärgerte sich Eugen, weil sein Freund nach Mannheim zur Roxane fuhr. Die mit ihrer Pfauenstimme..., dachte er und schrieb ins Tagebuch, solche Empfindungen seien eher gegenüber einer Herzensdame angemessen als gegenüber einem Freund. Und es wunderte ihn nicht, als wieder ›die Person‹, also Fräulein Scharf [aus Berlin], auf Gleichgeschlechtliches anspielte [die denkt, du und der Wieland seien schwul], obwohl's ihm davor trotzdem ekelte. Aber dann überlegte er mit Wieland, wie es wäre, wenn sie sich vor der Scharf mal als Schwule aufspielten. »Da müßten wir dann ›tölen‹, also singend reden und auch so Gebärden machen, daß dir's weit 'nei graust«, gab Wieland zu bedenken. Und sie kamen überein: »Dann also lieber nicht.«

Er traf die Scharf alleine im Café, wo sie von einem Herzfehler erzählte, dessentwegen sie von jetzt an nicht mehr rauchen dürfe; es sei zu klein, ihr Herz. – »Dann haben Sie es also überanstrengt; es geht halt nicht so viel hinein. Von jetzt an müssen Sie sparsamer leben«, empfahl er ihr, was sie bestätigte. Um halb eins mußte sie in die Klinik, eine Röntgenaufnahme machen lassen. – »Aber strengt das Rauchen Ihr Herz so sehr an?« – »Gewiß, rauchen und Kaffee trinken.« Er sagte, daß es für ihn bitter wäre, darauf verzichten zu müssen; »ich kann mitfühlen«, sagte er und sprach übers Carlton in München, diesen ›tea-room‹, wo er manchmal, kaffeetrinkend, gesessen war, eigentlich nur der Möbel wegen, die im englischen Landhausstil... Aber seit er wisse, dort verkehre auch der Hitler, schäme er sich seiner Vorliebe fürs Carlton. Und er wunderte sich, daß Fräulein

Scharf das Carlton nicht kannte, weil sie doch immer so arg elegant bewandert tat. Er merkte, daß er bei ihr an die richtige Stelle getippt hatte, denn nun kam wieder mal ein ›Freund‹ heraus, der Eugen damals sicherlich auch aufgefallen sei, weil er rasierte Brauen, lange Wimpern und eine eingedrückte Nase gehabt habe; sein Mund sei ausdruckslos gewesen… Und sie demonstrierte ihre Wörter, indem sie sich ins Gesicht deutete und, während sie sagte: »Gut gewachsen ist er auch gewesen«, sich mit beiden Händen schnell am Leib entlangstrich; derselbe hatte dazumal Jura studiert. Eugen aber hatte – »ungefähr zur selben Zeit, als Sie in München waren« – am Bodensee eine Jusstudentin kennengelernt, die auf dem Motorrad durch Südfrankreich und Italien bis Syrakus gefahren und auf Staatskosten zurücktransportiert worden war; ihr Vater sei Kaufmann in China gewesen, und sie selber habe immer nur eine graue Männerhose und Turnschuhe an den nackten Füßen gehabt. Und er ließ durchblicken, daß so etwas nach seinem Geschmack war. Daraus ergab sich ein Kleider-Gespräch. Fräulein Scharf war dafür oder forderte nahezu unerbittlich, daß eine Studentin im Universitätsgebäude Rock und Bluse trage; so sei's dem Milieu angemessen. Sie selber aber warf sich abends für eine halbe Stunde ganz groß in ein Abendkleid, bemalte sich »da um die Augen« [sie zeigte es] und stand lange vor dem Spiegel. Doch, wie gesagt, nur eine halbe Stunde, dann gehe sie zu Bett. Besonders intensiv interessierte sie sich allerdings für Herrengarderoben und gehe immer gern zum Schneider mit; suche den Stoff aus und unterhalte sich ausgiebig mit den geschmeidigen Schneidern. Zwischen zwölf und ein Uhr in der Nacht jedoch telephoniere sie mit ihrer Mutter: »Du, einen Bademantel hab ich heut gesehen – einfach toll!« Und sie schwärmten zusammen über Bademäntel. So ginge das und sei sehr schön.

Eugen bemerkte: »Auch ein Thema…« Das Café belebte sich. Die Scharf sagte, der dort, dieser Hübsche, spreche im

Abendkolleg oft mit einem Schwarzen [»Sie meinen Schwarzhaarigen, oder nicht?«], und sie halte das Verhältnis für recht innig [jetzt kam es also wieder aus der Scharf heraus]. Jawohl, dafür habe sie einen Blick, denn in Berlin verkehre sie in derartigen Kreisen; sitze mit solchen am Bartisch, und die erzählten ihr freimütig von gewissen Sehnsüchten und so. »Die haben mich gern, mit solchen komme ich gut aus.« Und Eugen sagte: »Eigentlich ekelhaft«, als Billy aus Amerika auftauchte und, sonnig lachend, seine gelb und weiß gemusterte Krawatte zeigte.

Eugen lobte Billys Krawatte und sagte Fräulein Scharf adieu. Billy winkte er zu. Im Universitätshof sah er den wienerischen Doktor, gewissermaßen stelzend über die hellen Fliesen gehen und sich, sorgenvollen Angesichtes, auf die Mauer setzen. Wieland kam und berichtete, daß im Abendkolleg, wo bis heute Frigidaire immer mit dem »Löwen« angerückt sei, sich unerwartet alles wieder wie früher zeigte, denn Frigidaire sitze stolz und allein vorne unterm Pult zu Füßen des Professors, der ›Löwe‹ aber hinten; weshalb angenommen werden dürfe, daß sich das Verhältnis Frigidaire–Löwe getrübt und die ganze G'schicht nicht weit habe gedeihen können; vielleicht habe gar Frigidaire dem Löwen eine Ohrfeige gegeben, so daß sie demnach also wieder frei für Eugen sei. Doch so dumm bist du nicht, daß du dich da jetzt wieder 'ranmachst; das würde dem [er meinte seinen Freund] so passen; damit der etwas zum Zuschauen hat... Schon wissen... Du kriegst mich nicht herum; alleinsein ist bekömmlicher... Und er blieb vor der alten Brücke am Gartengitter jener Villa stehen, die sich hinter ein bemoostes Rondell zurückgezogen hatte, hörte dem Springbrunnen zu, der wieder plätscherte und klatschte, sah einen Balkon auf rostigen Säulen stehen, freute sich, weil niemand um den Weg war [du kannst diese Villa allein bewohnen oder mit Leuten bevölkern, die dir gemäß sind] und schaute in die Höhe breiter Ulmen. Wasser roch vom Fluß.

Wieder beobachtete Eugen den schleichenden ›Löwen‹, dessen Schmiegsamkeit sich im Unterkiefer konzentrierte, wenn er jemandem die Hand gab; sonst hockte er meistens im Hof der Universität auf seiner leeren Mappe; oder er schob sich vorwärts, als winde er sich durch die Luft, eine Art zu gehen, die auf die Uferpromenade einer Hafenstadt besser gepaßt hätte, als ins altfeine Heidelberg; auch die beständig in seinem Gesicht hängende Zigarette wäre dorten angemessener gewesen. Also gewissermaßen ein sympathischer Kerl, der jetzt wieder in Sporthemd und offenem Kragen ging, nachdem er neben Frigidaire immer schick hellgrau und mit Krawatte hatte dasein müssen. Der atmete also auf. Und Eugen versicherte diesen Löwen in Gedanken seines Mitgefühls, konnte sich aber nicht dran hindern, jetzt wieder zu denken, ob dann nicht er, der stets ein weißes Hemd anhatte und nie ohne Krawatte ging, am Ende gar der Richtige für Frigidaire sei. Aber sei doch nicht so dumm und gefährde eigenhändig deine Einsamkeit.

Wieland berichtete von Frigidaire und Kleopatra, die gestern abend in einem duftenden Bäckerladen verschwunden waren, gelacht und gewispert hatten; leider habe er sie bald danach aus dem Blickfeld verloren, wolle aber nicht versäumen, ihm dies mitzuteilen.

Eugen zeigte sich erfreut [von den Adelsdamen hörst du immer gerne] und konnte seinerseits ein Erlebnis zum besten geben. Denn als er heute vormittag mit ausgeglichenem Gemüte über die alte Brücke gegangen war, wem begegnete er da? Dem Löwen. In schmuckem Waffenrock, hellblau und grau [Flieger-SA, was besonders Schickes], die Zigarette am beringten Finger, lauerte der Löwe lungernd auf Passanten und hatte neben sich auf der Brückenmauer eine Schachtel mit Abzeichen liegen, die er verkaufen mußte. Denn jetzt befand sich dieser junge Mann im Dienste jener großen und entweder nationalen oder vaterländisch ehrenvollen Sache, die von Eugen und Wieland mißachtet wurde und von der sie deshalb öfters sagten: »Auf daß es dich ankotze«; oder sie äußerten sich noch despektierlicher und wußten, daß sie damit nur ein mulmiges Gefühl zudeckten. Jeden, der Uniform trug, also auch diesen ›Löwen‹, nannten sie drum einen Zöllner, weil er dem Hitler durch Uniformtragen Respekt erweise oder zolle, vergaßen aber, daß auch sie einmal dabeigewesen, allerdings nach einem Jahre [Anno 34] wieder ausgetreten waren.

Eugen schaute dem Löwen ins Auge, ging, zwar nervös, aber gemessen auf ihn zu und wäre sogleich beim Löwen gewesen, hätte sich nicht ein Rudel Schuljungen dazwischengedrängt; die Buben hielten Kartons, gefüllt mit Kornblumen aus Papier, empor und stellten sich vor den Löwen, der Eugen farbige Kunstharzembleme anbot. – »Jugend geht vor!« riefen die Kornblumenbuben, doch wählte Eugen ein Abzeichen, das ihm der Löwe eigenhändig an den Anzug steckte; weshalb also von Eugen Rapp behauptet werden konnte, er sei heute vormittag mit dem ›Löwen‹ handelseinig geworden, was dieses Abzeichen beweise.

Er zog es aus der Jackentasche. Wieland betrachtete das friedliche Emblem eines grünlich umrankten Rehs, weil heut der ›Tag des deutschen Waldes‹ war und sagte: »Aha, solider Volksbetrug.« Und Eugen: »Zwanzig Pfennig für Granaten, au net schlecht«; und er erzählte von einem Kollegen seines Vaters, der Musiklehrer war und vom Arbeiter einer Konservenfabrik erfahren hatte: »Wir drehen halt Granaten jetzt.« Dann sprachen sie über ihre Anträge auf Zurückstellung vom Wehrdienst [»So lang es geht, wird das hinausgeschoben; du kannst nichts Besseres tun, als dich intensiv verwöhnen, weil es später klobig kommt«], und Eugen erinnerte daran, daß sie dieselben morgen bei der Polizei abgeben müßten, übrigens im früheren Palais Boisserée, wo Goethe öfters geweilt habe. »Ich weiß das aus den Vorarbeiten für mein Referat, unglückseligen Angedenkens.«

Dann sprachen sie über Alberto, der in Norles elterlichem Garten Beete umschorte, Holzwolle unter Erdbeeren legte und dabei einen Gärtnerschurz anhatte. »Wenn es ihm gefällt, dann ist's in Ordnung, und ich spotte nicht darüber. Alberto geht es ja auch dreckiger als uns, denn wir haben fast so etwas wie eine sorgenlose Jugendzeit. Und Norles Vater wird nach Spanien auswandern, wo er seine jüdische Frau heiraten kann. Übrigens ist in Spanien Bürgerkrieg, falls du's vergessen haben solltest«, sagte Wieland. Und Eugen dachte, daß er lieber Gärtner wäre als Student.

Sich auf etwas anderes besinnen, doch auf was? Vorerst blieb nur die Angst; dazu Beklommenheit, und daß wenigstens Wieland meinte, so finster, wie es Eugen voraussehe, brauche es nicht unbedingt zu kommen. – »Daß wir nicht unsre Lunge stückchenweise herauskotzen? Wollen wir das beste hoffen… Und sonderbar, wie langmütig die andern sind. Ich meine jetzt Franzosen, Engländer, selbstverständlich auch die Russen. Oder sind die ebenso gelähmt wie wir? Vielleicht denken sie: uns geht es ja nichts an… Jeder weiß erst, daß er in die Luft geht, wenn die Bombe platzt. Wir aber haben nichts zu melden, du und ich. Uns schieben sie nur in den dicken Ofen, wenn es soweit ist.«

Dann wieder Fräulein Scharf [zur Ablenkung]. Sie kam aus der Klinik, wo sie geröntgt worden war; ihr Herzfehler war nicht so schlimm. – »Dann habe ich Sie ja umsonst beneidet, denn für Wehrpflichtige ist ein Herzfehler Goldes wert. Ich habe schon daran gedacht, Ihnen diesen Herzfehler abzukaufen«, sagte Eugen und lehnte sich an ein vernickeltes Geländer in der Universität. Die Scharf benäßte ihre Lippen und erwiderte: »Herzfehler… Den sollen Sie durch mich doch erst bekommen.«

Gute Antwort. Wieland und Rapp spendeten Beifall, doch bemerkte Eugen, es sei strategisch falsch berechnet, wenn sie es so offen sage; es vergehe einem dann der Appetit. Erst wenn es in der Schwebe hänge, mache eine Liebessache Appetit, weil man nicht wissen dürfe, wie es stehe. Allerdings, bei Fräulein Scharf wisse man's trotz einer solchen Bemerkung nicht… Und sie beglückwünschten die Dame zu ihrem sachlichen Humor. Eugen aber hoffte, mit der Zeit jegliches Ressentiment zugunsten eines sachlichen Humors bei sich zu tilgen, und schrieb ins Tagebuch: »Da schätzt du dich aber hoch ein.«

Er besann sich auf sachlichen Humor und trank Kaffee unterm hellen Grün des Park-Casinos, betrachtete die Blätterfächer einer Blutbuche überm Rasen und eine gemeißelte Sandsteinbalustrade, deren Gestalt sich von der Wiese des Park-Casinos abhob. Denn dies und anderes – die Luft, die Giebel und die Verschiebungen der inneren Struktur [dein Seelenleben] – wischten manches weg und ließen das Licht sehen.

  Langsam lief das Semester aus. Die Mutter schrieb mit ihrer sorgfältigen Handschrift, in der er seine Empfindlichkeit wiederfand, daß die Großmutter in Dürrmenz auf den Tod krank sei und Eugen beim Heimfahren dort aussteigen solle. Das tust du also, ja, das tust du... Und er fürchtete sich schon, obwohl er wußte, daß er gern bei alten Leuten wohnte, beispielsweise hier in dieser Villa bei der siebzigjährigen Frau Seubel, die, leicht und mager, eine Kleine ohne Gebrechlichkeit, am Vormittag in einem blauen Morgenrock aus Samt [ein Sommerhimmelblau] über die Treppe ging. Die Dame hatte durchleuchtete Augen, einen klaren Blick, der nie alt werden konnte. Hinter schräg auswärts gestellten Jalousien seines Zimmers waren ihm die Augen dieser Dame unterm weißen Haare nahe, er verglich sie mit denen junger Leute und dachte: kein Vergleich... Warmer Wind wehte herein, und die Tür zum Balkon stand offen.

  Neben alledem befremdete ihn dann ein Wort des wienerischen Doktors, der auf den Stufen unterm Gebüsch eines steil zur Stadt führenden Weges bei Nacht zu ihm sagte, hier möchte er mit einer gehen, die er oben im Restaurant beim Tanzen kennengelernt habe, denn bloß am Anfang schmecke die Haut eines Mädchens gut, später sei das alles meistens ziemlich ausgeleiert. »Aber Sie können es nicht beurteilen, dafür sind Sie noch zu jung.« Und Wachstuch wischte sich ein Lächeln weg, als Eugen sagte, das Mädchen oben kennenlernen, mit ihr hier heruntergehen und in der Stadt dann zu ihr adieu sagen, das sei richtig.

So saß er also wiederum alleine im Café Schafheutle, meistens vorne an der Türe, wo er alles überschauen konnte, stützte den rechten Ellenbogen in die linke Hand, rauchte Zigaretten aus dem Bernsteinröhrchen, das er im Stuttgarter Königsbau bei Menner gekauft hatte, wo sein Großvater Julius Krumm früher aus und ein gegangen war, weiter zurück freilich, als er sich erinnern konnte; obwohl er damals gern dabeigewesen wäre, in Stuttgart, München, oder am liebsten in Wien, dessen biedermeierliche Uniformen der Jahrhundertwende mit steifen Kappen und Sternen am Kragen ihm gut gefielen, weil er auf einer Photographie der Mölkerbastei einen Offizier seinen Degen an der Hüfte festhaken gesehen hatte. Und er erinnerte sich dessen, während seine Zigarette rauchte und er die Leute im Kaffeehause betrachtete, den Fuß auf die Leiste des benachbarten Stuhls stützte, der noch leer war und auf dem Wieland sitzen sollte. Wie hatte Professor Zimmer gesagt? »Also, ein ganzes Leben werden Sie wahrscheinlich nicht beisammenbleiben können.« Das Café war gefüllt mit Persönlichkeiten, weshalb er froh war, vorerst alleine hierzusein.

Da saß mit randloser Brille der kummervolle Feuilletonist ErKaGe, las oder fand sich mit einer bemittelten Kaufmannsgattin auf rotgepolstertem Fauteuil zusammen. Und gegen halb eins kam die beachtliche Dame, auf die Eugen hinter seiner Zigarette schon die ganze Zeit gewartet hatte, eine enorm kurzsichtige Person mit schwarzer Hornbrille von einer Schärfe, die ihre braunen Augen wie geschrumpft erscheinen ließ. Sie schrieb Briefe, rauchte, beachtete niemanden, hatte einen leidvoll gespannten Mund, redete rasch, warf eine flache Hand entschieden seitwärts, wenn vom Schauspielertisch jemand zu ihr trat und stehend sprach, bis er sich wiederum zurückzog, während sie, tief übers Briefpapier gebückt, im Schreiben fortfuhr, wobei ihr bleiches und gespanntes Gesicht unverändert blieb. Eugen dachte: eine Berufstätige, eventuell Berichterstatterin, Pressephotographin oder Dame vom Film, eine Medusen-maske, seltsam ekstatisch trotzdem; jedenfalls eine schwie-rige Person, ungemütlich, denn jeder sprach nur kurz mit ihr. Auch eine sonngebräunte Schauspielerin, die gerne lachte, verhandelte respektvoll mit der Tragischen, die auf ihre Schultern und Ellenbogen zeigte, als beschriebe sie ein Kleid, das hier aufgestülpt, an den Armen aber gebauscht sein müsse, worauf sie über der Stirn eine Frisur andeutete, als ob es sich um ein Lockenhaupt handele. Von der Straße sprach sie durchs Fenster ein Graumelierter an und sagte, er brauche jetzt endlich ein Bild von ihr, sie solle sich, bitte, beeilen; worauf sie mit hastigen Gesten und gequältem Munde ihm klarmachte, daß sie schon geschrieben habe und ihr Photograph es schicken werde. – »Ja, bitte. Aber dann pünktlich. Sie wissen: es ist die letzte Woche.«

Wieland kam, setzte sich und sagte, indes er mit dem Kopfe nach ihr wies: »Weißt du, daß diese Dame gestern bei mir war, in *meinem* Haus? Weißt du, daß sie sogar bei mir gewe-sen ist, in *meinem* Zimmer? Weißt du, daß diese Dame Wera Donalies heißt und aus Frankfurt ist? ›Wera Donalies, Ballettmeisterin der Reichsfestspiele‹, steht auf ihren Kof-fern… Und diese Koffer warten vor *meiner* Tür, und später wird die Wera in *meinem* Bett schlafen – allerdings erst, wenn ich fort bin… Also, du kannst dich nicht beklagen, daß ich dir nichts Neues bring.« Und er fügte hinzu, er sei sogar noch nachts auf den Flur hinausgeschlichen und habe mit der Taschenlampe die Koffer angeleuchtet, um sich Gewiß-heit zu verschaffen, weil sie doch gestern, gefolgt von der Hausfrau, bei ihm erschienen sei, um sich das Zimmer anzu-schauen, das sie für die Festspielzeit gemietet habe.

Dies war recht eindrucksvoll. Eugen genügte es. Jetzt kannte er die Dame, nach mehr stand ihm nicht der Sinn. Es blieb bei Abseitssitzen, interesselosem Wohlgefallen in

Anschauung der Wera Donalies. Und wenig später, als er mit Wieland über den Universitätsplatz ging, begegneten sie Grauerbach, der, vorgebeugt und langgewachsen, den Hut über der Stirne hochgerückt, eine frisch angezündete Zigarette zwischen den Lippen wippen ließ, den Arm ausstreckte und auf die mit braunem Tuch behängten Häuser hinwies: »Sehen Sie diese gedämpften Trommelwirbel?« Man nickte, sah beiseite, schaute in die Runde und wandte sich ab. Weiter unten war das Rathaus rot verhüllt und mit Girlanden aus versilbertem Tannenreis geschmückt.

Es entwickelt sich, und du kannst nichts verhindern..., dachte er, als er in seinem Zimmer zwischen offenen Schubladen und einem geleerten Kleiderschrank auf dem Wäschekorb saß, hernach der alten Dame, die im hellblausamtenen Morgenmantel dastand, die Hand gab, noch einmal in den Garten und hinüber zum dunstigen Walde schaute und später durch die Scheffelstraße ging, die ihm wie eine Stube vorkam, in der Blätterranken an sandsteingrünlichen Mauern hingen. Hinter Hecken und unter hohen Ulmen klatschte ein Springbrunnen über einem Rondell mit moosigen Tuffsteinen, von der Villa bei der Brücke schauten weiße Säulen her, und in der Straße, welche glänzte, schaukelte ein Kind auf einem Fahrrad weiter, das in der Stille knackte.

Er fuhr im Schnellzug heimwärts. Vor Abteilfenstern waren Haferfelder bläulich. In Dürrmenz stieg er aus. Vom grauen Schloßfelsen sah die Ruine Löffelstelz herab, und das Öhrlich säumte als eine Weidenwildnis die rasch fließende Enz. Das ›welsche Dorf‹, eine Waldensersiedlung, hatte einstöckige Häuser mit schiefen Vorbauten und engen Fenstern; ihre Spitzengardinen mochten vor hundert Jahren, als der Urgroßvater unterm Burgfelsen die Pedale eines Webstuhles getreten und das beinerne Schiffchen zwischen den Zwirnsfäden hatte fliegen lassen, ebenso geflickt gewesen sein wie heute.

All dies gehört zu dir; das andere ist weggewischt… Es kam ihm vor, als ob er Heidelberg vergessen hätte. Kein Wunder, weil alles andere nur Lack war. Wärst du wenigstens ein Handwerker geworden. Und wenn du zurückfändest… Aber das gelang nicht mehr. Wieder sah er den Giebel des Sandsteinhauses, wo Sanitätsrat Reichmann gewohnt hatte und gestorben war, stand in Gedanken neben seinem Vater vor dem Manne mit dem weißen Bart, hörte seine Schwester Margret lachen und kam aus dem Vergangenen ins Gegenwärtige, das so wie immer war. Gerade noch stand's unverändert, doch vielleicht würden die Möbel aus dem großväterlichen Hause bald hinausgetragen werden. Und er erinnerte sich an eine Photographie, die das Haus wie vor dreißig Jahren zeigte; seitdem waren nur die Leinenballen in den beiden Fenstern ausgewechselt worden, zwischen denen es in den Laden hineinging. Die Türe hatte noch dieselbe schiefe Klinke, und das Schild mit den dicken, wie Kissen gewölbten Goldbuchstaben war ein bißchen rostiger geworden. Kastanien bewegten sich über dem gußeisernen Brunnen des Marktplatzes, um den im Frühjahr Kühe muhten, Kälber sich zusammendrängten, Pferde die Köpfe hochrissen und ein Metzger einen jungen Stier am Strick vorüberzerrte. Früher hatte hier die Postkutsche mit dem Briefträger Treffinger gewartet, der auch Kutscher gewesen und ›Der Dreckfinger‹ genannt worden war. Tante Mariele schaute aus dem Fenster bei der Tür, lächelte und war nur wenig über zwanzig Jahre alt, während der Großvater neben Treffingers Kutsche in Schlappschuhen überm schwarzen Schnauzbart schmunzelte. Eugen ging ins Haus und die Holztreppe aufwärts; rechter Hand war die Tür zur Küche halb geöffnet und ließ graue Fliesen sehen. Vor dem Abort hat's dir immer gegraut… Die Großmutter hatte ihn als Kind manchmal umarmt, und ihre Lippen waren stachelig gewesen. Jetzt stand Tante Mariele da, eine große Frau mit schmalem Gesicht, die einen Bahnmeister geheiratet hatte und in Friedrichshafen lebte, obwohl sie andere als den

Bahnmeister hätte haben können. »Er hat halt so schön schwätzen können«, hatte die Großmutter früher einmal über ihn gesagt, dessen Vater königlicher Hofdiener und Hausmeister des Stuttgarter Königsbaus gewesen war, ein Herr mit Lebensart; dem hatte niemand den Hausmeister angemerkt. Und sein Sohn also, der Bahnmeister, auch er elegant, einer mit Spitzbart und unehelichem Kind, das er erst nach der Hochzeit mit Tante Mariele eingestanden hatte, die es hinnahm, sich damit abfand, an die Decke schaute und »Ja, ja... Ja... Ja« sagte. Doch niemals hatte sie ein böses Wort von ihrem Mann gehört, der bis zu seinem letzten Augenblick Klassiker gelesen und zeitlebens nie etwas verraten hatte, aber wußte, wie er den anderen erschien: Halt als ein trinkfreudiger Mann [du kannst auch versoffener Bruder sagen], der manchmal Schulden machte, denn mehr wußten die andern nicht von ihm. Und Tante Mariele war froh, daß er sich liebenswürdig gezeigt hatte, denn sonst brauchte sie nichts zu wissen.

Jetzt sah er sie wieder. Er ging am weinroten, immer noch mit altersgelben Spitzendeckchen belegten Plüschsofa vorbei ins Schlafzimmer hinüber, wo die Großmutter sagte: »Ach, daß du noch kommst!« Sie versuchte sich aufzurichten und wurde gestützt; konnte kaum noch das Ei halten, das sie essen sollte, preßte die Worte heraus, als würden sie ihr abgeschnürt; dazu ein Auswurf wie bei schwerem Husten, hinter geschlossenen Fensterläden. Im verdunkelten Zimmer sah sie ihn aus grauem Katzenkopfe an und freute sich, weil er gekommen war.

»Heute nachmittag haben wir sogar geschlafen«, sagte Tante Mariele; mit ›wir‹ meinte sie die Großmutter; dann brachte sie einen Träubleskuchen. Der Großvater kam, sie tranken Kaffee, und der Großvater deutete auf Eugen und sagte: »Du warst schon lange nimmer da... So krank wie jetzt ist die Großmutter nie gewesen.« Er schaute zwischen seine Knie. Tante Mariele sagte: »Ja, ja... Ja«, und holte Atem. Auf dem Tischchen beim gußeisernen Ofen stand der talmisilberne Tafelaufsatz mit dem gewundenen blauen Glas und den Silberpappelbättern, die oben hineingesteckt waren; das hatte sich seit der großelterlichen Hochzeit nicht geändert; auch der Schreibsekretär stand noch am Fenster, denn immer hatten die Großeltern hier gewohnt.

Wieder weggehen; adieu sagen. Der Großvater begleitete Eugen durchs Öhrlich, wo zwischen Weiden ein Schwarm Gänse dem Fluß entgegenwackelte. Im klaren Wasser lagen gelbe Steine, und von drüben schauten Häuser her, alle bukkelig und fachwerkeng; sie drückten sich an den Schloßfelsen und waren gelb vom Abendlicht. Eugen erzählte dem Großvater, daß er gemustert worden sei, und der Großvater strahlte: »Als ich Soldat gewesen bin... Also du, ich hab keine Sorgen g'habt!« Er blieb stehen und spreizte beide Hände.

Die Militärzeit war für ihn die glücklichste gewesen. Dir graut's davor, wahrscheinlich, weil du sechzig Jahre jünger bist. Leider sah jetzt alles anders aus als damals; vor fünf Wochen aber, in den Harmoniesälen zu Heidelberg, waren dieselben Dielen, dieselben Stühle, Tische, ja sogar dieselben Bilder wie vor sechzig Jahren dagewesen; und du hast Angst gehabt, daß du dir einen Spreißel in den nackten Fuß stößt... Seit sechzig Jahren hatten sich sogar die Menschen nicht verändert, freilich nur was ihr Äußeres betraf; der Wehrbezirkskommandant in seiner engen Uniform, der Stabsarzt, der sich eine Zigarre angezündet, und der Major, der ›Leute!‹ geschrien hatte, hätten auch vor sechzig Jahren dasein können. Die Kostüme freilich waren in der Zwischenzeit anders geworden, obwohl der Polizist mit einer Pickelhaube und Medaillen wie vor sechzig Jahren geglänzt hatte.

Eugen gab dem Großvater die Hand und sagte: »Auf Wiedersehen. Und ich dank dir herzlich, daß du mich herausbegleitet hast.« Dann schaute er alleine auf bläuliche Schienen. Spatzen flatterten über ölige Schottersteine, ein Klingelsignal tönte, und ein Schnellzug dröhnte vorbei, daß der Boden bebte. Wieder Stille, an der Böschung hohe Halme, die sich vor dem Himmel regten, der herunterreichte, indes ein junger Mann neben einem Kunstlederkoffer auf die Abfahrt wartete, bei der sich dann die Landschaft auseinanderfaltete und schrumpfte, weit wurde und die stillstehende Ferne sehen ließ.

Über Stuttgart stürmte ein Gewitterregen. Das Elternhaus stand so erhöht über der Mauer, wie er es von früher kannte, doch fehlte die Gaslampe vor dem Gartentor. Die Straße kam ihm kahler vor. Die Mutter winkte aus Margrets Zimmer, weil sie Eugen hatte kommen sehen, und bei der Treppe hingen Efeuranken. Die Mauer war mit Moosflechten belegt; er streifte sie beim Hinaufgehen, begrüßte die Mutter, die gealtert lächelte und sagte, der Vater liege im Bett und habe Ischias. Es war, als stieße man ihn in die Seite; es kam ihm als eine Zurechtweisung seiner anmaßenden Gedanken vor, weil er sich zuvor gewünscht hatte, allein in Wien zu leben. Was willst denn du, wen hast du außer deinen Eltern, und jetzt ist auch dein Vater krank; von heut auf morgen kannst du allein gemacht werden... Und er begrüßte seinen Vater, der mühsam lachte, weil der Schmerz ihm in den Schenkel schnitt. Der ist kein Kümmerling wie du, der langhaarige und dichtende Sohn; der hat etwas geschafft, während du bloß herumhängst... – »Ich bin also bei der Großmutter g'wesen.« – »Die stirbt«, sagte der Vater.

Er nickte ihm übers Bett zu. Hier bist du daheim, aber wie lange noch? Vor dem Fenster war der Garten zwischen Apfelbäumen hell; der Ahorn und die Esche ragten übers Dach des Nachbarhauses.

Eugen kam in seine Stube, wo das irdene und glasierte Schreibzeug mit der eingekratzten Jahreszahl 1837 stand, das er sich vor einem Jahre gekauft hatte; achtzehnhundertsiebenunddreißig, eine gute Zahl; besser jedenfalls als neunzehnhundertsechsunddreißig. Die Mutter hatte das Bett überzogen und eine Rose aus dem Vorgarten in seine Glasvase gestellt. Die Photographie Thomas Manns, der im

Lehnstuhl saß, war in Wien aufgenommen worden; Hofmannsthal schaute auf die Seite; Herman Bang hatte sich das Haar in die Stirn gekämmt und eine Rose an seiner Jacke befestigt, während Schnitzler die Brauen zusammenzog und Stifter als ein dicker Mann behaglich schmunzelte, weil man ihn so in Wien gerne gesehen hatte. Mörike hatte den obersten Rockknopf falsch eingeknöpft, sein Kragen sah verwurstelt aus. Und alles in der Stube war für Außenstehende wahrscheinlich recht absonderlich, doch kamen hier nur wenige Leute herein; zum Beispiel der Schriftsteller Bitter.

Der aber schien sich über das Zimmer zu ärgern, wahrscheinlich, weil darin andre Gesichter als das seine hingen. Er sagte, daß es drauf ankomme, ein Werk zu schaffen, das mit der Zeit, in der man leben müsse, konform gehe; was aber seien das alles für Schönheitspfleger und -konservatoren, diese da... Und er ließ seine Hand nach der Wand zukken, wo die Bilder hingen.

Eugen meinte, die hätten ihre Erfahrungen auch nur so genau wiedergeben wollen, wie Herr Bitter das in seinen Versen über Blumen und Gefühle mache. »Es kann natürlich sein, daß Sie etwas andres erfahren haben als zum Beispiel Stifter, und deshalb mögen Sie sein Geschriebenes nicht.« Er wußte, was Herr Bitter jetzt an ihm vermißte: die Schärfe halt. Der mag's nicht, daß du ruhig bleibst, und du bist ihm nicht aggressiv genug; der denkt, du seist fast wie ein alter Mann... Und er schrieb in sein Tagebuch, Bitter schneide ihm in seine Fühlhörner hinein; der sei bloß ein Gerichtsvollzieher. Aber die Großmutter liegt im Sterben, und deshalb kann es dir gleichgültig sein.

Später war dann – eine Woche mochte in der Zwischenzeit verschwunden sein – im Empiresaal des Neuen Schlosses ein Konzert, bei dem die Musiker in Rokokokostümen spielten, eine seltsame Veranstaltung, nicht nur, weil Rokokoko-

254

stüme in einem Empiresaal fehl am Platze waren und die Musiker unter weißen Perücken schwitzten.

Vor ihm saß Schöllkopf in brauner Uniform, silbernes Eichenlaub am Kragen, derselbe, der in Tübingen ein Feuerkopf gewesen war und nun im Neuen Schlosse die Konzertpause benützte, um vor den Leuten als einer mit Blechemblemen auf der Brust dazustehen und die Fäuste in die Hüften zu stemmen. Den schiebst du von dir weg... Aber Schöllkopf trat auf ihn zu und redete mit ihm, immer noch die Fäuste in den Hüften. »Das ist ein schöner Rahmen für ein Konzert«, sagte Schöllkopf und sah an ihm vorbei.

Zu Hause sprach er mit Margret über die Großmutter, und sie erzählte, wie's gewesen war, als sie sie besucht hatte. Die Großmutter war am Tisch gesessen und hatte einen Napf mit Pappedeckel neben sich gehabt; in den spuckte sie ab und zu hinein. »Weißt du, es hat Fleisch gegeben, aber Rosenkohl wär mir lieber g'wesen; denn Fleisch... bei einer Sterbenden essen müssen... Also, ich weiß nicht recht. Der Rosenkohl hätte mich auch an die Kindheit erinnert. Und weißt noch – also, höchstens fünf bist d' damals g'wesen und hast noch nicht auf den Tisch gucken können –, wie du dir das Bäuchle g'strichen und ›mhm... Rohkohl!‹ gesagt hast?« – »Nein, davon weiß ich nichts mehr.« – »I au net, aber die Mutter erzählt es immer, wenn's Rosenkohl gibt.« Ja, dessen entsann er sich, und er mußte ein netter Bub gewesen sein, »a mögelicher Kerle«, wie Emilie Rühle aus Gablenberg sagte, die ab und an zum Nähen ins Haus kam. Und was ist jetzt davon übriggeblieben? Eigentlich so gut wie gar nichts, weil du arg verkapselt und viel zu sehr darauf erpicht bist, elegant daherzukommen... Und er dachte, daß seine Mutter recht habe, wenn sie sagte, sein Gehabe passe nicht ins Haus, weil dabei jeder denke, daß sie es hier üppig hätten, was doch falsch sei.

Wieder hörte er Margret zu, die sagte, daß die Großmutter mühsam vom Tisch aufgestanden sei und geschwankt habe: »Da hab ich sie dann stützen müssen.« Es war ihr schwergefallen, und sie hatte dabei etwas überwinden müssen, beinahe Widerwillen oder Schlimmeres. Sie gestand's nicht ein, weil es doch unpassend gewesen wäre und sie sich schämte; es genügte, darüber nicht zu reden und es nur merken zu lassen, ohne daß man's merken lassen wollte. Die Großmutter in Dürrmenz war noch immer eine breite und hochgewachsene Frau, anders als Großmutter Krumm, die hier im Haus gestorben war. Damals hast du nur im Traum etwas davon gemerkt... Er war in der Nacht aufgewacht, hatte den Vater leise reden und eine Tür gehen hören, drüben bei der Treppe. In der Frühe, beim Aufwecken, hatte es die Mutter ihm gesagt. Und du hast damals g'weint, aber der Vater hatte »Ach was, wemmer mit dreiundsechzig stirbt, ist d' Hebamm' nemme schuldig!« ausgerufen, wahrscheinlich, um es von sich wegzuschieben; oder er meinte, weil er im Krieg gewesen sei, wisse er, wie er's hinnehmen müsse oder was davon zu halten sei.

Obwohl seine Großmutter starb, blieb ihm alles, was sich in Heidelberg ereignet hatte, gegenwärtig, und er dachte: nicht bloß, weil du es aufgeschrieben hast. Dort bist du lebendig gewesen, und weil du noch das Kleinste weißt, bist du am Leben... Es wirkte nach, wurde im Erinnern klar und zeigte sich als ein scharf eingestellter Film. Es meldeten sich Augenblicke, von denen er im Tagebuch nichts erzählt hatte. Jetzt sah er alles wieder und stand in Gedanken neben Wieland, der sich zwischen offenen Koffern rasierte, schwatzte und mit seifigem Rasierpinsel auf eine Postkarte an jenen Rischbieter zeigte, der von ihm immer als eine ›zähe Existenz‹ bezeichnet worden war. Wieland mochte ihn nicht, und einmal war er mit dem spanischen Albert sogar vor ihm geflohen. Er sprach davon, erzählte es, sagte, sie seien da am Fluß gegangen, »ungefähr in deiner Gegend und nicht weit von deiner Villa. Da kommt der Rischbieter auf uns zu – weißt noch, wie der einmal zu uns gesagt hat: ›Erhalten Sie sich Ihren schwäbischen Humor‹? –, und wir, umkehren und fortlaufen, das war eins.« Jetzt aber hatte er an den derart liebenswürdig geschrieben, daß es seltsam wirkte, doch Wieland war halt konziliant. »Kommt's dir zu höflich vor? Aber heut bin ich gut aufgelegt«, sagte er und lachte. Offenherzig redete der jetzt, es hörte sich vergnüglich an, und als er von Alberto sagte, der kämpfe gegen Vogelscheuchen, habe sich jetzt auch noch mit Norles Vater verkracht und betrete das Haus des Zahnarztes nicht mehr, da lachten beide; und schnell fügte Wieland hinzu, er habe sich mit Alberto trotzdem solidarisch erklärt und gehe auch nicht mehr ins Haus dieses Zahnarztes; wie das halt so sei, merkwürdig eigentlich, doch so verhalte sich's nun mal. Und Eugen wunderte sich, weil Wieland alles mit so beweglichem Handgelenk umdrehen und sich anpassen konnte.

Er ging über den Höhenweg oberhalb des Kräherwaldes, und der Zeppelin kam weißglänzend vom Asperg her. Eine Mauer blauer Höhen streckte sich in der Ferne. Zwischen Wälderflecken waren die Getreidefelder gelb; auf ihnen würden im Herbst wiederum Manöver sein, und dem Vater gefiel's, weil er sich an früher erinnert fühlte. Damals war auf dem Langen Felde immer der König dabeigewesen. Und der Vater meinte, es sei jetzt wieder so wie früher. Vielleicht war es sogar dasselbe und würde wieder zu demselben führen, also zum Krieg, der für den Vater entweder etwas Verklärtes oder etwas Verschwommenes angenommen hatte. Der Mensch ist eine Vergeßmaschine [das hast du vom Schriftsteller Bitter], und vielleicht hielt der Mensch das Leben auch nur als Vergeßmaschine aus. Von außen her, im Sommerlicht, erschien es friedlich, und viele dachten wie der Vater, jetzt sei Deutschland wieder stark geworden. Wenn andre Länder aber stärker waren, nützte es so gut wie nichts.

Wieder ging er in Gedanken Wien entgegen [damit du vom Krieg und vom starken Deutschland wegkommst], meinte die Ebene zu sehen, Ungarn zu, von der er dachte, daß sie ungefähr so wie das Lange Feld beim Asperg sei, der nun wie ein Dach aus Erde sich heraushob. In Gedanken ging er in Grillparzers Büro hinein, murmelte die Verse: ›Mein Kummer ist mein Eigentum, / Den geb ich nicht heraus‹, und dachte, das seien gleichmütige Worte, geschrieben von einem Österreicher. Die Österreicher hatten keinen Hitler, obwohl der Hitler Österreicher war, weshalb zu wünschen wäre, daß der Bundeskanzler Österreichs, Herr Doktor Kurt von Schuschnigg, nie mehr belästigt würde vom Österreicher Hitler, daß der Österreicher Hitler vom Österreicher Schuschnigg kurzer oder langer Hand dem Britischen Museum ausgeliefert würde, weil es hieß: »Mein Auge blitzt / Mein Herze klopft, / Mein Mund singt ein Tedeum: ... Ich sah den Führer ausgestopft / Im Britischen Museum.« Draußen stuften sich die Wälder, Schloß Solitude war als ein weißes Fleckchen fast ganz oben deutlich, dort, wo am Horizont das Himmelsblau ausbleichte, während hier neben dem Weg das Gras versengt war und grüne Ähren bis zum Ellenbogen reichten; übrigens Roggenähren.

Wieder umkehren und in die Stadt gehen; von oben schaute sie blaudunstig aus. Staubfäden von Lindenblüten lagen als ockerfarbenes Mehl auf dem Trottoir. Nachmittagsstille in der Panoramastraße mit Blätterschatten über Pilastern an den Villenecken; auf einer Treppe, dieser Staffel zwischen Gärten, hing Eibengebüsch dunkelstachelig herab; also die Kronenstaffel abwärts gehen, jemand Klavier spielen hören und einen Gardinenzipfel aus einem Fenster wehen sehen, dazu Schieferdächer mit schnörkeligen Gittern, hinter denen Wäsche zwischen zwei Kaminen aufgehängt war. Dort unten in der Goethestraße war Tante Emilie an Krebs gestorben, nachdem sie russische Fürstinnen bedient hatte, eine Kammerzofe, mager und schwarzhaarig, gern gesehen bei den Adligen, und schließlich Frau des Konsulatsdieners Henry Conin aus Versailles, der Hausmeister gewesen war. Du kommst von unten, schärfe es dir ein... Und freundlicher wär es gewesen, ohne die Ausstrahlung eines sich nähernden Krieges hierzusein; aber gleichviel. So leicht wird es dir leider nicht gemacht.

Er ging wieder zurück. Die Haltestelle Im Kaisemer hatte noch die gelbe Emailtafel mit schwarzer gotischer Schrift wie Anno neunzehnhundertzehn; also hast du wenigstens das noch... Zwei barfüßige Buben standen dort, schauten ihn an, und einer sagte: »So ein G'sicht und einen Backsteinkäs, dann bin ich aber satt.«

Hinter den Buben ging er in der Straße, die Im Himmelsberg hieß, zwischen Gärten aufwärts. Akazien regten ihre Blätterwedel, und oben stand ein Haus mit breitem Giebel wie ein Schloß; davor hielt ein schwarzes Auto, und der Oberbürgermeister stieg in Schaftstiefeln und brauner Uniform aus diesem Auto aus; als er den Eugen Rapp sah, verzog er das Gesicht, und es sah aus, als ginge jetzt ein Riß hindurch. Wahrscheinlich mag der deine langen Haare nicht; für den bist du ein liberalistischer Lebejüngling aus der Schmach-und-Schande-Zeit, was dich gewissermaßen freut... Und vielleicht gibt es einmal Menschen, die nicht bloß schwatzen wie du und der Wieland, sondern etwas tun; gegen den Hitler nämlich... Im Ausland lebten viele, die's in der Hand gehabt hätten, wenigstens die deutsche Einfuhr abzuschneiden; aber die taten auch nichts, grad als wären sie vom Hitler fasziniert; oder sie halfen diesem Hitler. Besonders jetzt, bei der Olympiade, wo überall Fahnen andrer Länder hingen; auch vor dem Hindenburgbau, hier in Stuttgart; der türkische Halbmond flatterte nicht weit vom Grillenbanner; nur die Hammer-und-Sichel-Fahne fehlte. Der Herzog von Windsor aber traf in Stuttgart Hermann Göring. Fahnen, der Herzog von Windsor, Fahnen und Automobile zeigten sich, und Damen lehnten sich in den Autos zurück. Mehr war nicht sichtbar.

Er kam nach Hause. Sie aßen zu Abend. Der Vater war in Dürrmenz. Die Mutter spielte eine Beethoven-Sonate; ihr langsamer Satz war klar. Er hörte es im Sofa mit den abgewetzten Lederpolstern. Als die Haustüre ging, brach das Spiel ab, und die Mutter schaute nach, wer kam. Es war der

Vater, der die Schlüssel auf den Tisch in der Diele legte. Er sagte etwas, die Mutter wandte sich um: »Die Großmutter ist gestorben.« Das Gesicht des Vaters wurde vom Deckenlicht beschienen, und seine Falten zwischen Nasenflügeln und Mundwinkeln traten hervor; sie hatten sich seit seiner Ischiaserkrankung schärfer eingegraben.

Der Vater setzte sich in seinen Sessel, erzählte, daß Tante Mariele die Lippen der Großmutter mit Wasser benetzt habe, doch sei eine Gesichtshälfte schon gelähmt gewesen; der Unterkiefer hing herab. Beim Mittagessen hörte er ein Röcheln und wußte es: »Wir standen auf, und sie war tot. Ich bin im Bummelzug zurückgefahren. Der ist übrigens nicht schlecht; schon in zwei Stunden ist er hier… Wenn die Mutter stirbt – das ist natürlich schon ein Einschnitt«, sagte er, nahm die Zeitung her und las. Nach einer Weile fügte er hinzu: »Wenn ein Krieg kommt, melde ich mich als Soldat, damit ich mir von den Parteileuten nichts vorschreiben zu lassen brauche. Mehr kann ich eigentlich nicht sagen.«

Eugen fragte Margret, ob sie wieder einmal etwas von Eva Maurer gehört habe, und erfuhr: »Ja schon. Die hat einen Sportjournalisten geheiratet und sich das Leben genommen.«

Auf S. 132 werden vier Zeilen eines Gedichts von Georg von der Vring zitiert.

Von Hermann Lenz
erschienen im Suhrkamp Verlag

Der Kutscher und der Wappenmaler. Roman. 1975. *Bibliothek Suhrkamp* Band 428. 177 S.

Dame und Scharfrichter. Roman. 1976. *Bibliothek Suhrkamp* Band 499. 140 S.

Die Augen eines Dieners. Roman. 1976. suhrkamp taschenbuch Band 348. 223 S.

Spiegelhütte. 1977. *Bibliothek Suhrkamp* Band 543. 146 S.

Verlassene Zimmer. Roman. 1978. suhrkamp taschenbuch Band 436. 223 S.

Von Hermann Lenz
erschienen im Insel Verlag

Neue Zeit. Roman. 1975, 391 S.

Der Tintenfisch in der Garage. Erzählung. 1977. 139 S.

st 427 Bernard von Brentano, Prozeß ohne Richter
Roman
Mit einem Nachwort von Martin Gregor-Dellin
114 Seiten
Dieser Roman erschien 1937 in Amsterdam. Er erzählt
die Geschichte der Vernichtung eines Menschen durch ein
nicht benanntes diktatorisches Regime. In ihm wird nicht
direkt die Realität des Dritten Reiches abgebildet, sondern
es wird das System der Despotie und dessen Mechanis-
mus der Menschenvernichtung schlechthin angeklagt.
»Es ist, man sieht es, eine furchtbare reale Welt im Spiegel eines Wassertropfens. . . . Die Dunkelkammer der Despotie, in der Seelen und Moralen verwüstet werden.«
Alfred Döblin, 1937

st 428 Christiane Rochefort
Mein Mann hat immer recht
Roman
228 Seiten
»Aus ironischer Distanz und doch auch grimmig engagiert, gelingt es diesem Bericht über ein geistig-seelisches
und soziologisches Dilemma, amüsant zu sein und melancholisch zu machen.« *Gabriele Wohmann*

st 429 Moshé Feldenkrais
Bewußtheit durch Bewegung. Der aufrechte Gang
Nach der vom Autor bearbeiteten englischen Fassung
übersetzt von Franz Wurm
Mit Abbildungen
236 Seiten
Nach Feldenkrais ist der Mensch Gegenstand und Opfer
einer repressiven Erziehung und muß sich erst seiner
selbst und auch seines Leibes und dessen Funktionen inne-
werden, wenn er wirklich Mensch sein will. Die Methode,
mit der das erreicht werden soll, ist ein bewußtes Training
aller Funktionen, der geistigen wie der körperlichen.
Feldenkrais stellt seine Lehre in fünf theoretischen Kapi-
teln dar, denen zwölf exemplarische Lektionen zur Ein-
übung folgen.

st 434 Arkadi und Boris Strugatzki
Die Schnecke am Hang
Aus dem Russischen von H. Földeak
Mit einem Nachwort von Darko Suvin
Phantastische Bibliothek Band 13
278 Seiten
In bildhaft dichter, phantastisch verschlüsselter Sprache
erörtern die Autoren Probleme wie den Konflikt zwischen
der Erhaltung menschlicher Werte und rein technologisch
verstandenem Fortschritt und plädieren für einen Sozia-
lismus des Herzens, nicht nur des Kopfes.
»Die Strugatzkis ... bieten dem Leser ein brillantes Wort-
kunstwerk.«   *Darko Suvin*

st 435 Stanisław Lem
Die Untersuchung
Kriminalroman
Aus dem Polnischen von Jens Reuter und Hans Juergen
Mayer
Phantastische Bibliothek Band 14
242 Seiten
»Die von Lem ersonnene Welt, Zukunftsbild und Symbol
einer allgewaltigen, zum Selbstzweck gewordenen, den
Menschen verschlingenden Organisation ist . . . weniger
weit von den Grenzen des Möglichen entfernt, als man
wahrhaben möchte. Ein Zukunftsalptraum.«
                                                  Der Bund, Bern

st 439 Gustav Regler
Das große Beispiel
Roman aus dem Spanischen Bürgerkrieg
Mit einem Vorwort von Ernest Hemingway
400 Seiten
Im Nachlaß Gustav Reglers, der als einer der vielen
internationalen Freiwilligen im Spanischen Bürgerkrieg
kämpfte, um den Faschismus zu verhindern, fand sich
das Originalmanuskript dieses Buches. »Es gibt Ereignisse«, schreibt Hemingway in seinem Vorwort, »die so
groß sind, daß ein Schriftsteller, der sie miterlebt hat,
moralisch verpflichtet ist, sie so wahrheitsgetreu wie möglich zu berichten, ohne sich anzumaßen, sie durch Erfin-
dung zu verändern. Ereignisse von dieser Bedeutung
haben Reglers Buch hervorgebracht.«

st 440 Philip K. Dick, UBIK
Science-Fiction-Roman
Aus dem Amerikanischen von Renate Laux
Mit einem Nachwort von Stanisław Lem
Phantastische Bibliothek Band 15
222 Seiten
Das Schlüsselwort, das Joe Chip und seine Kollegen vor einer abscheulichen Verschwörung bewahren kann, heißt UBIK. Joe hat nie zuvor davon gehört. Er weiß aber, daß er dem geheimnisvollen UBIK auf die Spur kommen muß, wenn er seine surreale Existenz ändern will.
»Dick übertrifft in den Inventionen bei weitem seine Kollegen; seine sich verzweigende, ungeheure und ominös purzelbaum-schießende Welt ist voller Einfälle – manchmal mit satirischem Unterton.«

st 442 Hans Magnus Enzensberger, Politik und Verbrechen. Neun Beiträge
402 Seiten
»Enzensberger präsentiert seine eigenen Versuche, die Auffassungen von Recht und Rechtsverletzung, von Staat, Herrschaft, Gehorsam und Verrat zu revidieren. Es sind ... materialreiche und klug kommentierende Berichte von grellen Kriminalaffären, historischen Begebenheiten, politischen Verbrechen und großräumigen Gangstereien. Ein gemeinsames Interesse verbindet sie und macht sie zu Lehrstücken von literarischem Gewicht: das Interesse an der Symmetrie legaler und illegaler Handlungen.« *Jürgen Habermas*

st 444 Adolf Portmann, Das Tier als soziales Wesen
ca. 392 Seiten
In Einzeldarstellungen zeigt das Buch, in »wie hohem Maße alles Tierleben sozial ist«. Persönliches Erleben und Neigung des Verfassers bestimmen die Auslese, die von der Welt der Libellen zur Sozialwelt der Vögel und ihrer Sing- und Tanzrituale, zu den Fischströmen, Hirschrudeln und Wolfstrupps, zu den Pinguin-Kolonien und dem Sozialleben der australischen Vogelgattung Menura führt. Immer wieder ergeben sich von selbst auch Gesichtspunkte für das Beurteilen des menschlichen Gesellschaftslebens.

st 446 Fünf Minuten pro Patient
Eine Studie über die Interaktionen in der ärztlichen
Allgemeinpraxis
Herausgegeben von Enid Balint und J. S. Norell
Aus dem Englischen von Käthe Hügel
256 Seiten
»Das Buch ... hat etwas von der Inspiration und von
der selbstkritischen Skepsis, der Offenheit für menschliche
Probleme wie auch der Einsicht in die Begrenztheit eige-
ner Möglichkeiten, die den guten Arzt heute wie eh und
je auszeichnen.«   *Walter Bräutigam, FAZ*

st 448 Gert Ueding (Hrsg.), Materialien zu Hans Mayer,
»Außenseiter«
218 Seiten
Der Band versucht, der inneren Struktur des Buches
»Außenseiter« von Hans Mayer gerecht zu werden. Er
versammelt Texte und Gespräche Hans Mayers, die in
Rede und Gegenrede das Problem der Außenseiter auch
theoretisch erneut zur Diskussion stellen. Selbst die meisten Rezensionen, von denen die wichtigsten hier doku-
mentiert werden, können als Bestandteil des Gesprächs
verstanden werden, das Mayers großer Essay über die
Außenseiter eröffnet hat.

st 449 Herbert Achternbusch, Die Stunde des Todes
Roman
100 Seiten
»Wie dieser Autor aus Querulantentum und Phantasie,
eine bayrisch-bäuerische Kindheit im Rücken, Poetisches
erschafft, das kann man sich mit seinem Roman unter
die Haut lesen.«   *Frankfurter Rundschau*

st 481 Walter Hinck, Von Heine zu Brecht
Lyrik im Geschichtsprozeß
156 Seiten
Inhalt: Ironie im Zeitgedicht Heines. Exil als Zuflucht
der Resignation. Epigonendichtung und Nationalidee.
Metamorphosen eines Volkslieds. Alle Macht den Lesern,
Zur Lyrik Brechts. Das lyrische Subjekt im geschichtlichen
Prozeß oder Der umgewendete Hegel.

Alphabetisches Gesamtverzeichnis der suhrkamp taschenbücher